José Agustín

ESPEJO
DE
MÉXICO

Tragicomedia mexicana 1

Planeta

COLECCION: ESPEJO DE MEXICO

Dirección editorial: Homero Gayosso A. y Jaime Aljure B.

Diseño de cubierta: Armando G. Jurado
Ilustración de portada: Murales del Restaurante Prendes, de
la ciudad de México (foto: Miguel Velázquez)
Ilustraciones interiores: Archivo Editorial
Planeta y Archivo General de la Nación
Fotografía del autor: Luz María Mejía

Coordinación editorial: Coral Rendón

DERECHOS RESERVADOS

© 1990, José Agustín
© 1990, Editorial Planeta Mexicana, S.A. de C.V.
        Grupo Editorial Planeta de México
        Avenida Insurgentes Sur núm. 1162
        Col. Del Valle
        Deleg. Benito Juárez, 03100
        México, D.F.

ISBN: 968-406-304-0

Octava reimpresión: diciembre de 1993

Impreso y hecho en México-Printed and made in Mexico

Impreso en los talleres de: Metropolitana de Ediciones,
S.A. de C.V., Parque Industrial Finsa, Nave 5, Periférico
Oriente entre Ejes 5 y 6 Sur, Iztapalapa, D.F., esta
        impresión consta de 5,000 ejemplares

A Andrés, Jesús y Agustín,
¡que les sea leve!
y
a Mercedes Certucha
y Homero Gayosso

1. La transición
(1940-1946)

¡Aquí viene Huevos de Oro!

En 1940, Diego Rivera y Frida Kahlo se casaron por segunda vez y México pisaba la cola del tigre. Se vivía una intensa agitación. Las medidas revolucionarias de Lázaro Cárdenas (reforma agraria, fortalecimiento de obreros, educación socialista y expropiación petrolera) beneficiaron ai pueblo pero también despertaron una activa oposición de terratenientes, patrones, la iglesia y parte de la clase media de las ciudades. Todas estas fuerzas identificaron a Cárdenas como un peligro comunista y se defendieron atacando: las inversiones se contrajeron, se fugaron capitales y se desató una fiebre especulativa de terrenos urbanos, que en 1940 aumentaron de valor hasta en 200 por ciento. Los ricos también se lanzaron a comprar lujosos autos importados, y los Packards, Lincolns y Cadillacs circulaban las calles, pavimentadas o no, de las ciudades mexicanas.

Las grandes compañías extranjeras, por su parte, contribuyeron al desorden económico al retirar su dinero de los bancos mexicanos, y éstos de plano dejaron de conceder préstamos. Para no variar, el gobierno siguió sobregirándose y por tanto imprimió billetes con energía; los aumentos de precios, especialmente en básicos, ahondaron la carestía y acabaron de exasperar a toda la población, pues nadie se reponía aún de los efectos de la expropiación petrolera y se presenciaba, procurando no preocuparse demasiado, la gran guerra que tenía lugar en Europa, África y Asia.

El rechazo a Cárdenas benefició a dos caudillos militares: Joaquín Amaro, radical de derecha, y el "moderado" Juan Andrew Almazán, ex huertista, "hombre de negocios y de mando de tropas", quien en enero de 1940 constituyó el Partido Revolucionario de Unificación Nacional (PRUN). Amaro no se quedó atrás y armó la Federación de Agrupaciones Revolucionarias Oposicionistas (FARO). Los dos flamantes disidentes del sistema anunciaron sus candidaturas a la presidencia de la República y (Almazán con mayor cautela) se pronunciaron en contra de la educación socialista, de los ejidos, de la Confederación de Trabajadores de México (CTM), la izquierda, la expropiación petrolera y la antidemocracia del partido ofi-

Lázaro Cárdenas

cial. Ambos se proponían "restablecer la confianza de los inversionistas y rectificar los errores cometidos". Sin embargo, al poco rato fue claro que Almazán aventajaba con mucho a Amaro.

La enorme fuerza que cobraba la derecha fue determinante para que el presidente Cárdenas eligiera sucesor, pues entre sus reformas al sistema no se incluía la voluntad de democratización sino más bien la consolidación de los poderes impresionantes de la presidencia. En el Partido de la Revolución Mexicana (PRM) eran visibles dos campañas vigorosas que buscaban la candidatura oficial a "la grande". Una de ellas, la del general Francisco J. Múgica, secretario de Comunicaciones, representaba la continuidad y ampliación de las reformas revolucionarias, y era la opción natural de la izquierda. Cárdenas sabía que si se inclinaba por Múgica, como muy posiblemente lo deseaba, las derechas se exacerbarían en su contra y la situación podía resultar inmanejable. Por tanto, eligió la otra precandidatura existente, la del general Manuel Ávila Camacho, secretario de Guerra y Marina, quien había logrado ubicarse en el "centro" y resultaba un elemento neutro que podía unificar la gran diversidad de intereses que hervían en el PRM, además de que le quitaría banderas a la oposición sin abdicar a los principios de la Revolución Mexicana. "Usted será el presidente de la república", se dice que Lázaro Cárdenas informó a Ávila Camacho. "Y si alguno recibe una tarjeta o carta mía, no le haga caso. Será porque me vi obligado a darla."

Lázaro Cárdenas utilizó todo el aparatoso peso de su investidura en favor de su elegido. Lo juntó con Vicente Lombardo Toledano, el viejo lobo de Marx, secretario general de la entonces muy poderosa CTM, y logró que el insigne maestro en alto oportunismo apoyara a Ávila Camacho, pues "había que escoger", sentenció Lombardo, "no al hombre que más ofreciera al movimiento obrero sino al que garantizara la unidad del pueblo mexicano y su sector revolucionario". Con esto, el general Múgica empezó a decir adiós a sus ambiciones presidenciales.

La Confederación Nacional Campesina (CNC), el siempre débil y manipulable sector campesino, también satisfizo los deseos del presidente y apoyó la candidatura de Ávila Camacho. Lo mismo ocurrió con una mayoritaria cantidad de militares (el sector más conflictivo del partido) y de gobernadores, lidereados por el joven y afanoso mandatario de Veracruz, Miguel Alemán, quien fue nombrado secretario general del Comité Pro-Ávila Camacho, con lo cual aseguraba prácticamente su viaje en el próximo gabinete.

Ya con toda esa fuerza detrás, Ávila Camacho subió el volumen conservador de su campaña y no se cansaba de sugerir que llevaría a cabo las rectificaciones que se exigían. Por el lado de la oposición, Joaquín Amaro vio que tenía escasas posibilidades de ganar y, gruñendo, se retiró del juego electoral.

También se había registrado la candidatura de Rafael Sánchez Tapia, quien se lanzó por su lado, pero jamás tuvo la menor fuerza. El Partido

Campaña electoral del candidato Juan Andrew Almazán en 1940

de Acción Nacional (PAN) apenas había sido fundado en 1939 por Manuel Gómez Morín y no presentó candidato a la presidencia, pero apoyó a Andrew Almazán.

Por tanto, todas las expectativas estaban puestas en Manuel Ávila Camacho, que contaba con el aplastante apoyo del gobierno, y en Juan Andrew Almazán, cuya "ola verde" crecía y crecía en las ciudades y obtenía el apoyo de mucha gente. La campaña de Almazán pronto se convirtió en una verdadera amenaza, y el gobierno y el PRM urdieron una despiadada "guerra sucia" contra los almazanistas. En varias ciudades (Monterrey, Puebla, Pachuca, por ejemplo) las autoridades locales reprimieron duramente a la oposición y hubo numerosos muertos y heridos; en muchas otras partes de la república se obstaculizaba y hostilizaba sistemáticamente toda actividad pro-Almazán. Todas estas circunstancias fueron enrareciendo ominosamente la atmósfera política del país.

El presidente Cárdenas había prometido que las elecciones serían limpísimas y que habría un respeto absoluto por el voto popular. Pero Almazán no cesaba de repetir que el gobierno y el PRM llevarían a cabo un fraude de proporciones tan descomunales y groseras que sin duda brotaría la insurrección nacional en defensa del voto. El general Almazán había planeado, para cuando eso ocurriera, formar su propio congreso almazanista, "asiento de los poderes legítimamente electos", que calificaría las elecciones, lo nombraría presidente electo y elegiría un presidente sustituto. Almazán saldría a Estados Unidos y dirigiría la revuelta, llamaría a huelga general y coordinaría los grupos armados que tomarían las ciudades.

Las tensiones se hallaban al límite el 7 de julio. El detonador de los conflictos era una disposición de la más pura naturaleza surrealista, mediante la cual las casillas electorales se instalaban con un empleado de las autoridades y los primeros cinco ciudadanos que se presentaran. Por supuesto, todos querían ser los primeros en llegar. Tanto el PRM como el PRUN formaron brigadas de choque fuertemente pertrechadas. La CTM había prometido 40 mil trabajadores para hacer "vigilancia electoral", pero a última hora los obreros desobedecieron a sus líderes y las brigadas de la CTM nunca aparecieron. Esto permitió que muchas casillas fueran ocupadas por almazanistas. Manuel Ávila Camacho se topó con la desagradable sorpresa de que todos los funcionarios de la casilla donde votó mostraban fotos de Almazán en las solapas.

Gonzalo N. Santos, el cacique de San Luis Potosí, en sus *Memorias* nos dejó una narración de los sucesos del 7 de julio verdaderamente extraordinaria por su cinismo. A las siete de la mañana Santos ya había matado a un almazanista en un tiroteo; después formó una brigada de choque que llegó a tener más de 300 gentes, y con ella se dedicó a asaltar casillas a punta de balazos. La gente acudía a votar en grandes cantidades y, al menos en las ciudades, lo hacía abrumadoramente a favor de Almazán y los candidatos del PRUN. Pero al poco rato llegaban las brigadas del Comité Pro-Ávila Camacho y a balazos hacían huir a votantes y representantes de casilla. Tumbaban las mesas, rompían las urnas y se tiroteaban con los almazanistas, que eran muchos y estaban en todas partes.

El presidente Cárdenas, acompañado por el subsecretario de Gobernación Agustín Arroyo Ch., daba vueltas en su coche para ver la votación, y constató que la casilla donde él debía votar estaba, bien custodiada, en manos almazanistas. Por teléfono, Arroyo Ch. urgió a las brigadas a que intervinieran y el presidente pudiese votar en condiciones adecuadas. El grupo de choque pronto respondió al llamado. Desde varias cuadras alrededor de la casilla había tiradores en balcones y azoteas, y a todos ellos fueron abatiendo las huestes avilacamachistas, gracias a las ráfagas irrebatibles de las ametralladoras Thompson con que se abrían paso.

"¡Ríndanse, hijos de la chingada, que aquí viene el Huevos de Oro!", gritó el general Miguel Z. Martínez, quien después sería jefe de la policía capitalina alemanista. Los defensores capitularon y "previa cañoniza en la cabeza" se fueron uno por uno. "Rápido, cabrones, al que se detenga lo cazamos como venado." Al instante llegaron los bomberos y a manguerazos de alta presión limpiaron las manchas de sangre que había en todas partes; la Cruz Roja, solícita, levantó cadáveres y heridos. Se rearregló la casilla, se puso urna nueva y al fin pudo votar el ciudadano presidente y su acompañante Arroyo Ch. "Qué limpia está la calle", comentó Cárdenas al salir de la casilla, cuenta Santos: "Yo le contesté: 'Donde vota el presidente de la República no debe haber basurero.' Casi se sonrió, me estrechó la mano y subió en su automóvil. Arroyo Ch., menos hipócrita, me dijo: 'Esto está muy bien regado, ¿qué van a tener baile?' Yo le contesté: 'No, Chicote, ya lo tuvimos y con muy buena música.' Cárdenas se hizo el sordo. . .

"Ordené a los improvisados miembros de la casilla que pusieran la nueva ánfora de votos, pues iba a ser inexplicable que en 'la sagrada urna' sólo hubiera dos votos: el del general Lázaro Cárdenas, presidente de la República, y el de Arroyo Ch., subsecretario de Gobernación. Yo les dije a los 'escrutadores': 'A vaciar el padrón y a rellenar el cajoncito, y no discriminen a los muertos, pues todos son ciudadanos y tienen derecho a votar.'"

En toda la Ciudad de México tuvieron lugar encuentros armados a lo largo del día. En la tarde, enormes muchedumbres almazanistas se congregaron en torno a El Caballito. Esperaban la llegada de su líder para cargar contra Palacio, que, por supuesto, ya estaba bien custodiado por el ejército. Pero Almazán nunca llegó.

Al final se reportaron 30 muertos y 157 heridos. Los enfrentamientos tuvieron lugar en casi todas partes, pero resultaron especialmente sangrientos en Ciudad Juárez, San Luis Potosí, Monterrey, Ciudad del Carmen, Puebla, Saltillo, Toluca, Ciudad Madero y Coatepec. Sólo hubo elecciones tranquilas en Nogales, Hermosillo, Tampico, Piedras Negras, Mazatlán, Torreón, Chihuahua y Ensenada. Oficialmente se dijo que en provincia había habido 17 muertos. Los disturbios, choques e irregularidades fue-

Juan Andrew Almazán deposita su voto. El candidato del PRM, Manuel Ávila Camacho, no pudo votar en la caseta electoral que le correspondía porque ésta se hallaba en manos de los almazanistas

Fuertes tiroteos entre almazanistas y avilacamachistas durante las elecciones de 1940

El Comité Pro Ávila Camacho en acción, 1940

ron tantas que Juan Andrew Almazán alegó abierta ilegalidad.

Por su parte, Manuel Ávila Camacho fue a descansar esa noche a su casa. Gonzalo N. Santos refiere: "Me dijo don Manuel: 'Pues yo tengo la impresión de que nos han ganado las elecciones y yo, en esas condiciones, por vergüenza y por decoro no voy a aceptar ganar.' A don Manuel se le derramó el llanto. Yo le dije: 'No, señor, no tenga usted esa impresión, que es falsa, la capital de la república siempre ha sido reaccionaria, pero ahora es más; estos votos para Almazán puede usted estar seguro de que fueron emitidos contra Cárdenas y también contra la Revolución. . . Pero por ningún motivo y de ninguna manera vamos a traicionar a la Revolución consintiendo el voto de Almazán, ¡eso nunca!' Volvió don Manuel a llorar y me dijo: 'Yo nunca traicionaré a la Revolución y por ella no me importa perder la vida como ya lo he demostrado, pero un triunfo así no lo acepto.'" Claro que al día siguiente ya había cambiado de idea.

Después de las elecciones, Sánchez Tapia anunció que se reintegraba al ejército, lo cual dejó ver que sólo había entrado en la contienda para legitimar las elecciones al aceptar el resultado. Cárdenas compró rifles y municiones, y llevó a cabo movimientos en el ejército en espera de la insurrección. Y Almazán voló a Cuba. Quería entrevistarse con Cordell Hull, secretario de Estado norteamericano, que participaba en la Conferencia de La Habana, en la que el imperio del norte buscaba asegurarse del apoyo de los países latinoamericanos en la guerra mundial. Para empezar, Hull no quiso recibir a Almazán. Después, le negó una visa con nombre supuesto y, por último, el gobierno estadunidense reveló al de Cárdenas detalles de los planes militares de Almazán. Él, por supuesto, ignoraba que días antes Miguel Alemán había conversado en Washington con Sumner Welles, el subsecretario de Estado. Alemán le dio garantías de que Ávila Camacho apoyaría a Estados Unidos en la guerra, y de que resolvería las controversias entre los dos países. Estados Unidos, por tanto, consintió en enviar al vicepresidente Henry Wallace para que se fortaleciera la maltrecha legitimidad de la transmisión de poderes. No obstante, si la delegación de México en la Conferencia de La Habana no colaboraba con la de Estados Unidos, a manos almazanistas podría llegar información confidencial reveladora de que las elecciones habían sido una farsa trágica.

El 15 de agosto, el colegio electoral, controlado por completo por el PRM, ya había calificado las elecciones y dio la presidencia a Ávila Camacho con dos millones y medio de votos. Se dedicó una última broma siniestra a Almazán al reconocerle ¡quince mil votos! Las quejas del fraude electoral se oyeron por todas partes, ya que la prensa y la radio apoyaban a Almazán; sólo *El Popular*, izquierdista, y *El Nacional*, oficial, respaldaban al gobierno. En septiembre se constituyeron los dos congresos: el almazanista y el oficial. En el primero se declaró presidente electo a Juan Andrew Almazán, quien entonces se hallaba en el sur de Estados Unidos, sin atreverse a nada. Poco después se promulgó el Plan de Yautepec y murió en Monterrey Manuel Zarzosa, brazo derecho de Almazán. Y éste ya no regresó al país ni dirigió insurrección alguna. En noviembre renunció al cargo de presidente electo, "como único medio de conseguir la tranquilidad a que tienen derecho mis partidarios". Éstos, por su parte, ya habían tenido una probadita de la barbarie que aún prevalecía en el sistema, y después les sobrevino una "cruda" que los hundió en la frustración, primero, y al final en la convicción de que los habían traicionado.

Todo esto, al poco tiempo, generó una profunda desconfianza de los ciudadanos ante los procesos electorales, que se tradujo en apatía, desinterés y altos índices de abstencionismo, lo cual siempre benefició al gobierno y al partido oficial.

En su último informe de gobierno, Lázaro Cárdenas dijo en referencia a las elecciones y sin hacer caso a las vivas a Almazán que se oían en la cámara de diputados: "El gobierno rechaza por su concepto democrático el empleo de toda violencia que incesantemente ha tratado de desterrar en la vida pública del país. Por tanto condena rotundamente todo proceder contrario, cualquiera que sea la tendencia o significación de la víctima o del agresor. Y todavía lo considera más vituperable cuando tal sistema se presenta con la aportación extranjera, exenta de todo sentimiento de respeto al Estado que le dispensó acogida."

Pero nada de esto podía borrar el resentimiento y la profunda ofensa de la población a causa del fraude electoral. A partir del informe, Cárdenas pasó los restantes noventa días con suma discreción: todo el tiempo apoyó a su elegido al punto de que incluso suavizó muchas de sus posiciones políticas para no obstaculizarlo. Calladamente, tras bambalinas, como se hace la política en México, movía sus piezas y presionaba para que sus ideas y sus seguidores no quedaran totalmente descobijados. Tenía esperanzas de que la siguiente administración se guiara bajo el Segundo Plan Sexenal que habían preparado sus mejores cuadros.

El general Ávila Camacho, por su parte, acentuó sus rasgos de moderación y conciliación, y los empresarios suspiraron con alivio al ver que el presidente electo se declaraba creyente ("ahora se va a llamar Ávila Camocho", bromeaba la gente), lo cual escandalizó a muchos de los viejos jacobinos. Pero las cosas empezaban a aclararse hacia fines de noviembre, y sólo los muy despistados no advertían que en breve habría cambios serios en el régimen. Pocos, sin embargo, comprendían los alcances que llegarían a tener las nuevas reglas del juego que empezaban a delinearse.

El primero de diciembre tomó posesión Manuel Ávila Camacho. El general se daba cuenta de que todo le había salido bien hasta el momento, pero también de que su posición no era lo suficientemente firme. Para empezar, tenía que "restablecer la confianza" de los inversionistas, tal como había prometido, a fin de que bajaran las aguas del descontento y amainaran las presiones de la gente con dinero, que se hallaba engallada, segura de su poder ante la catarata de concesiones que obtenía. El gran objetivo de

Manuel Ávila Camacho, presidente de México 1940-1946

El presidente Ávila Camacho se reúne, en 1942, con su homólogo estadunidense

Ávila Camacho consistía en aprovechar al máximo la conyuntura que ofrecía la guerra mundial para industrializar al país. De esa manera no sólo dejaría felices a los empresarios sino que México ya no sería un país atrasado, ni autárquico ni surtidor de materias primas sin procesar. La idea era que, sin rechazar en lo más mínimo el capital extranjero, había que desarrollar una infraestructura industrial para no tener que importar todo lo nuevo y bueno que ofrecía la alta tecnología, pues la industria mexicana se encargaría de tenernos bien surtidos y, dentro de lo posible, al día y con buena calidad. Por tanto, desde un principio el presidente desechó toda retórica que pudiera parecer socialista, propició e incluso utilizó la nueva moda anticomunista y se empeñó en promover la industrialización del país. Destinó entre el 50 y el 60 por ciento de los gastos de gobierno para apoyar a la empresa privada. Por supuesto, desde un principio también ignoró el famoso segundo plan sexenal con que Cárdenas pretendía afianzar sus reformas, desechó cualquier tipo de planificación de tufo socializante, e impuso el pragmatismo del mercado supuestamente libre.

Después de algunos titubeos, los empresarios decidieron aprovechar la oportunidad. No tenía caso aferrarse a resentimientos ideológicos si el régimen ofrecía tan buenas condiciones. Atrás se quedó la pasión almazanista o las simpatías por el PAN. Muchos empeñosos y ambiciosos titanes de la industria habían surgido con los gobiernos de la revolución y se movían muy bien dentro de tan peculiares aguas. Otros pasaron de los altos puestos políticos a negocios jugosos que los enriquecieron en poco tiempo. Y otros más, los de raigambre porfirista que sobrevivieron a la revolución, también se integraron en la nueva política. Por ejemplo, los grandes jerarcas del grupo Monterrey en enero de 1942 se reunieron con el presidente Ávila Camacho para manifestarle alegremente que abjuraban de sus aficiones oposicionistas pues habían comprobado que el nuevo gobierno en verdad ''no caía en los errores del anterior''. En realidad todos los patrones obtuvieron facilidades enormes, que iban desde exención de impuestos, subsidios, créditos, aligeramiento de trámites y franca complicidad en muchos casos.

En el plano político, Ávila Camacho tenía que hacer equilibrismos entre una izquierda oficial (cardenista) aún muy poderosa y una derecha cada vez más beligerante que no cesaba en sus presiones. La idea del nuevo presidente era hacer que los dos polos políticos se enfrentaran entre sí mientras él se colocaba como árbitro supremo, y alternaba concesiones a cada grupo según las necesidades concretas. A la derecha le brindaría la ''rectificación'' de las reformas controversiales (educación socialista y reparto agrario), pero en el momento en que lo considerase apropiado. Para lidiar con la izquierda tenía que desmantelar las posiciones que Cárdenas le había dejado y amenguar el poderío de la CTM en lo político y laboral. La mejor manera de hacer todo esto era fortaleciéndose él y su flamante equipo. Para ello contaba con el inmenso poder que la revolución había dado a la presidencia (y que Cárdenas consolidó y expandió), y también con el contexto de la guerra mundial, que le permitía convocar a la unidad nacional con razones más que justificadas.

El gabinete de Ávila Camacho era un ejemplo de las negociaciones conciliatorias necesarias para resanar las grietas del sistema. Para satisfacer a la derecha callista ubicó a Ezequiel Padilla en Relaciones Exteriores, quien se hallaba "muy bien relacionado con Estados Unidos". En la secretaría de Economía nombró a Javier Gaxiola, que pertenecía al grupo de empresarios políticos del ex presidente Abelardo L. Rodríguez.

Por su parte, Cárdenas había logrado que varios políticos identificados con sus ideas obtuvieran puestos de importancia. Luis Sánchez Pontón quedó en Educación Pública para garantizar la continuación de la educación socialista. Ignacio García Téllez obtuvo la flamante secretaría de Trabajo y Previsión Social, que surgió de lo que era el Departamento Autónomo del Trabajo. Y en Comunicaciones y Obras Públicas colocó a Jesús Garza. Por cierto, este nombramiento enfureció a Maximino Ávila Camacho, gobernador, cacique de Puebla y hermano del presidente por si fuera poco, quien quería ese puesto para él. Maximino despotricaba ante todo aquel que quisiese oírlo que Cárdenas había escogido a su hermano por blandengue y fácilmente manipulable. "¡Otro maximato!", se quejaba el gobernador de Puebla, quien sin duda hubiera preferido un "maximinato". Por cierto, corría el chiste de que al desayunar don Manuel comía lengua porque su hermano se quedaba con los huevos.

Pero Maximino y los chistes se equivocaban totalmente. Cárdenas no pretendía un maximato, aunque estaba atento a lo que ocurría y trataba de preservar lo que había hecho. Esto lo ubicaba de lleno en la política. En realidad, Lázaro Cárdenas estuvo muy presente en la vida política del país prácticamente hasta su muerte, pero tanto Ávila Camacho como los demás presidentes hicieron lo que quisieron. Y Manuel Ávila Camacho tampoco era un blandengue, por más que sus raptos emotivos así lo pudiesen sugerir. "Mujer coqueta tira a puta, y hombre bueno tira a pendejo", dice la expresión popular, pero el "presidente caballero" desde un principio dio muestras de que ni remotamente podía considerarse bonachón o torpe.

Entre sus primeras medidas se halló la supresión del sector militar del partido oficial. Había verdaderos caciques en el ejército, cuyo mando de tropas los hacía proclives a las revueltas. Poco antes el general Cedillo, gobernador de San Luis Potosí, había sido derrotado en su aventura alcista. La conciencia de limitar a los jefes del ejército era común en esos días y flotaba en el aire la necesidad de que las fuerzas armadas se profesionalizaran y de que los presidentes de México fueran civiles, algo que Cárdenas con gusto habría satisfecho si las circunstancias se lo hubieran permitido. En cierta forma, elegir a Ávila Camacho ya era un paso en esa dirección, pues don Manuel no se distinguió al mando de tropas y su carrera militar tenía que rastrearse entre las áreas administrativas.

En 1940 el país tenía 19 millones 600 mil habitantes, repartidos, fundamentalmente, en el campo y las ciudades del interior. Pero la Ciudad de México era el centro inequívoco de la vida nacional. Allí residía, por ejemplo, León Trotsky, quien un día vio aterrado que un comando, que incluía al muralista David Alfaro Siqueiros, asaltaba su casa e irrumpía a balazos en su recámara; el viejo León se salvó mediante un oportuno clavado abajo de la cama, pero poco después su propio secretario Ramón Mercader, o Jacques Mornard, lo asesinó a pioletazos. Esa vez nadie acusó a Siqueiros, o a Diego Rivera.

Ellos dos, y José Clemente Orozco, habían pintado ya la parte medular de su obra y quizá como reflejo o consecuencia de los cambios que se iniciaban en México, el muralismo, más identificado con las etapas activas de la revolución, empezó a declinar, y con él se inició la salida de la corriente mexicanista: las mujeres cultas con rebozos, chongos y vestidos indígenas (Frida Kahlo, por supuesto, de tehuana). Había sido la primera vez en que por un lapso de tiempo se apreció a los indios y su cultura: la grandeza de su pasado, los logros de su civilización, las piezas arqueológicas, las máscaras y demás. En su lugar empezó a despuntar una tendencia cosmopolita, lo cual significó el triunfo rotundo de intelectuales como Alfonso Reyes y los Contemporáneos que pasaron de la "oposición" al pleno poder en la llamada República de las Letras. En la pintura empezaron a cobrar fuerza Rufino Tamayo y Juan Soriano, primero, y Carlos Mérida y Pedro Coronel, un poco después. Salvo la obra posterior de los mismos tres grandes, y de Juan O'Gorman o Chávez Morado, los que se metieron en la llamada Escuela Mexicana de Pintura ignoraban que se habían trepado en el peor de los carros posibles y que su destino se limitaría a pintar murales en presidencias municipales.

El surrealismo también cobró franca legitimación, y en 1940 tuvo lugar una gran Exposición Internacional del Surrealismo en la Galería de Arte Mexicano, con la presencia del eximio gurú André Breton, quien veía surrealismo en cada nopal mexicano, lo que le permitió emitir su famoso dictum: "México es un país surrealista", a lo que siguió el también célebre chiste de que, en efecto, aquí Kafka sería escritor costumbrista.

En ese mismo 1940, Malcolm Lowry abandonó el país, en medio de increíbles (surrealistas) trabas burocráticas, sin saber que ocho años después regresaría a México y esa vez le iría peor. Ya llevaba en la maleta el primer manuscrito de *Bajo el volcán*. Pero la gran novedad en México, además de la lectura de Papini y de nadar en el Deportivo Chapultepec, era la presencia de los españoles republicanos (Adolfo Sánchez Vázquez, Pedro Garfias, Enrique Díez-Canedo, José Moreno Villa, Dámaso Alonso, Wenceslao Roces, entre otros) que un año antes Cárdenas había acogido. Con ellos se había formado la Casa de España, que en 1940 se convirtio en El Colegio de México. La finalidad de esta institución consistía en "crear las élites intelectuales de México". El Colegio era dirigido por Alfonso Reyes (de quien se hacía el chiste: en tierra de ciegos el tuerto es Reyes) y por

El joven **José Revueltas** inició una carrera
literaria sorprendente en los años cuarenta

La gran Frida Kahlo volvió a casarse con
Diego Rivera en 1940

El poeta Carlos Pellicer entró en la madurez creativa en el sexenio de Ávila Camacho

Daniel Cosío Villegas, algo así como la línea suave y la línea dura respectivamente. Los maestros cobraban 500 pesos al mes y entre los alumnos fundadores más célebres se hallaban los hermanos Pablo y Henrique González Casanova, el historiador Luis González y el erudito Antonio Alatorre.

En las antípodas, Oswaldo Díaz Ruanova consigna en su libro *Los existencialistas mexicanos* que José Revueltas encabezaba animadas tertulias en el restorán Rendez-vous. Revueltas tenía 27 años en 1941, cuando publicó su novela *Los muros de agua*, basada en sus propias vivencias de 1934 en el penal de las Islas Marías. El arranque literario de Revueltas fue deslumbrante; después de *Los muros* ganó un premio internacional con su alucinante novela *El luto humano* (de la cual, sin duda, abrevó Juan Rulfo) y consolidó su calidad excepcional con los cuentos de *Dios en la tierra*. Otros jóvenes muy sólidos ya eran los de la revista *Taller*, en especial Efraín Huerta y Octavio Paz, ambos poetas revolucionarios. Paz, incluso, le había cantado a los republicanos españoles en la guerra civil. Huerta, por su parte, era partidario de una idea dionisiaca de la revolución, y ya desde entonces se entusiasmaba con la embriaguez de las mujeres y del alcohol. Pronto los dos poetas divergirían sus caminos: Paz publicó en 1941 *Entre la piedra y la flor*; después regresaría a Europa y se desarrollaría como un intelectual de primerísimo nivel. Huerta se quedaría en la Ciudad de México y sería patria de la poesía ligada al pueblo.

En 1941, el poeta Xavier Villaurrutia ofreció *Décima muerte*, y Carlos Pellicer *Recinto y otras imágenes*, pero la **gran** novedad en el panorama nacional fue el inicio del furor anticomunista. En enero, el ex presidente Abelardo Rodríguez se lanzó abiertamente contra "los experimentos sociales basados en ideas exóticas". Había nacido el marxismo-exotismo, cuyo fantasma sería alimento de discursos oficiales y empresariales durante décadas.

En realidad los ataques anticomunistas no tenían gran sustento ideológico (aún no nacía la "mística macartista") sino que encubrían ataques a Cárdenas y lo que se consideraban sus fuerzas, especialmente Vicente Lombardo Toledano y los cinco lobitos de la CTM, que por su incrustación en el sistema y su capacidad de parar u obstaculizar la producción, representaban un verdadero peligro. Se trataba de desmantelar el poderío de la izquierda oficial.

El sector obrero del PRM estaba dominado por la CTM y ésta se hallaba en manos de Lombardo Toledano y los cinco lobitos, llamados así porque en 1929, durante el apogeo de Luis N. Morones y la Confederación Regional Obrera Mexicana (CROM), Fidel Velázquez y sus compañeros Fernando Amilpa, Jesús Yurén, Alfonso Sánchez Madariaga y Luis Quintero se salieron de la gran central. "La CROM tiene las características de un gigantesco roble", cantó, inspirado, Morones, "de fuertes y grandes raíces y gigantesco tronco; de ese tronco partieron hacia rumbos desconocidos cinco miserables lombrices." La respuesta no se hizo esperar: "Torpe de

En 1942 el lechero Fidel Velázquez aún se deshacía en elogios para su jefe Vicente Lombardo Toledano

usted, Morones, que en su calenturienta imaginación ve lombrices. . . Lo que usted califica como lombrices son cinco lobitos que pronto, muy pronto, le van a comer las gallinas de su corral.''

En 1941 podía constatarse que la profecía de los lobitos iba por muy buen camino. En febrero, durante el II Congreso de la CTM, Vicente Lombardo Toledano dejó, puntualmente, la secretaría general y cedió el puesto al desde entonces viejo lechero Fidel Velázquez, quien dijo ante el presidente Ávila Camacho: "No soy comunista, pero admiro a los comunistas porque son revolucionarios como yo y como todos los miembros de la CTM. Lombardo, que con tanto acierto, con tanta inteligencia dirigió la CTM, sabe que somos sinceros, y sabe también que podemos dirigir la organización, encauzarla de acuerdo con sus lineamientos, porque él no se va de la Confederación, no se podrá ir porque jamás lo dejaremos ir, como no lo dejamos ir ahora.'' La unanimidad en los aplausos a Lombardo fue la misma con que se le expulsó de la CTM años más tarde.

Lo primero que hizo Fidel Velázquez fue garantizar que apoyaría al presidente. Los lobitos, al igual que su ex jefe Lombardo Toledano, no pensaban en llevar a cabo una lucha ideológica, ni siquiera se preocupaban por la defensa de los trabajadores; más bien, lo que pretendían era conservar lo más posible y afianzarlo a través de la colaboración total con el nuevo presidente. Éste, por su parte, no estaba tan seguro, y por si las dudas presentó reformas a la Ley Federal del Trabajo para rigidizar la reglamentación del derecho de huelga, para sancionar las huelgas ilegales y los paros locos, y para contener la violencia en la vida de los sindicatos, pues con frecuencia grupos de pistoleros obligaban a trabajadores aterrados a afiliarse a la CTM.

Además, Ávila Camacho promovió el surgimiento del grupo Renovación en la cámara de diputados, donde la izquierda tenía mayoría (en el senado, en cambio, la correlación de fuerzas favorecía a la derecha). De este grupo empezaron a salir fuertes ataques contra los secretarios de estado identificados con Cárdenas. El diputado militar Enrique Carrola Antuna denunció que las secretarías de Educación, Comunicaciones y Trabajo estaban en manos de comunistas. La prensa lo apoyó con energía. Carrola después arreció los ataques al Banco de Crédito Ejidal: "Noventa por ciento del personal'', alertó, escandalizado, "simpatiza con el comunismo.''

Además, en mayo de ese año la prensa se rasgó las vestiduras porque en una escuela normal del Estado de Guerrero los estudiantes huelguistas habían quemado una bandera mexicana para poner la rojinegra de huelga. Tanto el gobierno federal como el estatal ordenaron sendas investigaciones y así se enteraron de que por supuesto no se había quemado ninguna bandera, pero también de que los comunistas, en este caso los militantes del Partido Comunista Mexicano (PCM), tenían control de la escuela. De cualquier modo, el diputado Carrola ya había pedido la destitución de Sánchez Pontón de la SEP.

A pesar de que en su informe del primero de septiembre Ávila Camacho dejó ver que no pediría la renuncia a sus ministros por presiones de fuerzas sociales, el 10 de septiembre Sánchez Pontón presentó la suya, "por motivos de salud". Era el momento oportuno de iniciar la "rectificación" educativa. El nuevo secretario Octavio Véjar Sánchez, de entrada dijo que no permitiría que ideas exóticas predominasen en los planes de la enseñanza y que la educación debería tener un fin espiritual; aceptó que la religión y las tradiciones patrias eran vínculos de la nacionalidad, reconoció el papel de la familia como la principal educadora y de esa manera abrió la vía regia a la educación particular.

Los hechos en la SEP regocijaron a la derecha empresarial y oficial, y lo festejaron exigiendo la total derogación del artículo tercero de la Constitución. En varias ciudades hubo manifestaciones de miles para protestar por la educación socialista (40 mil gentes frente al Palacio de Bellas Artes de la Ciudad de México). En realidad, Ávila Camacho se moría de ganas de quitarse de encima la tal edueación socialista, pero no iba a ceder a las presiones de la derecha porque cada partícula de poder que él perdiera engordaría a sus opositores; además, se trataba de afirmar la autoridad, y por eso anunció que no pensaba derogar el precepto constitucional sino reglamentarlo, aunque eso le exigiera actos de arduo equilibrismo retórico para poder conservar los términos "educación socialista" a la vez que la desmantelaba y se hacía de la vista gorda ante las escuelas que varias órdenes religiosas se aprestaron a ofrecer a la clase media alta y a los ricos del país: lasallistas, maristas y jesuitas, principalmente.

Eliminado Sánchez Pontón, el secretario de Comunicaciones Jesús de la Garza también había sido objeto de ataques tenaces de la derecha, y también acabó presentando su renuncia. El presidente quiso hacer carambola con esta jugada y aprovechó el viaje para cumplir el capricho de su hermano, que siempre quiso (aparte de ser presidente) ese puesto. Maximino Ávila Camacho llegó a tomar posesión con una escolta de cincuenta automóviles y motociclistas, irrumpió en sus oficinas seguido por dos ayudantes armados con ametralladoras Thompson, y sólo hasta después se le ocurrió ir a protestar como secretario de estado ante el presidente de la República, su hermano menor.

En 1941, Estados Unidos entró en la guerra después del bombardeo a la Bahía de las Perlas, y esto precipitó que nos pusiéramos en paz con la potencia vecina. Se liquidaron todas las reclamaciones previas, Estados Unidos aceptó una compensación para las compañías petroleras expropiadas, y México, a su vez, se comprometió a ayudarlo, y tuvo acceso a los sistemas de crédito después de años de ser declarado insolvente. Por primera vez en la historia, los presidentes de México y Estados Unidos se reunían en territorio mexicano, lo cual se convertiría en práctica común e incluso rutinaria en los años subsecuentes. En todas estas negociaciones el secretario de Relaciones Exteriores Ezequiel Padilla tuvo un papel preponderante, lo cual alimentó las ambiciones presidenciales que ya cultivaba desde entonces.

El regreso de José Vasconcelos causó revuelo en el México avilacamachista

La proximidad de la guerra tuvo efectos instantáneos en México. Las dos cámaras trataron de pararle a los pleitos izquierda-derecha y se formó el Comité Parlamentario Antifascista. Vicente Lombardo Toledano organizó mítines antifascistas de apoyo al gobierno en los que atacaba a la gran prensa, al PAN y al sinarquismo.

Sin embargo, la necesidad-de-unión-a-causa-de-la-guerra no evitó la primera confrontación de Ávila Camacho con la iniciativa privada, con motivo de las reformas a la Ley de Cámaras. Hasta ese momento, la Confederación de Cámaras de Comercio era dominada por la de la Ciudad de México. Como al presidente no le convenía tratar con un solo frente patronal muy poderoso económicamente y en manos de un sector extremadamente conservador, propuso separar a los comerciantes de los industriales, y a éstos entre sí. De esa manera, además de la ya existente Confederación de Cámaras Patronales (Coparmex) surgieron las confederaciones de Cámaras de Comercio (Concanaco), de Cámaras Industriales (Concamin) y de Industrias de la Transformación (Canacintra).

A fin de año el gobierno de Ávila Camacho dejó ver que para cambiar a satisfacción el Partido de la Revolución Mexicana no bastaba con la eliminación del sector militar. El sector obrero aún tenía mucha fuerza, y era necesario frenarlo. El sector campesino servía de contrapeso, pues la CNC era fácilmente manipulable porque los campesinos siempre estuvieron más controlados. Pero no bastaba. Era necesario fortalecer el sector popular, que era muy débil a causa de la heterogeneidad de fuerzas que lo componían. Varios senadores, debidamente aleccionados, empezaron a pedir la creación de un sector popular fuerte. Éste sería un sector de la estatura del obrero y campesino, pero su líder indiscutible tenía que ser el presidente Ávila Camacho. Durante 1942 se trabajó en este proyecto, hasta que la Confederación Nacional de Organizaciones Populares (CNOP) quedó constituida en febrero de 1943.

Así como en pintura el nacionalismo perdió terreno, en música ocurrió algo semejante. La gran corriente nacionalista, inventiva e imaginativa, de Silvestre Revueltas (quien murió en 1940), Carlos Chávez, Blas Galindo y Pablo Moncayo (en 1944 alcanzó a estrenar, con gran éxito, su *Huapango*) empezó a declinar a favor de los patrones de composición de la para entonces bastante madurita vanguardia internacional, y los nuevos autores, que en realidad destacaron hasta los años cincuenta y sesenta, fueron Joaquín Gutiérrez Heras, Rafael Elizondo, Mario Kuri, Jiménez Mabarak, Miguel Bernal, Armando Lavalle, Raúl Cosío, Jorge González Ávila, Leonardo Velázquez, Manuel Enriquez, Héctor Quintanar y Julio Estrada.

En la literatura desapareció del mapa la Liga de Escritores y Artistas Revolucionarios, que tanto ruido había armado en la década anterior. El movimiento estridentista también era cosa del pasado. En cambio, causó sensación la presencia de José Vasconcelos en la Biblioteca Nacional; oírlo significaba estar frente a "la inteligencia de los ángeles", consideró Oswaldo Díaz Ruanova. Pero el que regía la vida intelectual era Alfonso

Reyes. José Gorostiza y Jaime Torres Bodet continuaban trepando el escalafón oficial. Novo hacía su periodismo extraordinario y también trabajaba en la publicidad, con "el jefe Augusto Elías". Jorge Cuesta murió en 1942, y su fallecimiento terrible aún eriza los pelos: el maestro se emasculó después de un asedio frustrado a su propia hermana (versión Elías Nandino). Octavio Paz, en 1942, publicó *A la orilla del mundo*. Xavier Villaurrutia se dedicaba al teatro y escribía sus increíbles décimas y endecasílabos.

En 1942, el cine mexicano se hallaba en plena expansión. El gran fenómeno del año fue la aparición de María Félix, quien filmó *El peñón de las ánimas* al lado de Jorge Negrete. El charro cantor sin duda era el amo del cine, el más popular, entre otras cosas por su relación con Gloria Marín, y era famoso por mandón y arrogante. María Félix, por su parte, llegaba cuando quería, no obedecía a nadie y hacía lo que se le pegaba la gana. Por tanto, sus pleitos con Jorge Negrete fueron legendarios. Después, como era de esperarse, se casaron. Al año siguiente la fama vertiginosa de María Félix se consolidaría con el estreno de *Doña Bárbara*, versión cinematográfica de la novela de Rómulo Gallegos. En aquella época hacer una película costaba 350 mil pesos. El cine era un excelente negocio y los estudios cinematográficos no paraban de producir películas con los actores de moda: Arturo de Córdova, Pedro Armendáriz, Emilio Tuero; los hermanos Fernando, Andrés, Julián y Domingo Soler; Joaquín Pardavé, Cantinflas, Isabela Corona, María Elena Marqués, Dolores del Río, Andrea Palma y Sara García.

Era la afamada Época de Oro del Cine Nacional, cuando se tenía conquistado el mercado interno y se dominaba también el de Centro y Sudamérica. Las principales estrellas encarnaban fuerzas arquetípicas y eran verdaderas vasijas que recibían las proyecciones de infinidad de gente. La relación mítica era genuina, mucho más que ahora, pues el nivel de conciencia colectiva era considerablemente más bajo, al menos en términos generales, y las fuerzas inconscientes se manifestaban con mucha mayor fluidez. El cine se realizaba con lo que ahora puede considerarse verdadera inocencia, con el entusiasmo de una primera época francamente exitosa. La industria no se hallaba tan contaminada por la vulgaridad de la búsqueda de la máxima ganancia a través de la mínima inversión, como ocurrió a partir de los años cincuenta. La gente de cine buscaba ganar dinero, y mucho, pero quería expresarse también, y por eso había películas que lograban ser siniestras y sublimes al mismo tiempo: la inocencia de una puta de diez años de edad, diría Revueltas.

En 1943, Emilio Fernández filmó *María Candelaria*, taquillazo indiscutible, y *Flor silvestre*, una de sus obras más significativas. El Indio sin duda contribuyó a la mitificación del cine mexicano de los cuarenta. Sus películas tuvieron éxito de taquillas y recogieron premios importantes en los más prestigiosos certámenes europeos, donde complacía enormemente la imagen que el Indio daba de México, pues ésta fortificaba los más feroces

28

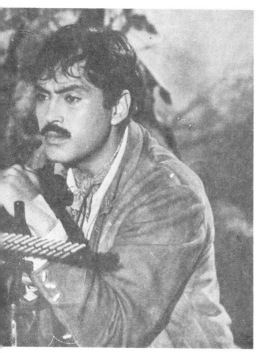

El galán Pedro Armendáriz, figura clave del cine mexicano de los años cuarenta

La bella Dolores del Río

En los toros, María Félix, Agustín Lara y Martín Luis Guzmán

estereotipos del "país de la muerte, el paraíso infernal" que muchos extranjeros gustaban y gustan aún cultivar. El Indio vino a ser también un vehículo artístico de la Revolución Mexicana, que en el cine adoptó una imagen dramática y estética, gracias a los encuadres cuidadosamente iluminados y técnicamente irreprochables de Gabriel Figueroa.

En la música popular, durante el avilacamachismo continuó el gran éxito de Agustín Lara, el músico poeta, quien reflejaba la última gran manifestación del viejo romanticismo bohemio y "orgullosamente cursi". El don de Lara para versificar y hacer melodías era extraordinario, y su sensibilidad lograba plasmar la de buena parte de la nación, de allí su éxito. Aficionado a la mariguana, cantor de putas y de cabaretes sórdidos, Lara también reflejaba la *Zeitgeist* al cantar al paisaje y a las ciudades por la excelente razón de que le nacía hacerlo. Lara llegó a la cúspide de la popularidad cuando se hizo celebérrimo su romance con María Félix. Esta nueva versión de la Bella y la Bestia, o del Triunfo del Espíritu sobre la Materia, conmocionó al público mexicano. Con el jefe Lara vino también la gran popularidad de Pedro Vargas, de Ana María González y de Toña la Negra, sus intérpretes. Igualmente importante era la presencia de María Luisa Landín, con sus boleros enervantes, de los Hermanos Martínez Gil y de la extraordinaria cantante de ranchero Lucha Reyes, el más alto techo al que ha llegado la canción vernácula mexicana. Lucha Reyes era una mujer de pelo en pecho que con frecuencia cantaba canciones para hombre ("si tú tienes curvas yo tengo un tobogán, a ver si esa Cuquita se quiere resbalar"), pues contenía en sí todo el México bronco que estaba dispuesto a desayunar huevos a la mexicana espolvoreados con pólvora y que no se quitaba la pistola ni para dormir ("si me echan un lazo, respondo a balazos"); pero también extraía aspectos finísimos del alma popular, como en "Por una mujer ladina" o "La Panchita" (de Joaquín Pardavé), o, si no, rescataba un luminoso aire campirano, con todo y su riquísimo lenguaje coloquial ("me siento lacia, lacia, lacia, es que me trais agorzomada"). El vigor, la vitalidad y el carisma de Lucha Reyes sólo encontró algo equivalente, un poco después, con la aparición de Pedro Infante. La Reyes (no *kin* con don Poncho) se suicidó en 1944, y se rumoró insistentemente sobre la involucración del Terrible Cacique Maximino Ávila Camacho, que también era un afamado mujeriego. Pero, como se sabe, los rumores y los chismes son inherentes a los ídolos populares, pues al ser recipientes de las proyecciones de miles de espectadores resultan espacios inmejorables para el surgimiento de todo tipo de leyendas (como la del Chamaco Domínguez, autor, se decía, de casi todas las canciones de Agustín Lara).

El cine nacional detonó la creatividad de varios compositores, especialmente del dueto Esperón y Cortázar, que compusieron excelentes canciones para películas. Ernesto Cortázar, antes de asociarse con Manuel Esperón, formó parte del excelente grupo los Trovadores Tamaulipecos (Lorenzo Barcelata, Agustín Ramírez, Cortázar, Planes y Caballero), quienes, al igual que Guti Cárdenas, hicieron grabaciones afortunadísimas en Nueva York a principios de los años treinta. Y ya que estamos en chismes, se decía que Lorenzo Barcelata había adquirido, por un cartón de cervezas, la letra y la música de la célebre canción "María Elena" de su verdadero autor, el guerrerense Agustín Ramírez, quien también compuso "Acapulqueña", "Por los caminos del sur", "Caleta" y "La sanmarqueña".

Otro que se hallaba en la cúspide era Cantinflas, quien en la década anterior causó sensación primero por sus actuaciones en las carpas y después por el cine: *Águila o sol* y *Ahí está el detalle* fueron los trampolines que le permitieron la celebridad absoluta. Como se sabe, la capacidad de hablar y hablar sin decir gran cosa fue tan determinante que surgió el término "cantinflismo". Por supuesto, este tipo de discurso era parcela exclusiva de los políticos, pero ninguno de ellos disfrutó de la popularidad de Cantinflas porque nadie tenía su gracia e ingenio. Cantinflas representaba al "pelado", al jodido de después, y mientras mantuvo la vinculación con el pueblo, el cómico fue incomparable. Por desgracia, no sólo Mario Moreno cambió de estatus social, sino que su personaje también, y en ese momento se inició el aparatoso descenso cualitativo de Cantinflas, quien ya en los años cincuenta sólo era un pésimo remedo de sí mismo y un triste bufón de la burguesía. Pero a principios de los años cuarenta Cantinflas era aún el de películas divertidísimas como *El gendarme desconocido* o de *Sangre y arena*. Los demás cómicos reconocían las capacidades de Cantinflas y gente como Manuel Medel, El Chicote, Polo Ortín o el Panzón Soto admitían que había llegado algo diferente que quintaesenciaba lo que ellos habían hecho y que influía bárbaramente a los nuevos cómicos, como Jesús Martínez, Palillo, quien salió de Guadalajara a triunfar en las carpas del D. F., hasta que a mediados de la década llegó para quedarse en el teatro Follies. Palillo, siguiendo la tradición de Roberto Soto, el Panzón, despotricaba contra el gobierno, contra los hambreadores y saqueadores públicos, y como en esos años la carestía empezó a causar estragos, Palillo siempre tuvo material para sus filípicas.

En la primera mitad de los cuarenta también brilló enormemente Gabilondo Soler, Cri Cri, que había iniciado su fértil y bella carrera musical en la década anterior. Para esas épocas Cri Cri ya había compuesto varios de sus extraordinarios éxitos en la canción infantil, como "El ratón vaquero" o la portentosa "El comal y la olla". Por supuesto, Cri Cri disponía de una capacidad melódica de primer rango, además de una disposición mimética para recrear aires o tonadas de otros países. Sus canciones condensaban toda la ternura, la frescura y la inocencia que representaba lo mejor de las familias mexicanas de la época, pero, además, en la obra de Gabilondo Soler destacó una radiante mexicanidad, que rescataba atmósferas populares, ingenio verbal coloquial y también malicia e inteligencia. Cri Cri alimentó las almas infantiles de los niños de los años treinta, cuarenta, cincuenta, sesenta, setenta, e incluso en los años ochenta, ya muy viejito, Cri Cri seguía vigente en muchas familias mexicanas, como corrobora el hecho de que sus principales discos seguían reeditándose. Octogenario ya, Cri Cri

En los años cuarenta Gabilondo Soler, Cri-Cri, ya era imprescindible entre los niños mexicanos

tenía humor y energía para cantar en público versiones sumamente guapachosas de la "Negrita Cucurumbé" o de "El negrito Sandía". La obra de Cri Cri es impecable, redonda y genial, a tal punto que incluso sobrevivió un horrendo homenaje que, se supone con buena voluntad, le propinó el consorcio Televisa en los años ochenta, cuando tuvimos que atragantarnos con las versiones "cultas" de las canciones de Cri Cri en voces de (of all people) Plácido Domingo y Mireille Mathieu.

En 1942, mientras continuaban los trabajos para formar la CNOP, también proseguían intensamente las luchas de la izquierda y la derecha, que, en realidad, más bien significaban los esfuerzos del presidente Ávila Camacho para tener el control total del país, pues lo que puede considerarse la derecha tradicional para esas alturas ya no dudaba de las bondades del régimen y se dedicaba a hacer negocios con gran gusto.

Un problema importante seguía siendo Lázaro Cárdenas. A partir de septiembre de 1941 el gobierno consideró zona militarizada a toda la franja de estados con costas en el océano Pacífico. Ávila Camacho nombró al general Cárdenas comandante de esa enorme región militarizada. Sin embargo, en febrero de 1942 el gobernador de Sinaloa convocó a una reunión de gobernadores de los estados del Pacífico, y esto fue considerado como un movimiento de Lázaro Cárdenas para ganar influencia en todos esos estados (desde Sonora y Baja California hasta Chiapas). Los periódicos atacaron con fuerza la junta de gobernadores, y los chismes subieron a tal punto que Cárdenas decidió no asistir a la reunión que, sin él, resultó un fracaso.

La presencia de Cárdenas era muy importante dados los ataques que recibía la izquierda oficial desde el inicio de las campañas anticomunistas y de la satanización de las "ideas exóticas". Tan tupida era la ofensiva que a Vicente Lombardo Toledano se le ocurrió que la clase obrera renunciara, temporalmente, al derecho de huelga, pues ésos "no eran momentos para agudizar la lucha de clases". Los sindicatos, por supuesto, se horrorizaron ante la idea, pero, por si las dudas, no dijeron nada. Pero varios factores los llevaron a hacer suya la idea de Lombardo. Por una parte, era visible ya una lucha futurista por la presidencia de la República. Ezequiel Padilla capitalizaba al máximo su preponderancia en las cuestiones internacionales, decisivas dado el contexto de la guerra mundial. Pero también luchaba por "la grande" Maximino Ávila Camacho, quien lanzaba ataques frecuentes contra Cárdenas, la CTM, Lombardo y cualquier bastión izquierdista. Maximino amasaba una gran fortuna para poder sufragar sus ambiciones presidenciales. Se había asociado con el millonario sueco Axel Werner Grenn, y desde su puesto en Comunicaciones y Obras Públicas tenía cuchara grande para beneficiarse con los contratos de construcción de carreteras, mejoras urbanas en el Distrito Federal y obras de irrigación. Y Miguel Alemán, el secretario de Gobernación, aprovechaba la red

La guerra mundial representó una coyuntura favorabilísima para la economía y la política de Manuel Ávila Camacho

El 14 de mayo de 1942 los alemanes hundieron el buque *Potrero del Llano* y
México entró en la guerra mundial

Cortejo fúnebre a los muertos del *Potrero del Llano*

de influencias políticas que significaba su puesto para fortalecerse en todo el país. Alemán tenía mucho cuidado en que los beneficios que se desprendían de la pugna izquierda-derecha no sólo beneficiaran al presidente sino a él también.

Pronto se pudo rastrear, por ejemplo, que detrás de los ataques a Cárdenas por la famosa junta de gobernadores se hallaban los tres suspirantes presidenciales. Tanto Padilla como Alemán habían fomentado los rumores y las críticas de la prensa, y Maximino, que ya era célebre por su cruzada anticomunista, no sólo dijo que esas reuniones cardenistas eran agitaciones sino que bloqueó con energía los intentos de convocar a otra reunión semejante pero con los gobernadores de los estados del norte.

Además, en mayo los alemanes hundieron el buquetanque Potrero del Llano, y esto precipitó la entrada de México en la contienda. Para empezar, se declaró la guerra al Eje y se suscribió el Pacto de las Naciones Unidas. El presidente declaró el estado de emergencia nacional y, por supuesto, pidió la máxima unidad y colaboración de todo el país. A causa de la guerra, a partir de agosto de 1942 entró en vigor la Ley del Servicio Militar Obligatorio, que afectaba a los jóvenes de 18 años de edad, y el 12 de noviembre se inició el registro de conscriptos de la célebre clase de 1924. Incluso hubo apagones y ensayos de emergencias bélicas que emocionaron mucho a la población. Y Lázaro Cárdenas fue nombrado secretario de Defensa.

Esto hizo que cesaran, por el momento, los ataques a los obreros y las ofensivas de éstos en contra del secretario de Educación, Octavio Véjar Vázquez, quien, impertérrito, eliminaba comunistas del magisterio. El 26 de mayo la CTM, a través de Fidel Velázquez, orgullosamente planteó el compromiso obrero de renunciar al sacrosanto derecho de huelga, aunque se cuidó de pedir "reciprocidad patronal para hallar soluciones justas a los conflictos del trabajo". El gobierno y la iniciativa privada, como era de esperarse, aplaudieron este "extraordinario sacrificio solidario de los trabajadores", y tanto Lombardo como los líderes de los principales sindicatos respiraron con alivio al ver que cedía un tanto la ofensiva "anticomunista".

Esto fue aprovechado por Fidel Velázquez para iniciar lo que sería un largo y funesto reinado sobre los obreros. En 1942 Fidel tenía que dejar la secretaría general de la CTM, pero el líder se resistía hasta lo último. Como la no-reelección era sagrada, Fidel Velázquez ocultó sus pretensiones de perpetuarse bajo la propuesta de que se le "prorrogara" su mandato por dos años más; en otras palabras, pedía que el ejercicio del secretario federal de la Confederación fuera de cuatro años, y no de dos. Varios líderes obreros se opusieron a los planes de Fidel a la voz de "conozco a mi gente, mi teniente", pero los lobitos movieron sus piezas para eliminar a sus opositores y finalmente lograron la prórroga al mandato del secretario general.

En tanto, para mitigar un poco las palizas a los obreros, el presidente

Ávila Camacho continuó los trabajos para la constitución de uno de sus proyectos mayores y su realización más importante: el Instituto Mexicano del Seguro Social, que en un principio fue muy problemático. Los obreros, contra lo que se esperaba, lo rechazaron, pues consideraron muy pesadas las cuotas que tenían que aportar para "asegurarse". Los patrones, por su parte, de plano se negaban a pagarlas.

Ellos estaban muy ocupados ganando dinero para ponerse a pensar en repartirlo. Para 1942, las exportaciones de materias primas aumentaron sustancialmente debido a la guerra, lo cual permitió, después, vender también textiles, productos químicos y otros productos. Entraba mucho dinero, y con él se compraba maquinaria para desarrollar la industria. Pero conforme muchos veían enormes beneficios económicos, las grandes mayorías seguían padeciendo para sobrevivir. Era difícil contener el descontento popular. Para esas alturas podía advertirse que la carestía, iniciada en 1941, aumentaba alarmantemente un año después. La iniciativa privada, además, había aprovechado alevosamente la renuncia al derecho de huelga por parte de obreros y se dedicaba a hacer "reajustes de personal", y a acaparar y ocultar los productos básicos a fin de aumentarles el precio. Además, los patrones nadaban alegremente en la corrupción del sistema para hacer negocios. Las principales fuerzas políticas del país (el presidente, el PRM y los suspirantes Maximino, Alemán y Padilla) los apoyaban en todo y los únicos adversarios (Cárdenas y los izquierdistas) eran contenidos firmemente por el mismo gobierno. Los ricos no sólo podían invertir ventajosamente en lo que quisieran, no sólo tenían en su poder numerosas e importantes exportaciones al extranjero en guerra, también contaban con toda la obra pública que emprendía el gobierno y que solía pasar por las manos de Maximino Ávila Camacho.

En esas condiciones, los empresarios pudieron endurecerse. Los obreros habían formado un Pacto Obrero unificador que después se transformó en un Consejo Obrero Nacional, que pretendía unificar en una sola central a todas las confederaciones obreras y que llegó a juntar a Fidel Velázquez y al viejo Luis N. Morones, aún cabeza de la CROM. Ambos se quejaron de que los patrones no se plegaban a la política de unidad, sino que aprovechaban las condiciones para enriquecerse escandalosamente. El presidente trató de formar un Pacto Obrero-Industrial para disciplinar un poco a los empresarios y comerciantes, y así cesaran, o se amainaran, el acaparamiento, la ocultación y posterior encarecimiento de víveres, la suspensión de ajustes de personal y los cierres de empresas sin previo aviso a autoridades y sindicatos.

La iniciativa privada rechazó el pacto y dejó ver que cualquier condición que se les impusiera era injustificable, divisionista y antipatriótica, pues sin remordimientos se identificaban con la patria (si el gobierno lo hacía, ¿por qué ellos no?). A lo más que llegaron fue a proponer un Pacto de Cláusula Única, que estipulaba la necesidad de "poner los esfuerzos al servicio de la patria", y ya sabemos lo que entendían por patria, "y conservar la unión dentro de los preceptos legales y las normas contractuales", que por supuesto, en ese momento los favorecían enteramente, pues no había que temer ni siquiera huelgas legales. A esto lo llamaron Consejo Nacional Patronal, y Aarón Sáenz, líder de los banqueros, fue nombrado presidente. Ávila Camacho aceptó este arreglo a regañadientes y se contentó con que los patrones participaran en el Consejo Supremo de Defensa, integrado por representantes de todas las fuerzas sociales organizadas. Sus actividades consistían en orientar y desarrollar las actividades de la guerra, la defensa militar, económica, financiera, comercial, agrícola, de los mercados, de las leyes y el espíritu nacional. Todo esto sonaba muy bonito pero por supuesto no se detuvo la carestía, la escasez artificial y la rienda suelta a la gente con dinero. Pero, eso sí, el respetable pudo disfrutar el espectáculo que representó ver juntos a los ex presidentes Plutarco Elías Calles, Pascual Ortiz Rubio, Abelardo Rodríguez, Emilio Portes Gil y Lázaro Cárdenas.

En 1942 hizo su aparición pública el luchador morelense Rubén Jaramillo, que sería asesinado arteramente durante el gobierno de López Mateos. En 1942, el gerente del ingenio de Zacatepec, creado por Lázaro Cárdenas, estaba empantanado en la corrupción, y sostenía pésimas relaciones con los cañeros. Jaramillo, que dirigía a los campesinos, exigió que el gerente rindiera cuentas. Pero el gerente disfrutaba del apoyo total del gobernador Elpidio Perdomo, quien dejó oír sus delicados pronunciamientos: "Denle duro al peladaje." A partir de allí se inició la represión de cañeros y los acosos obligaron a Jaramillo a irse a la sierra con 90 hombres y desde allí inició sus actividades guerrilleras. "Nomás se defendía", decían los campesinos, y le ayudaban en todo lo que podían, por lo que Jaramillo evadió con éxito a las tropas que buscaban apresarlo.

Pero Jaramillo no era un verdadero problema. Lo que inquietaba a Ávila Camacho era cómo frenar la codicia empresarial y la consiguiente carestía. Para el pueblo era evidente que el gobierno era incapaz de contener la escasez y los aumentos de precios, por mucho que se hablara de unidad y solidaridad nacional.

Para distraerse de la carestía, al parecer inherente al llamado crecimiento económico del país, el pueblo contaba con las carpas y con los deportes. El círculo vicioso boxístico formado por el Chango Casanova, Joe Conde y Juan Zurita entusiasmaba a los fanáticos. También se admiraba a los toreros Armilla, el Soldado y a Silverio Pérez (quien después se dedicaría a la política). En el futbol el espacio era dominado por las Chivas del Guadalajara, el Asturias y el Club España. El célebre partido entre el Asturias y el Moctezuma, en 1942, costó dos pesos por asiento. En el beisbol, los Industriales de Monterrey y el Águila de Veracruz eran sumamente populares.

En las calles de las ciudades los niños jugaban la tradicional cáscara, o futbol callejero, y otros, los menos, el beis de mano o el "tochito". Pero casi todos se divertían brincando el avión (la rayuela de Cortázar, sólo que sin "cielo"), a los encantados, las escondidas, el burro corrido o el burro dieciséis ("dieciséis, ¡muchachos a correr!"), a las cebollitas o su versión más gruesa: la tamalada. Los niños de clase media mostraban ya influencias de Estados Unidos al jugar "estop" o al pedir "tain". Los que podían circulaban en sus bicicletas, burras o bírulas. Los chavitos ya leían "monitos" o "cuentos" traducidos del inglés. Como asienta Elena Poniatowska en *La "Flor de Lis"* ya circulaba *La pequeña Lulú, Periquita y Lorenzo y Pepita*, pero en realidad hasta los años cincuenta las historietas estadunidenses infestarían los puestos de periódicos. La historieta mexicana fuerte se daba en *Pepín y Chamaco*. En el primero aparecía *La Sagrada Familia Burrón*, de Gabriel Vargas, en esa época más cáustica y anarquista, porque la familia Burrón (doña Borola y don Regino y sus bodoques) eran sumamente pobres, vivían en una vecindad miserable del centro de la ciudad (el "Callejón del Cuajo"); esta historieta presentaba dibujos excelentes, con encuadres a veces de plano sinceramente inspirados, y los textos abundaban en críticas a las autoridades. Con el tiempo, *La Familia Burrón* fue desplazándose hacia la clase media, pero jamás dio el cantinflazo y nunca perdió ingenio o virulencia.

En el *Chamaco* se leían también los terribles dramones de Yolanda Vargas Dulché (quien viviría uno de ellos en 1989), y *Los Supersabios*, de Germán Butze. Ya en los cincuenta aparecería *Rolando el rabioso*. Los principales periódicos de entonces eran *El Universal*, dirigido por Miguel Lanz Duret y con artículos de Alfonso Junco, Mauricio Magdaleno, Carlos González Peña y Antonio Caso; *Excélsior*, de Rodrigo del Llano, en uno de sus periodos más derechistas; *El Nacional*, oficial ("en su época de oro", decía Daniel Cosío Villegas), le daba oportunidad a los jóvenes Ermilo Abreu Gómez, Raúl Noriega, Fernando Benítez, y dio cabida a los españoles Margarita Nelken y Juan Rejano; este último llevó a cabo un suplemento cultural de excelente nivel y que, junto con *Romance*, el tabloide literario que editó Rafael Giménez Siles, sirvieron de punto de partida a los suplementos culturales de los años posteriores. También circulaban *Novedades*, *El Popular*, dominado por la izquierda lombardista, y *La Prensa*. Las revistas de mayor circulación eran *Hoy, Mañana, Jueves, Voz* y *Revista de Revistas*.

En la radio, después de la XEQ, la estación más poderosa era la XEW, que en la década anterior había tenido una participación esencial en el surgimiento de los ídolos populares. Los aparatos de radio se colaban a donde quiera que llegaba la electricidad, y las radiodifusoras del interior empezaron a surgir por todas partes, pero la XEW de Emilio Azcárraga pronto alcanzó una cobertura razonablemente nacional y sin duda constituía el máximo poder de la radio, que transmitía canciones, información, entrevistas y también las radionovelas diarias y las series de radio, que tenían pegada a la gente al aparato. Cri Cri, Agustín Lara o Pedro Vargas fueron parte esencial de la radio. En 1940 surgió XEQK, la "hora exacta del Observatorio de México", que minuto a minuto daba la hora entre velocísimos minianuncios.

Por la radio se colaba también el furor estadunidense del swing y el jitterbug, pero en realidad México aún no se agringaba, aunque por supuesto mucha gente, que lo podía, prefería fumar cigarros importados, o "de carita", como los Lucky Strike, Chesterfields o Camel; esa misma gente bebía Coca Cola, oía a Glenn Miller y a Tommy Dorsey, pero la gran mayoría, incluyendo a la clase media, en la mitad de los años cuarenta prefería los refrescos mexicanos: el Pato Pascual, los refrescos Mundet, o las aguas de frutas, "de la horchata a la chía renace el alma mía", o la "excelente cerveza mexicana", como dijo Malcolm Lowry, quien sabía de qué hablaba y no dudaba en calificar a México como "rich tequila country". Igualmente se bebía mucho pulque, y su industria, desde los llanos de Apam, aún era próspera, pues el pulque era seña de identidad nacional. Se comían mucho las infinitas variaciones del maíz, vía tortillas, sopes, picadas, tostadas, enchiladas, enfrijoladas, chalupas, tlacoyos, o los atoles de distintos sabores. El pinole era una golosina común. El chocolate se batía, las salsas se hacían en el molcajete y así obtenían la oxigenación adecuada, las tortillas se echaban a mano y en casa, las más de las veces en braseros y comales.

Los refrigeradores se enfriaban con bloques de hielo; los excusados, cuando los había, tenían el tanque en la parte superior del tubo alimentador y se accionaban con cadena, y las camas eran de rigurosa cabecera de latón. En las calles pasaban vendedores de camotes y plátanos, de alegrías y cocadas, de raspados, nieves, helados y paletas (vendían *hielo seco*), de merengues (listos para echar "volados"), de guajolotes o pípilas; también circulaban afiladores, ropavejeros, compradores de periódicos viejos. Había muchos puestos de carbón y de petróleo, y las farmacias eran boticas, en las que el boticario (en la puerta) conservaba conexión con los viejos alquimistas y preparaba todo tipo de compuestos. Predominaban las tiendas pequeñas, aunque por supuesto había ya las grandes, que como las panaderías (de españoles), albergaban en sus costados puestos de tamales y atole, de pepitas, de elotes asados, vendedores de chicharrones, de globos, y un puesto de periódicos.

El tren seguía siendo importantísima vía de comunicación, pero también se abrían caminos y carreteras para intercomunicar el país; sin embargo, había incontables áreas de acceso difícil y el traslado a ellas podía consumir muchos días en mulas y en pangas para cruzar los ríos. Se extendía también, poco a poco, la electricidad y la radiotelefonía (los teléfonos aún eran relativamente pocos y la gente sabía que se respondía "bueno", una de las cosas más extrañas del mundo, porque así se calificaba si la recepción de la señal era adecuada; o "malo" si no se oía bien).

En los pueblos pequeños aún se vivía décadas atrás; los caminos eran brechas difíciles, no había electricidad ni gas, ni radios ni mucho menos autos, la gente andaba en caballo o en carreta, en burro o en mulo; el cine, una feria o alguna atracción llegaba ocasionalmente y la vida se animaba durante las fiestas religiosas y con el paseo de los domingos ("las muchachas por allá, los muchachos por acá, y sentados en las bancas los papás y las mamás", cantaba años después Chava Flores); también se salía a ver los cielos profusa, embriagadoramente estrellados y las maravillosas estrellas fugaces mientras la gente, tendida y en sosiego, conversaba; si no, tenían lugar, de noche o en días lúgubres y lluviosos, las narraciones de leyendas e historias fantásticas, donde la irrealidad tomaba el sitio de honor después de su cotidiana devaluación en favor de una racionalidad sobrevaluada.

En muchos poblados pequeños (y en algunos no tan chicos) a más de 130 años de la independencia muchos españoles controlaban el comercio o la vida entera de los pueblos, si es que ellos no eran rehenes de los caciques locales, impuestos mediante asesinatos, guardias blancas y corrupción para comprar hombres peligrosos o mujeres codiciables. Gonzalo N. Santos era un excelente ejemplo del cacique poderoso que tenía que ser cortejado por los distintos gobiernos en las rondas electorales.

Cada vez se veían más automóviles, y éstos se hacían tan populares que se inventó aquello de "'Mercedes Benz, ¿cuánto por las Nash?' 'Pues a veces Dodge y a veces Ford.' '¿No Fiat?' 'No, puro Packard.' 'Entonces Chevrolet tu Mercury'", (ya en estos metafísicos temas hay que recordar la glosa de las compañías de cine: "No me la Movietone porque si se me Paramount la de Twentieth Century Fox te la Metro Goldwyn Mayer por la Columbia Pictures").

En los años cuarenta los hombres de las ciudades usaban sacos anchos, cruzados, con grandes hombreras y solapas, y pantalones igualmente anchos, con pliegues numerosos, pero sin llegar a los extremos de los famosos tarzanes ("quesque les dicen tarzanes, ¡pura runfla de holgazanes!", cantaba Lucha Reyes), también llamados pachucos de la frontera, una de las primeras manifestaciones claramente contraculturales de tal vitalidad que incluso soportaría los asedios interpretativos de Octavio Paz unos cuantos años después. Todos los hombres usaban sombrero, ya fuera de palma, surianos, tejanos o de fieltro para los citadinos, "de Sonora a Yucatán se usan sombreros Tardán", decía el eslogan, que Alfonso Reyes retorció al oír un concierto: "De Sonora a Yucatán se oye música de Chopán." Y para muchísima gente una parte indispensable del atuendo, vital como los mismísimos calzones (grandes, anchos, tipo boxeador), era la pistola, fusca o matona, fuente inagotable de albures. Tal como Diego Rivera y Siqueiros, la gran mayoría portaba distintos modelos, revólveres o escuadras, pero andaban empistolados y solían usar sus armas. Era un reflejo instantáneo del "México bronco" que aún pululaba y que seguía siendo dispensador de machismo. A cada rato había campañas de "despistolización".

La erupción del Paricutín fue un acontecimiento internacional a principios de los cuarenta

Las mujeres también usaban variedades inagotables de sombreros y seguían las modas de los vestidos largos, con mucha tela, abajo de la rodilla, medias con su debida raya en la parte trasera, blusas abotonadas hasta el cuello, pues la moralidad imperante era "estricta"; se maquillaban con gusto (colorete en los pómulos, pestañas enrimeladas, la boca rojísima, cejas depiladas a la María Félix). Leían *Paquita de Jueves*, y la mayoría se dedicaba a "labores del hogar", como solía asentarse en documentos oficiales.

Pero lo que en los años setenta sería una fuerte presencia femenina, en los cuarenta apenas se removía. Durante el cardenismo un grupo de mujeres de izquierda había formado el Frente Único Pro Derechos de la Mujer, que llegó a albergar a Frida Kahlo, Concha Michel, Adelina Zendejas, Soledad Orozco y Esther Chapa, pero el FUPDM pronto fue absorbido por el PRM y en los años del avilacamachismo, mucho menos propicios, desapareció. Sin embargo, la cuestión del voto a la mujer, una de las principales premisas del FUPDM había quedado en el aire.

A principios de 1943, el país se conmocionó con el surgimiento, en la milpa de Dionisio Pulido, en Paricutín, Michoacán, de un nuevo volcán, que durante días fue el centro del inmenso, impactante y escalofriante espectáculo que producían las explosiones y la expulsión de fuego, gases, piedras, cenizas, una masa semilíquida, al rojo blanco, y lava que fluía a diez kilómetros por hora. De noche, en el centro del valle se alzaba un monte rojo, resplandeciente, marcado por líneas encendidas. Numerosos investigadores de todo el mundo acudieron a Paricutín a ver el fenómeno, del cual José Revueltas escribió una espléndida crónica.

En 1943, también, la CNOP finalmente se constituyó como sector fuerte. Era el vehículo idóneo para quitarle curules a la CTM y a la CNC en las elecciones de diputados que tendrían lugar a mediados de año. Además, la CNOP representaba un espacio para la clase media, que a todas luces crecía y crecía y se convertía en un impulsor *sui generis* del nuevo desarrollo francamente capitalista. Reunía a pequeños propietarios rurales, comerciantes e industriales en pequeño, cooperativistas, artesanos, profesionistas, intelectuales, burócratas, más grupos femeniles y juveniles. Como secretario general fue nombrado Antonio Nava Castillo (quien en los sesenta reventaría en el gobierno de Puebla), pero el control total estaba en manos de los diputados avilacamachistas. En realidad Ávila Camacho sentó los rasgos vitales del nuevo sector: supeditación total al ejecutivo y herramienta de grillas diversas.

Ya con la CNOP lista, se pudieron echar a andar las negociaciones para la repartición de diputaciones (todos estaban seguros de ganar) en la inminente legislatura. Para tal efecto, los tres sectores establecieron un "pacto de honor" para no invadir "zonas de influencia". El presidente Ávila Camacho llevó a cabo el rito solemne y trascendental del "palomeo" (una seña aprobatoria junto al nombre del diputado propuesto), confeccionó la lista a su muy personal gusto, y ya con esto los sectores dejaron sus querellas. A través de las sumisas CNOP y CNC, el presidente se quedó con 120 curules, 21 fueron para la CTM, que tampoco tenía el menor deseo de pelear, y las restantes se repartieron entre las agrupaciones menores. El ridículo de la jornada correspondió al pobrecito Partido Comunista Mexicano, que trató de obtener una diputación del PRM para el líder Dionisio Encinas, pilar del estalinismo. Para colmo de males, Narciso Bassols se salió del PCM y formó la Liga de Acción Política, que cuando menos en el nombre lograba quitarse de encima el satanizadísimo calificativo "comunista".

En tanto, el Partido de Acción Nacional había acabado de consolidarse como partido de derecha y así se pudo ver en su III Asamblea Nacional; en ella el líder Manuel Gómez Morín criticó a Ávila Camacho por "fomentar el quietismo acomodaticio o la engañada desorientación y hacer posible con ellas la subsistencia de las fuerzas de la destrucción y de la corrupción". Además, anunció que el PAN participaría en las elecciones.

El PRM se inquietó: el PAN podría avivar los rescoldos del almazanismo; después de todo las cosas habían cambiado, pero para muchos no había sido para mejorar: la carestía, la ocultación de productos y la especulación, eran fuentes de descontento que se podrían utilizar en contra del régimen. Se decidió, por tanto, quitar la bandera de la carestía al PAN y se instruyó o se sugirió al senador cetemista Fernando Amilpa para que responsabilizara al secretario de Economía Javier Gaxiola de todos los males económicos del país. Amilpa, con gran gusto, pidió la renuncia inmediata de Gaxiola.

Todo se alistaba para las elecciones. Incluso se habían hecho reformas a la ley electoral, pero ésta, naturalmente, siguió asegurando el control del gobierno sobre los procesos. Las autoridades locales controlarían la integración y depuración del padrón, la definición de distritos y designación de casillas. Se conservaba también la disposición de constituir la casilla con los primeros cinco ciudadanos que llegaran.

El PAN, finalmente, presentó candidatos en 21 distritos de 11 estados y el Distrito Federal, y aseguró "estar fuerte" en más de 10 estados. Pidió la eliminación de la educación socialista, una efectiva autonomía municipal, medidas contra la carestía, que el estado arbitrara pero no fuese propietario de la economía, así como reformas verdaderas a la Ley Federal Electoral para garantizar elecciones libres. Por su parte, el PRM consideró que el PAN no merecía los honores de la refutación y sólo le dedicó insultos, infundios y descalificaciones tajantes.

No fue de extrañar entonces que el día de elecciones de nuevo se repitieran los asaltos a las casillas, los robos de urnas, pero éstos eran innecesarios, pues la oposición del PAN no trató de luchar con las armas por las casillas, además de que el desinterés y la apatía de la gente fue inmensa en casi toda la república, lo cual era un resultado deplorable del inmenso fraude electoral de tres años antes. El fraude en este caso más bien sirvió para terminar de diseñar la composición de la cámara en la siguiente legislatura. Se le trató de restar puestos a la CTM pero ésta logró conservar sus posiciones. Las sesiones del colegio electoral, no obstante, tuvieron sus momentos climáticos.

El más espectacular ocurrió cuando el colegio dio la diputación del segundo distrito de ·Oaxaca a un candidato que se presentó como independiente porque el PRM le había quitado el cuarto distrito para dárselo a otro más influyente. El que verdaderamente triunfó, y del PRM además, era Jorge Meixueiro, quien, además de portar el raro triptongo *uei* en su apellido se permitió conmocionar al congreso cuando subió a la tribuna y sin más allí mismo se pegó un tiro.

El suicidio de Meixueiro, a fin de cuentas, logró imponer un mínimo de cordura en el colegio electoral, que se vio obligado a abrirse un poco y a permitir la defensa en la tribuna de los casos en disputa. De esa manera se tuvo que tragar el discurso ("contundente y fundamentado", lo califica Luis Medina), de Narciso Bassols, quien señaló irregularidades verdaderamente grotescas, como que el mismísimo Ávila Camacho votara fuera de la Ciudad de México por las manipulaciones al proceso electoral. Pidió que se revisara la documentación de la votación, y el PRM le respondió que no se acabaría nunca si se ponían a leer todas las actas de las casillas. A fin de cuentas, para demostrar su poderío, el gobierno se quedó con "el carro completo" y sólo cedió dos curules a candidatos "independientes" (como el que causó el suicidio de Meixueiro). Nada para el PAN ni para Bassols.

Las elecciones y sus poco edificantes y aburridos resultados fueron marco de las protestas contra la carestía, y específicamente contra Francisco Javier Gaxiola, el secretario de Economía. En la prensa se le acusó de solapar a los acaparadores para beneficiarse económicamente con sus familiares. Se rumoró mucho que Ávila Camacho estaba detrás de los ataques a Gaxiola, lo cual, claro, era cierto: al hacerlo, el presidente le ponía una raya a Abelardo L. Rodríguez, se congraciaba un poco con los sufridos izquierdistas, reafirmaba su poder y seguramente se divertía mucho.

La CTM organizó una manifestación de 80 mil gentes en la Ciudad de México, y poco después, en Durango, la turba asaltó las bodegas de los ferrocarriles y saqueó el maíz allí guardado. Esto hizo que Ávila Camacho emitiera varios decretos: "para compensar los salarios insuficientes de los trabajadores", congelar los precios, controlar las existencias de maíz e intensificar la producción de azúcar. Todo esto, a la larga, resultó inútil.

En tanto, los problemas que se iniciaron con el proyecto del Seguro Social arreciaron en 1943 y su momento culminante tuvo lugar en los motines de julio en el zócalo. Hubo golpeados y heridos por las fuerzas públicas, y el escándalo fue enorme. Los trabajadores protestaban porque se les había cobrado las cuotas del Seguro Social, ya que los patrones se negaron tajantemente a pagarlas, y por tanto, a fin de año, Ávila Camacho

Los estudiantes son reprimidos en 1942

modificó la ley del Seguro Social para que las cuotas se obtuvieran de los impuestos.

En esas mismas fechas los maestros culminaron una campaña de todo un año para tirar a Octavio Véjar Vázquez de la secretaría de Educación. A Véjar se le había pasado la mano al tratar de someter a los sindicatos de maestros. El nuevo secretario fue el poeta Jaime Torres Bodet, quien de entrada, para evitarse problemas, declaró: "Yo no soy político."

Una de las personas que atizaron el fuego contra el depuesto secretario de Educación fue Maximino Ávila Camacho, quien, en este caso, lo hacía para llamar la atención y fortalecer sus posibilidades de ser candidato a la presidencia de la República. Maximino siempre se consideró más fuerte y capacitado que su hermano, y se dice que montó en cólera cuando Cárdenas se inclinó por Manuel y no por él. A partir del cambio de poderes Maximino jamás ocultó sus pretensiones presidenciales y, una vez nombrado secretario de Comunicaciones y Obras Públicas, inició una notoria campaña para allegarse fondos, aliados y simpatizantes. Además de su asociación con el millonario sueco Werner Grenn y de emprender varios negocios, también buscó el poder vía la prensa y, aliado con Regino Hernández Llergo, dio fondos para la revista *Hoy*. Pero eso no bastaba. Maximino quería un periódico y echó a andar la creación de *El Demócrata*, pero desistió de sus planes cuando Lanz Duret, director de *El Universal*, se negó a venderle una prensa de segunda mano.

Ni qué decir que Maximino representaba más un problema que un auxilio para el presidente, pero éste procuró no meterse con él y jamás desmintió o corrigió las acciones de Maximino, que, por lo demás, muchas veces lo favorecían a él también pues le ayudaban a despejar el campo de "izquierdistas". Lo más que llegó a decir Ávila Camacho fue que "sus familiares no tenían injerencia en el gobierno", y Maximino, a su vez, declaró que él participaba en el gobierno desde antes que su hermano, "tengo derecho a intervenir en política", sentenció, tajante. Sin embargo, no tenía grandes esperanzas. Por ningún motivo el presidente iba a orientar el dedo en dirección de su hermano. Maximino comprendió que sus posibilidades de llegar a la presidencia eran muy remotas y a fines de 1943 renunció a sus ambiciones a cambio de influir en la sucesión.

Y vaya si lo hizo. En varias ocasiones tuvo roces fuertes con Miguel Alemán, el superministro de Gobernación, quien dos veces presentó su renuncia, pero ésta nunca fue aceptada, nos explica el historiador Luis Medina, porque el presidente se había comprometido a dejarle todo el control político interno. Como no pudo con Alemán, Maximino enfiló sus agresiones en contra del general Cárdenas, de Lombardo Toledano, los líderes obreros y varios secretarios de Estado, entre los que se contaban el de Trabajo, el de Educación y el de Economía.

Ya en 1944 era claro que los aspirantes (o "suspirantes", como les decía Cosío Villegas) con posibilidades sólo eran dos: Ezequiel Padilla y Miguel Alemán. Alemán se cuidaba mucho, y todos sus golpes eran dados desde una cubierta absoluta que no le pusiera en peligro inmediato. En cambio, Ezequiel Padilla, sin llegar a los extremos de Maximino, era objeto de noticias constantes en la prensa; a causa de la guerra, Relaciones Exteriores era un puesto clave del gabinete. En 1942, la revista estadunidense *Look* lo llamó "hombre nuevo de estatura mundial". Además, era sabido que el embajador Messersmith tenía franca afición por Padilla y clara antipatía hacia Miguel Alemán. Y a fin de cuentas la popularidad de Padilla en el imperio vecino resultó tan obvia que ésta empezó a restarle posibilidades de llegar a la presidencia. Ávila Camacho debió eliminarlo de la lista desde 1943, pues desde ese momento el presidente evitó por todos los medios abrir periodos de "precandidaturas" en el PRM, y se concretó a pedir calma, todo sería en su momento y los mecanismos del partido dirían la última palabra. Y empezaron, sistemáticos, los ataques contra el guerrerense consentido de los gringos. Se rumoraba que Ávila Camacho fomentaba los ataques personales que las revistas *Hoy* y *Así* dedicaban al canciller. La izquierda, que ansiaba congraciarse con Ávila Camacho, se sumó a las críticas. Pronto se vio, pues, que Ezequiel Padilla, como Maximino, era una figura demasiado ruidosa, que atraía críticas y ataques tanto de la derecha como de la izquierda, lo cual lo iba marginando de la postulación oficial del PRM.

Por supuesto, hubo otros suspirantes. El general Miguel Henríquez Guzmán (se decía que con el apoyo de Cárdenas) de nuevo se apuntó para la candidatura del PRM. Pero para entonces ya era muy difícil eliminar la impresión general de que los presidentes ya no deberían ser militares, sino civiles. La guerra mundial permitió que Ávila Camacho hiciera numerosos cambios en el ejército, con el fin de despolitizarlo y profesionalizarlo, y para entonces cada vez se alejaban más las posibilidades de que México tuviera nuevos presidentes militares. Más posibilidades tenían, entonces, otros tres perremistas connotados: Javier Rojo Gómez, regente de la Ciudad de México, Marte R. Gómez, secretario de Agricultura, y Gustavo Baz, secretario de Salubridad, pero ninguno de ellos tenía al alcance la vastedad de resortes como Miguel Alemán o Padilla, y poco a poco se fueron retirando.

En 1944, el flamante secretario de Educación Torres Bodet demostró que a él sí le interesaban otras cosas aparte de la perseverante lucha contra los maestros izquierdistas, cada vez más debilitados. Torres Bodet creó el Instituto de Capacitación del Magisterio, con el noble fin de elevar el nivel de los maestros. Sin embargo, a ellos no les gustó el nuevo proyecto, pues éste sujetaba los aumentos salariales al "aprovechamiento" en el Instituto. Torres Bodet cambió los libros de texto de primaria, con el debido cuidado de que ninguna hediondez socialista ofendiera a los padres de familia. Además, llamó a la iniciativa privada para que juntos construyeran escuelas: a fin de año el poeta había levantado ya 588 de ellas. Este plan iba de la mano de la Campaña de Alfabetización, que Torres Bodet emprendió con gran entusiasmo y el apoyo total del presidente. Se imprimieron 10 millones de silabarios para reducir el vergonzante 47.8 por ciento de analfabetismo que había. Sin embargo, la campaña no dio los resultados que se esperaban; a fines de 1945 apenas se habían alfabetizado poco más de 200 mil de los nueve millones de analfabetos. Algo de esto se debe haber olido el travieso Salvador Novo (muy amigo de Torres Bodet, por otra parte, al grado de que le decía "Torres Bidet") cuando, según refiere Carlos Monsiváis, hizo los siguientes versos: "Exclamó la comunidat, al escuchar la novedat: "¿Dejar de ser analfabet, para leer a Torres Bodet? Francamente, ¡qué atrocidat!" Con todo, la campaña se hizo permanente (en el salón de belleza de Torres Bodet) y a fines de 1947 logró rebasar el millón de alfabetizados (ya nada más quedaban ocho millones). Triste, calladamente, la campaña se extinguió en 1948. A cambio del fracaso en la alfabetización a Torres Bodet le correspondió el honor de quitarle lo "socialista" al artículo 3o. constitucional. En diciembre de 1945 don Jaime entregó al presidente su proyecto de reformas: se eliminaba la "expresión desconcertante", facultaba a los particulares a hacer escuelas de todos los tipos y grados, una vez que se afiliasen a la SEP y se sometieran a los programas oficiales. También se prohibía a las corporaciones o sociedades religiosas, y a los ministros de cultos intervenir en la educación, ante lo cual, naturalmente, el gobierno se hizo de la vista gorda, pues no sólo continuaron los planteles religiosos sino que éstos empezaron a expanderse. Con el tiempo las escuelas religiosas acabarían educando a quienes, ya en los años ochenta, serían los más destacados miembros del gobierno.

Ávila Camacho no encontró objeciones al proyecto de Torres Bodet, así es que lo turnó a la cámara de diputados, la cual, no faltaba más, lo aprobó casi sin problemas, y a fines de 1946, poco antes de la entrega de poderes, la cámara de diputados declaró reformado el artículo 3o. constitucional. Para esas alturas era lo único que quedaba ya de las reformas cardenistas.

La situación en el campo, efectivamente, se había revertido hacia fines del sexenio avilacamachista. Desde su llegada al poder, Ávila Camacho inició el desmantelamiento de la reforma agraria de Lázaro Cárdenas. Primero emitió un decreto que parcelaba los ejidos, "para ponerlos a salvo de quienes utilicen el sistema para propagar ideas exóticas y ejercer indebidas hegemonías dentro de las comunidades ejidales". A partir de allí los ejidos se vieron cada vez más desprotegidos, y el agricultor privado se fortalecía.

A causa de la notable disminución de entregas de tierras, de burocratismos kafkianos y de trámites exasperantes para resolver casos de terrenos en litigio, tuvieron lugar numerosas invasiones de predios, lo que permitió a Ávila Camacho compensar a los agricultores afectados con excelentes tierras de regadío, terrenos nacionales y enormes facilidades para producir. De esa manera, numerosos propietarios afectados obtuvieron mucho más de lo que habían perdido.

Todo esto generó grandes problemas en el campo, y el sector privado sin más pidió el amparo agrario. El gobierno respondió que "los cambios

La modernización avilacamachista significó un fuerte impulso a la industria

Las "rectificaciones" de Ávila Camacho permitieron que la producción agrícola apoyara el desarrollo de la industria

tenían que ser graduales''. Se prosiguió con la política de "parcelación", que fomentaba la "ambición individual" por encima de preocupaciones colectivas, y la extensión de parcela se extendió hasta el doble de la superficie previa.

El "dogma" revolucionario de la entrega de tierras aún era "sagrado", y Ávila Camacho también hizo sus repartos, sólo que éstos fueron de tierras pésimas, cerriles, o de plano inservibles. Por si fuera poco, los trámites de acreditación llegaban a demorarse hasta 35 años. Muchos campesinos de plano rechazaban los predios otorgados. Y eso era todo, pues el gobierno insistía en que "ya no había tierras que repartir".

En cambio, se fortaleció la Oficina de la Pequeña Propiedad, y con esto regresó, cada vez con más fuerza, el latifundismo: bastaba con dividir una inmensa extensión en pequeños predios y ponerlos a nombre de familiares o prestanombres. Estos "pequeños propietarios" pronto crearon sus propias guardias blancas, en el más puro estilo Pedro Páramo. Por si fuera poco, los neolatifundistas por lo general contaron con la franca complicidad de las autoridades estatales y municipales, que deliberadamente cometían errores en los planos de localización o en las afectaciones para permitir que los agricultores se ampararan o, al menos, crearan verdaderos laberintos de documentos.

Los ejidatarios cada vez más corrían el riesgo de ser despojados, y pronto cayeron los ejidos que se hallaban en torno a las ciudades principales, que al crecer devoraban todo a su derredor. El apoyo al agricultor privado era tal que resultó impresionante el número de certificados de inafectabilidad expedidos por el gobierno de Ávila Camacho. Se les dieron excelentes distritos de riego, y en 1944 el 60 por ciento de los terrenos con regadío pertenecía ya a la pequeña propiedad.

Y no cesaban las campañas contra la colectivización del campo. El PAN consideró a la reforma agraria como una "tonta hipertrofia de clase que nos ha llenado de hambre y de ruina". Se decía que en los ejidos sólo había incapacidad, falta de organización y corrupción. Naturalmente, numerosos ejidos sí producían, pero a éstos se les forzó a cultivar para la exportación: café, cereales, verduras y algodón, en especial, se destinaban a los mercados de los países en guerra, y la política general del gobierno en materia agraria iba en contra del mercado nacional, que por supuesto, sufría escasez, con el correspondiente acaparamiento y carestía.

A fin de cuentas, Ávila Camacho no se decidió a implantar el amparo agrario. En julio de 1945, Silvano Barba González, jefe del Departamento Agrario, convocó al I Congreso Nacional Revolucionario del Derecho Agrario, que rechazó el amparo. Sin embargo, Norberto Aguirre Palancares, del Bloque Revolucionario de Diputados, se lanzó contra el congreso porque era pura "demagogia y agitación en el campo". Había que defender a la pequeña propiedad. Esto preparó el camino para que el siguiente gobierno otorgara el amparo agrario.

La política antiagraria de Manuel Ávila Camacho, además de privatizar el campo, generó descontento entre los campesinos, y, por ejemplo, el despojo de 200 poblados del Bajío robusteció a la Unión Nacional Sinarquista, que capitalizó más que nadie las quejas campesinas. Por otra parte, la denegación de solicitudes de tierra más las numerosas resoluciones de inafectabilidad agrícola y ganadera que ampararon más de tres millones de hectáreas de agricultura privados desalentaron a tal punto a los campesinos que se inició un creciente bracerismo: cada vez era más la gente que, desesperada por la miseria en el campo, o se desplazaba a alguna gran ciudad o de plano emigraba legal o ilegalmente a Estados Unidos. Si no, eran frecuentes las grandes caravanas del hambre que desde regiones del interior se dirigían, a pie e inútilmente, a la Ciudad de México a pedir justicia al presidente.

Éste, por su parte, hacia el final de su administración hizo ver, incluso a quienes no estaban interesados, que su política agraria había sido espléndida. Se autoanotó grandes éxitos en su conducta hacia ejidos y pequeña propiedad. El aumento en las exportaciones (como si el contexto de la guerra no hubiese contado) era su gran orgullo. Aseguró también que se había desarticulado el latifundio gracias al crecimiento de la pequeña propiedad, lo cual podría ser cierto en una teoría muy etérea, pues en la insolente práctica precisamente ocurrió el solapamiento de la pequeña propiedad simulada vía prestanombres y se propició el surgimiento de grandes caciques y de agricultores poderosísimos, sobre todo en el norte del país. De cualquier manera, el presidente se ufanaba de haber llevado a la "reforma agraria" casi a su culminación.

Derrotada lo que en un tiempo fue izquierda oficial (pues para entonces todos rehuían, como al sida, la afrenta de ser calificados de "izquierdistas") tanto en el campo como en la educación, la contienda se situó en el sector obrero y sus posiciones en las cámaras legislativas. Después de utilizar a los obreros para quitarse de encima al secretario de Economía Francisco Javier Gaxiola, el presidente, a través de la respuesta preprogramada al informe presidencial que llevó a cabo el ex vasconcelista Herminio Ahumada, criticó a la izquierda de "propiciar la inmoralidad, el radicalismo y la anarquía" y de pasada regañó a los diputados por la forma como se habían desarrollado las elecciones recientes.

El senador y segundo lobito de la CTM Fernando Amilpa atacó a Ahumada tan pronto como Ávila Camacho hubo salido del recinto y logró que se le destituyera como presidente del congreso y que en su lugar quedara el izquierdista Carlos Madrazo. El presidente, tan pronto como se enteró de lo ocurrido, regañó al líder de la mayoría perremista por permitir semejante votación, y éste, a su vez, trasladó los coscorrones a los diputados que se fueron con la finta de la izquierda, así es que *al día siguiente* ya se habían revocado los acuerdos y Ahumada era otra vez presidente del congreso. Carlos Madrazo, furioso, acusó al líder de la mayoría de "dividir a la cámara al apoyar a un reaccionario" y en el acto se retiró de la sesión acompañado por Amilpa, Octavio Sentíes, Ruffo Figueroa, Jesús Yurén,

La esposa de Ávila Camacho ordenó al escultor Olaguíbel que le pusiera taparrabos a su célebre escultura de la Diana Cazadora

Víctor Alfonso Maldonado y el resto de la minoría aún considerada "de izquierda".

En un principio, al parecer las cosas no pasaron a mayores, pero Ávila Camacho decidió vengarse de la rebeldía de Madrazo. A principios de 1945 la secretaría de Trabajo denunció que varios diputados traficaban con las tarjetas que permitían a los campesinos emigrar a Estados Unidos como braceros. Por supuesto, uno de los inculpados era Carlos Madrazo. Se inició un proceso judicial que constituyó un escándalo enorme y, para evitar un proceso intricado de desafuero en el congreso, el mismo Ávila Camacho recomendó a Madrazo y a sus compañeros que pidieran licencia. Se dijo que detrás de la maniobra se hallaba Miguel Alemán, quien para esas alturas se hallaba ocupadísimo tratando de obtener que el presidente lo nombrara candidato del PRM a la presidencia. Los acusados finalmente lograron libertad condicional y la izquierda oficial, a través de su cabeza indiscutible, el secretario de la Defensa Lázaro Cárdenas, devolvió el golpe. Defensa Nacional anunció su propósito de someter a un consejo de guerra al general Pablo Macías Valenzuela, gobernador de Sinaloa y muy cercano al presidente Ávila Camacho. Con el paso del tiempo, como era de esperarse, la justicia, siempre dispuesta a satisfacer los caprichos de los altos políticos, dio fallos favorables tanto a Madrazo como al gobernador de Sinaloa.

En 1944, Eduardo Suárez, secretario de Hacienda, y Eduardo Villaseñor, del Banco de México, comisionaron a Daniel Cosío Villegas para que representara a nuestro país en la Conferencia de Bretton Woods, donde se crearon instituciones como el Fondo Monetario Internacional y donde Cosío se puso al tú por tú con el célebre economista John N. Keynes, alias "El Lord", quien trató de ignorar groseramente las observaciones de Cosio, hasta que éste se vio precisado a pararlo en seco. En ese mismo año, la "primera dama", doña Ana Soledad Orozco de Ávila Camacho, se afanaba en censurar películas, como *Pueblo olvidado*, de John Ford, basada en una novela de John Steinbeck. Pero fue a fines de sexenio cuando doña Soledad no se midió; se enteró de que el regente de la capital, Javier Rojo Gómez, había encargado una impúdica estatua de Diana Cazadora al escultor Juan Olaguibel. La Señora mandó pedir fotos de la obra, se horrorizó ante la suculenta desnudez de la diosa, y ordenó que se le pusiera un taparrabo. Olaguibel, como después muchos capitalinos, estaba muy satisfecho con su trabajo y se hizo el loco lo más que pudo, pero, finalmente, no tuvo más remedio que ponerle chones a la Diana, que se ubicó en la esquina de Reforma y Lieja, donde nadie la dejaba de ver hasta que las obras de los ejes viales, en tiempos de Gengis Hank, la movieran de lugar. Por cierto, después de instalada la Diana, se colocó una efigie de Ariel, también rigurosamente desnudo, casi enfrente de la Diana Cazadora, lo que motivó que algunas muchachas de las escuelas cercanas se fueran de pinta "a ver al Diano". Por su parte, don Alfonso Reyecito, aún director de El Colegio de México, publicó su famoso ensayo *El deslin-*

Mario Moreno, Cantinflas, llegó a la cúspide de la popularidad en los cuarenta

de, en el que dio línea a favor de las tendencias formalistas de las letras mexicanas. En poesía, lo mejor fue *La muerte del ángel*, de Rubén Bonifaz Nuño; *Páramos de sueños*, de Alí Chumacero; y *Los hombres del alba* de Efraín Huerta.

Pero las estrellas de la literatura ni remotamente disponían de la penetración de las cinematográficas. En 1945, el Ariel de la Academia Cinematográfica (patética imitación de la Academia y el Oscar de Estados Unidos) fue otorgado a Dolores del Río por su trabajo en *Las abandonadas*. Esto sirvió para demostrar que la Del Río seguía vigente y que no había sido engullida por María Félix, a quien la leyenda la hacía aparecer no sólo como devoradora de hombres sino también de mujeres. La Félix era la reina indiscutible del cine mexicano. Ese mismo año la revista *México Cinema* con todo y su horrendo nombre informó que los artistas "más cotizados" de México eran: María Félix (250 mil pesos por película; con esa cifra se podía comprar una mansión), Cantinflas (200 mil), Arturo de Córdova (100 mil), Jorge Negrete (75 mil) y Pedro Armendáriz (50 mil pesos por contrato cinematográfico).

En cuanto a Cantinflas, el inefable Gonzalo N. Santos, en sus aguerridas *Memorias*, cuenta que Maximino Ávila Camacho se había entusiasmado con la bailarina de flamenco Conchita Martínez, y, para tenerla, al viejo estilo del Rey David mandó que sus guaruras dieran una paliza al esposo de la española y después lo expulsaran del país. Maximino (que usaba zapatos de charol de una pieza, de tacón muy alto y de varios colores) organizó una fiesta en la casa "chica" que le puso a Conchita e invitó al gobernador de Puebla, al director de la Lotería, al jefe del Departamento Agrario, al del Departamento Indígena, a otros políticos, a varias muchachonas, y al docto Mario Moreno. Como era su costumbre Maximino despotricó en contra de "el fascineroso Miguel Alemán". Pero el espectáculo lo dio Cantinflas y fue de humorismo involuntario. Cantinflas intervino en la conversación y para sorpresa de todos se puso muy serio y pronunció un discurso solemnísimo. Todos los presentes estallaron en carcajadas, más aún que con la célebre escena de Cantinflas y Pardavé en *Ahí está el detalle*. El cómico se enterró y procedió a hablar del pueblo. "Tú cállate y háblanos en tu idioma", le atajó Santos, "tú no conoces al pueblo, tú conoces al público."

Al día siguiente de esa borrachera, Maximino se fue a Puebla, donde le ofrecieron un banquete de cinco mil cubiertos. Maximino se sintió mal, se lo llevaron a su casa y allí murió una de las máximas estrellas del folclor político nacional. Miguel Alemán debió respirar con alivio. Poco después la revista estadunidense *Time* dijo que Alemán prosperaba con la muerte: fue diputado propietario cuando murió el titular, llegó a gobernador tras el asesinato del gobernador electo, y la muerte de Maximino le despejó el camino a la presidencia.

En 1945 podía decirse que el presidente Ávila Camacho había hecho su parte: ya había desmantelado las perniciosas reformas cardenistas y logró "recuperar la confianza" de la iniciativa privada. Ya estaban allí, además, los componentes básicos del sistema que prevalecerían 50 años después: el presidencialismo supervitaminado, el partido oficial y los de la oposición, los sectores del partido (uno de ellos mandado a hacer para el presidente: la CNOP), las ligas agrarias, las confederaciones de comercio e industria, las asociaciones de banqueros.

El presidente ya tenía todo el poder justo en el momento en que se vio precisado a cederlo; "nadie sabe para quién trabaja", seguramente pensó alguna vez. A sus pies veía la guerra callada y sorda entre los suspirantes a ocupar la presidencia. Naturalmente, sólo había dos posibles: Alemán y Padilla. Pero por esas fechas no sólo el embajador Messersmith hacía patente su simpatía por Padilla y su desagrado por Alemán, sino que de Washington llegaron presiones en favor del secretario de Relaciones Exteriores. Esto hizo que el presidente acabara de inclinarse por Alemán y eliminara del todo a Padilla, quien, por otra parte, nunca tuvo muchas posibilidades, pues no era de la "gente" de Ávila Camacho.

Además, Miguel Alemán había trabajado duro. Primero se conquistó el apoyo de más de 20 gobernadores y despues obtuvo la luz verde de Lázaro Cárdenas. El general, como se ve, en realidad manejaba la candidatura de Miguel Henríquez Guzmán como palanca de presión. Ya con esto, y para entonces también con el respaldo de Fidel Velázquez, se pudo formar un comité pro-Alemán, que en el acto procedió a postularlo a la candidatura del PRM. Ávila Camacho aceptó una invitación que Alemán le hizo en su modesta casa de campo en Martínez de la Torre, Veracruz, y esto fue la señal para que se iniciara la cargada. Era el 20 de mayo de 1945, y la guerra mundial estaba a punto de concluir.

La CTM fue el primer sector en dar su apoyo a Miguel Alemán, pero no era gratis. Vicente Lombardo Toledano se puso machito y propuso un programa que el candidato debería adoptar y, además, dejó ver que esperaba cuando menos un puesto en el gabinete. El programa de Lombardo, por otra parte, estaba confeccionado a la medida de Alemán: industrialización vía unidad nacional, y reforma agraria para apoyar el crecimiento económico. Como ya se había consolidado la primera etapa de la revolución, dijo Lombardo, las masas apoyarían a Alemán, pero también censurarían sus "errores o desvíos".

Alemán presenció impávido el numerito de Lombardo y después tomó la palabra. Bien claro le hizo ver que no esperara controles de precios, que todo su apoyo sería para la empresa privada y el capital extranjero que llegara, por lo cual los obreros deberían evitar peticiones desproporcionadas. Hizo ver que pondría mano dura en el campo, pues para el óptimo trabajo agrícola tendría que haber tranquilidad y ya no la inquietud provocada por "los enemigos del campesino". Para acabar pronto, Alemán dio a entender que la idea de obtener un puesto en el gabinete a cambio del apoyo que le daban era ridícula. De cualquier manera, los obreros le aplaudieron y Fidel Velázquez lo llamó "el Cachorro de la Revolución"

Tras la CTM vino el grueso de la cargada y se adhirieron a la candidatura de Alemán la central campesina, el sindicato de burócratas, la recién creada y bien domesticada CNOP y, para no quedarse atrás, ¡el Partido Comunista Mexicano!, que por lo visto podía ser estalinista y priísta a la vez. Para atajar cualquier descontento en el ejército, Ávila Camacho dispuso el retiro de los elementos más viejos y caciquiles y prometió que los jóvenes oficiales ascenderían con rapidez; eso sí, de una vez por todas "el ejército debe reconocer su divorcio de la política", advirtió.

En esas condiciones, Alemán renunció a la secretaría de Gobernación. Fue sustituido por Primo Villa Michel, un conocido amigo de Ezequiel Padilla, a quien con esto se indicaba que le entrara, el gobierno sería neutral. Ávila Camacho quería quitarse de encima el estigma de las elecciones de seis años antes y evitar acusaciones de fraude electoral (que de cualquier manera le hicieron ya que, por supuesto, hubo fraude electoral, aunque en una proporción infinitamente menos problemática que en 1940).

Ezequiel Padilla decidió hacerla de emoción. Primero se fue a Estados Unidos a verificar el apoyo gringo, pero, como Almazán seis años antes, lo más que obtuvo fueron promesas de neutralidad. Al regresar, se encontró con los ataques de los alemanistas, quienes lo acusaban de ambición ilimitada de poder, y de que fingía estar al servicio de la revolución cuando en realidad era un reaccionario. Con el tiempo se pudo ver que, en realidad, esto era un retrato de Alemán, quien quiso reelegirse y acabó contundentemente lo iniciado por Ávila Camacho: sepultar a la revolución mexicana en favor de un capitalismo satélite al de Estados Unidos.

Padilla se entrevistó con Ávila Camacho, quien le juró que él sería absolutamente imparcial. El 6 de julio renunció a Relaciones Exteriores, pero todavía esperó otro poco. Sólo hasta después del informe decidió creer que los ofrecimientos de imparcialidad eran buenos y se lanzó de lleno a la lucha por la presidencia. Lo primero que intentó fue levantar el gran apoyo que Almazán tuvo, pero las condiciones eran muy distintas, ya que la derecha se hallaba a gusto con Ávila Camacho y la pobre izquierda ya estaba muy castigada. No obstante, presentó un proyecto amplio para ganarse todos los votos posibles. Para empezar enfatizó la necesidad de una verdadera democracia a fin de evitar fraudes vergonzantes como el de 1940. Él también consideraba prioritaria la industrialización rápida del país y prometía un programa "gigantesto" de obras públicas. Esto iba de la mano de un rechazo al comunismo y, por no dejar, al fascismo, así como un franco antisindicalismo. Prometía el voto a la mujer y un verdadero municipio libre, moderada intervención del estado en la economía, apertura total a la inversión extranjera y apoyo casi incondicional a Estados Unidos.

Ante esto, Miguel Alemán se vio obligado a definir su proyecto, que, a fin de cuentas, era casi idéntico al de su oponente; el de Alemán trataba de hacer ver que sólo él y su equipo estaban "al día", sabían de los cambios espectaculares en el panorama mundial a partir del fin de la guerra y lo que México requería para modernizarse y dar el salto para salir del subdesarrollo. Como Ávila Camacho, Alemán proponía que el país dejara de ser exportador de materias primas pues estábamos listos para la producción de artículos manufacturados a través del capital, los técnicos y los trabajadores mexicanos. Del extranjero se traería la gran maquinaria y los adelantos que permitieran la industrialización, la cual, además, significaría una evaluación pronta del nivel de vida de las clases más necesitadas. De hecho, aterró a sus seguidores cuando planteó que eran imprescindibles medidas drásticas contra la carestía así como una reducción de precios. Junto con la producción de artículos que satisfarían los requerimientos del país, Alemán se proponía impulsar las industrias eléctrica, química, siderúrgica, mecánica y petrolera, así como los transportes, pues todo esto era indispensable para apoyar la famosa industrialización. Eso significaba, claro, contención de demandas obreras y producción agrícola que apoyara a la industria y que pudiera elevar las exportaciones, pues la balanza de pagos había vuelto a ser deficitaria.

En efecto, los planes de Padilla y de Alemán eran casi idénticos, y el candidato oficial se vio obligado a enfatizar la necesidad de la democratización en el partido oficial y en todo el país, de la lucha contra la corrupción ("moralización de la sociedad") y el planteamiento cuasisagrado de la mexicanidad, para contraponerla al flagrante gringuismo de Padilla.

Éste no se quedó atrás. A fines de noviembre integró su Partido Democrático Mexicano (PDM), que en el acto procedió a postularlo como candidato a la presidencia. En esta ocasión Padilla se puso "duro" y acusó al gobierno de solazarse con los fraudes electorales (era inminente uno más, decía) y de abusar de la fuerza. Por supuesto, los alemanistas procedieron a tildarlo de "huertista, millonario y demagogo".

Ya con el juego electoral bien entronizado, Ávila Camacho procedió a dar los últimos ajustes: la reforma política era imprescindible, pues la vieja ley databa de 1918 y todos los partidos de oposición (PDM, PAN, FPP, PCM y sinarquistas) coincidían en que era una burla hablar de democratización sin atacar los mecanismos de imposición, fraude electoral, intervención ilegal de autoridades y sin la participación de los partidos opositores. Además, como se sabe, Ávila Camacho quería irse con una imagen limpia que, además, legitimaría a Miguel Alemán.

Por tanto, en diciembre de 1945 ya habían aparecido *Espejo de mi muerte*, de Elías Nandino; *Paraíso y nostalgia*, de Margarita Michelena, y las cámaras ya tenían la iniciativa del ejecutivo para una nueva Ley Electoral Federal. Ésta quitaba a los municipios la facultad de hacer el padrón, constituir las casillas y vigilar los procesos electorales, y en su lugar surgían organismos federales que servirían de modelo a los estatales y municipales. Se creaba la Comisión Federal de Vigilancia Electoral (compuesto por un secretario de Gobernación y un representante del ejecutivo, un diputado, un senador, dos magistrados de la Suprema Corte y dos comisionados de los partidos más importantes). Además se creaba el Consejo del Padrón Electoral (integrado por el director general de Estadística, el de Correos y el de Población). Por supuesto, se eliminaba la determinación de que los cinco primeros "ciudadanos" en llegar constituyeran las casillas electorales.

Como puede verse, la nueva ley seguía siendo una inmensa curva a favor del gobierno y el partido oficial, pues éstos tenían la mayoría aplastante en los nuevos organismos electorales, por eso los partidos de oposición protestaron por esa "exagerada intervención del poder público en las elecciones" e hicieron ver que ni siquiera *todos* los partidos tenían representación, sino sólo "los dos más importantes". La CTM también se opuso, pero los lobitos esgrimían que lo hacían porque "no hacía falta ninguna nueva ley, la anterior estaba bien". Como era de esperarse, la ley fue aprobada sin problemas, y sólo se eliminaron de la Comisión de Vigilancia a los representantes de la Suprema Corte.

Ya con el espléndido colchón que significaba la ley electoral, Ávila Camacho y Alemán procedieron a cambiar al PRM para que todo quedara igual. Se juzgó necesario reformar el partido por varias razones: la principal consistía en que el PRM aún apestaba a Lázaro Cárdenas, su creador; además, en el PRM, constituido por corporaciones, la de los obreros seguía teniendo un gran peso (aunque ya se hubiera fortalecido a la CNOP, el sector "popular"), sólo que para esas alturas ya no era necesario contemporizar con los obreros, ya no había guerra que requiriese un "frente interno".

El 18 de enero de 1946, los delegados (debidamente aleccionados) declararon disuelto el viejo PRM ("ya había cumplido su misión histórica") y aprobaron la Declaración de Principios, el Programa de Acción y los estatutos del ¡tachún tachún! Partido Revolucionario Institucional, el PRI (o RIP, como lo llamó años después el caricaturista Rius). El líder del nuevo partido, Rafael Pascasio Gamboa, postuló a la presidencia a Miguel Alemán (a quien algunos llamaban "el Ratón Miguelito", pues tenía en la mira, decían, a "la Gata Félix").

Fuera de eso, no había grandes cambios (era "la misma gata revolcada", pudo haber dicho la Félix). Continuaban los Tres Sectores (ahora el obrero era minoría) y se crearon dos nuevas secretarías en el Comité Ejecutivo Nacional: la de Acción Femenil y la de Acción Juvenil, pues flotaba en el aire la necesidad de dar mayor atención a mujeres y jóvenes. La gran novedad consistió en abrir el sector obrero a nuevas organizaciones (por supuesto para seguir debilitando a la CTM) y varias confederaciones se apuntaron al instante: el sindicato de mineros, la Confederación Obrera y Campesina de México, la General de Trabajadores, la de Proletariado Nacional y la Nacional de Electricistas. ¡Y se anunció la Gran Democratización del nuevo partido! Toda selección de candidatos debía de hacerse mediante el voto individual en casillas instaladas previa convocatoria. Sin embargo, como a través de procesos democráticos podía perderse el legendario control del centro, sin empacho de ningún tipo se creó un "pacto de sectores" para que todo candidato sólo pudiese salir de alguna de las tres corporaciones; de esa forma el recién creado PRI mostró una de las

En 1946 el PRM se convirtió en PRI y Miguel Alemán fue su candidato a la presidencia

La candidatura de Miguel Alemán motivó una escisión en la ''familia revolucionaria'' y Ezequiel Padilla se lanzó por su cuenta

que serían sus características: la capacidad de conciliar los opuestos más aberrantes en la mejor tradición hermética, como la democracia y la anti-democracia en este caso, ya que las elecciones internas saldrían sobrando si los sectores, verdaderos surtidores de manipulación, distribuían las candidaturas según sus necesidades.

A partir de la metamorfosis del PRM en PRI, el gobierno se empeñó por convencer de que en breve se vivirían formas democráticas "como en los países más desarrollados". Por cierto, uno de éstos, Estados Unidos, significaba aún un problema para Miguel Alemán, así que, si seis años antes el joven veracruzano viajó a Washington para convencer al imperio de "las buenas intenciones" de Ávila Camacho, en 1946 se entrevistó con Guy Ray, primer secretario de la embajada estadunidense. Confidencialmente, como suelen ser esas cosas, Alemán aclaró que el país vecino no debería de preocuparse por el apoyo que el candidato del PRI recibiría de la CTM y de comunistas notorios como Vicente Lombardo Toledano; agregó que no aceptaría comunistas en su gobierno y que Lombardo no estaba en condiciones de exigir nada. Además, para sus propósitos de industrialización México se apoyaría fundamentalmente en Estados Unidos, y no en Inglaterra u otros países europeos. Al parecer, Alemán obtuvo lo que buscaba, pues al poco tiempo Washington retiró al conflictivo embajador Messersmith y en su lugar envió a Walter Thurston, quien lo primero que hizo fue ignorar a Padilla cuando éste fue a visitarlo dispuesto incluso a bolearle los zapatos.

Además de Alemán y Padilla hubo dos candidaturas más: la del general Agustín Castro, vía el Partido Nacional Constitucionalista (PNC), y la del también general Enrique Calderón, que formó el Partido Reivindicador Popular Revolucionario (PRPR), que servían para generar confusión, para mediatizar a viejos militares y para dividir a los restos de izquierda oficial que aún quedaban, pues el general Henríquez Guzmán a última hora decidió no competir por la presidencia. Todos estos partidos obtuvieron registro en mayo, incluyendo el sinarquista Partido Fuerza Popular y el PCM. El PAN no presentó candidato a la presidencia, pero la "pluralidad" avilacamachista era ya una realidad, y el aún presidente no se cansó de asegurar que las elecciones serían limpísimas, el ejército las vigilaría y se impediría cualquier tipo de violencia o fraude electoral.

En realidad, las campañas presidenciales fueron calmadas, salvo algún boicoteo de autoridades a la oposición, pues sin duda costaba mucho trabajo quitarse las costumbres de décadas. Y, finalmente, el 7 de julio tuvieron lugar los comicios. Nada de balaceras trepidantes como las del 40. Sólo en Pachuca hubo muertos y heridos cuando los padillistas se enfrentaron a la tropa. Ávila Camacho se ufanó de la limpieza de las elecciones, pero desde el primer momento PDM, PAN y PRPR alegaron fraudes electorales. Éstos, cuando menos en San Luis Potosí, sí los hubo. El cacique Gonzalo N. Santos, con la cara dura que le caracterizaba, llanamente contó que él, como gobernador del estado, dejó votar en paz a la gente, pero que, en

La vieja alquimia. Conteo de votos durante las elecciones de 1946

la noche, envió a sustraer algunas ánforas (custodiadas por el ejército). El teniente encargado de la guardia se negó rotundamente a permitir la salida de las urnas y Santos tuvo que llamar al jefe de zona militar, quien le explicó que por órdenes estrictas del presidente Ávila Camacho no podía permitir nada de eso. "¿Se está haciendo usted pendejo, mi general, o de veras es pendejo? No la chingue, no embarre al presidente, que sabe hacer las cosas suavemente y no con brusquedad, ¿para qué cree que me tiene a mí en San Luis Potosí?" El general Miguel Molinar explicó que el oficial a cargo de la custodia era a prueba de cualquier soborno. Santos recomendó entonces que enviasen, con felicitaciones, a ese oficial fuera de allí y que en su lugar se quedara alguien "de verdadera confianza". Así se hizo, y Santos pudo sacar no una, sino todas las urnas. Antes, claro, se había cuidado de cambiar las originales por otras que él mandó hacer y que tenían tornillos en las tapas. De esa manera abrieron las ánforas y arreglaron la "votación" como se les dio la gana. Más tarde, todo mundo se enteró de la sustracción de las urnas y preguntaron a Santos si eso no era inmoral. "En política y en el juego", sentenció Santos, "la moral es un árbol que da moras." Agregó, además, que su manera de luchar por la revolución sería ciegamente aprobada por Carranza, Obregón, Calles y Cárdenas. "La ley electoral", añadió, "es como el juego de la mochitanga: de un vivo y de muchos pendejos".

Padilla acudió a la Suprema Corte de Justicia para pedir la anulación de los comicios, pero, como era de esperarse, no le hicieron el menor caso, y, mientras, el Colegio Electoral calificó las elecciones y dio un millón 800 mil votos a Alemán, 450 mil a Padilla (un notable 19 por ciento, porque ahora sí había democracia) y cantidades insustanciales a Calderón y Castro. Todos los senadores fueron para el PRI, así como 132 diputados; se concedieron cuatro curules al PAN, una a la Fuerza Popular y dos a los "independientes", pero nada para el PDM o para el PCM, pues todos podían ser oposición, pero unos eran más oposición que otros, y ésos no tenían cabida en un sistema decente.

En diciembre, Ávila Camacho entregó la banda presidencial a Alemán Valdés, quien planteó que México se democratizaría, habría modernización industrial, exaltación de la mexicanidad, lucha contra los funcionarios deshonestos y un "gabinete de trabajo, no de política", compuesto por flamantes técnicos y universitarios, naturalmente civiles todos. Entre su gabinete, que mereció halagos del sector privado, se contaba Antonio Ruiz Galindo (Economía), Ramón Beteta (Hacienda), Nazario Ortiz Garaza (Agricultura), Agustín García López (Comunicaciones), Manuel Gual Vidal (Educación), y Adolfo Ruiz Cortines, el protegido veracruzano a quien Alemán se trajo de la gubernatura de Veracruz para la cada vez más estratégica secretaría de Gobernación.

El ahora ex presidente Ávila Camacho se retiró a su casa, con su esposa, y aunque ciertamente estuvo pendiente de la vida política nacional, en realidad no encabezó un grupo de poder con presencia política durante el gobierno de Alemán, o aún después. Muchos lo consultaban antes de tomar decisiones políticas, pero era más bien por el peso que la antigua investidura le había dado, no tanto porque fuera imprescindible su aval. El presidente Alemán, en lo fundamental, no le informó de sus acciones, y posiblemente Ávila Camacho, "el presidente caballero", como se le siguió diciendo, muchas veces se habrá sorprendido ante los golpes audaces de su sucesor.

2. La mano dura
(1946-1952)

Modernización a la mexicana

En sus primeros días de gobierno, Miguel Alemán se hizo notar. El anticomunismo, ahora fortalecido por las presiones de Estados Unidos, llegó para quedarse y se convirtió en bandera de todo aquel que quisiese figurar en el gobierno, incluyendo a los gremios obreros. Entre éstos, ya sólo los grandes sindicatos (petroleros, ferrocarrileros, electricistas) trataban de conservar su autonomía y su capacidad de decisión; se daban cuenta de que las políticas oficiales consistían en contener al máximo las demandas obreras en beneficio del sector privado, lo cual no era tan difícil, pues Vicente Lombardo Toledano y los lobos de la CTM estaban dispuestos a ceder lo que fuese con tal de preservar posiciones y privilegios. Por tanto, Jesús Ortega, líder de los petroleros, solicitó a la empresa una nivelación de salarios. Pemex respondió negativamente y el sindicato ordenó un paro general el 19 de diciembre de 1946. El paro fue acatado por casi todas las secciones del SRTPRM. Pero nadie calculó la contundencia de la respuesta del presidente Alemán: el ejército tomó las instalaciones de Pemex en todo el país y se encargó de la distribución del combustible, la empresa a su vez rescindió el contrato de los dirigentes, nacionales y seccionales, del sindicato, y el gobierno inició un conflicto económico ante la Junta de Conciliación y Arbitraje para reformar el contrato colectivo.

Ante este golpe, la opinión pública se hundió en el estupor, la iniciativa privada aplaudió la "enérgica acción del presidente" y los líderes obreros guardaron silencio temerosos. Poco antes de navidad, Alemán declaró que la represión a los petroleros no significaba que su gobierno pretendiera sojuzgar a la clase obrera, pues "el régimen sería incapaz de apartarse de los grandes contenidos sociales de la revolución". Por supuesto, los obreros entendieron exactamente lo contrario; unos, los pocos combativos que quedaban, buscaron formas para enfrentar la nueva situación, y los demás se apresuraron a congraciarse con el gobierno. Lombardo Toledano pidió a los sindicatos que condenaran el paro petrolero y que se llevara a cabo una convención extraordinaria del SRTPRM. Ésta se inició en los primeros días de 1947. Los dirigentes nacionales renunciaron a sus puestos en el sindicato para eludir la rescisión de sus contratos de trabajo, y así se formó un nuevo comité ejecutivo encabezado por Antonio Hernández Ábrego. Pemex aprovechó esta rendición para hacer reajustes de personal de planta, para reducir a los trabajadores transitorios y para aumentar el número de empleados de confianza. Por último, se reformó el contrato colectivo con el fin de que Pemex pudiera contratar por su cuenta las obras de desarrollo y de carácter social de la empresa. Por cierto, desde un principio Miguel Alemán creó por decreto la Dirección Federal de Seguridad (DFS), a cargo de la Secretaría de Gobernación. El general Marcelino Inzurreta, primer director de la DFS, llamó a oficiales de carrera. La credencial número 1 fue para el general Melchor Cárdenas. La DFS era la oficina de espionaje y "control político". Por ella pasaron Héctor Martínez Cabañas, Enrique Cordero, Fernando Gutiérrez Barrios, Miguel Nazar Haro, José Antonio Zorrilla Pérez y muchas joyitas más.

Otra bomba, aunque esperada, fueron las reformas al artículo 27 de la Constitución. Sin duda, Alemán quiso aprovechar la relativa "luna de miel" de los primeros días de gobierno para quitarse de encima ese problema y, de carambola, fortalecerse aún más. Como Ávila Camacho, el presidente Alemán se proponía el aumento de la producción en el campo para ampliar exportaciones y sustituir importaciones; el agro debería apoyar la industrialización. Alemán creía que un buen desarrollo del campo podía generarse a través de la inversión privada, pues para él sólo "los pequeños propietarios" producían como debía ser. Durante el sexenio anterior, al ver que el gobierno los consentía, los empresarios exigieron "seguridad en el campo", que, llanamente, se traducía como la petición del amparo agrario para "los genuinos mexicanos", pues así se autocalificaban los agricultores.

Alemán los satisfizo tan pronto como pudo; otorgó el amparo a los predios agrícolas o ganaderos con certificados de inafectabilidad y fijó el límite de la pequeña propiedad en cien hectáreas. Estas reformas fueron aprobadas por unanimidad en las cámaras, y la CNC no se atrevió a quejarse, a pesar de que el amparo agrario socavaba a los campesinos pobres. Sólo los ejidatarios de la Laguna, cardenistas fieles, protestaron, pero se quedaron solos. El gobierno hizo ver que las reformas no podían considerarse contrarrevolucionarias, pues la pequeña propiedad era parte integral de la revolución. Pero nadie cuestionaba a la pequeña propiedad, sino el amparo para los consentidos del régimen: el sector privado.

El amparo agrario fue sólo la primera probadita de las recetas de Alemán para el campo. En el primer trienio de gobierno, prácticamente se detuvo la repartición de tierras. Sólo se hablaba de "aumentar la producción": la etapa del reparto agrario y de la lucha contra los latifundios, se insistía, estaba terminada. Sólo hasta 1949, cuando arreciaron las manifestaciones, los mítines de protesta y las terribles marchas de campesinos a la capital, el presidente reanudó la repartición, pero, eso sí, tuvo mucho cuidado en otorgar sólo tierras casi inútiles.

En cambio, el gobierno invirtió mucho dinero en obras de irrigación, electrificación y caminos; también se canalizaron fuertes créditos a bajos intereses, así es que para los ricos resultó de lo más ventajoso entrar en la agricultura, aunque la mayoría apenas había visto una vaca en fotografías; por eso, pronto la gente los bautizó como "agricultores nailon".

En el campo se dio también el problema de la fiebre aftosa, con el cual Alemán no se vio tan seguro y perdió la galanura. El presidente podía portarse muy machito con los obreros y los pobres del país, pero cuando Estados Unidos entraba en el juego el modernizador no sabía qué hacer. Desde principios de 1946 la fiebre aftosa llegó del sur y se extendió entre el ganado mexicano. El gobierno mandó llamar expertos del extranjero y éstos recomendaron un amplio programa de vacunación para salvar a las reses. Pero Estados Unidos "se aterró"; consideró que la epidemia podía extenderse a su país (a pesar de que sólo se dio en el centro de México) y sin más presionaron para que se utilizara el moderno "fusil sanitario" o método del exterminio, que consistía en sacrificar todo el ganado enfermo (para entonces más de 600 mil cabezas). No sólo eso, la potencia vecina dio a entender que los mexicanos eran medio tontitos para enfrentar la epidemia y por tanto propuso que un equipo conjunto, por supuesto dirigido por los gringos, se encargara de la matanza.

Alemán lo pensó durante un tiempo, pero ya en 1947 decidió complacer a los estadunidenses y usar el rifle sanitario. Se formó el equipo binacional y se decidió exterminar dos mil reses por día a lo largo de todo el año. Desde que se inició la campaña, las protestas se hicieron sentir en casi todo el país y surgió un fuerte sentimiento antiestadunidense, pues a muchos fastidiaba la prepotencia de los técnicos gringos, además del hecho de que ellos ganaran mucho más dinero y de que obtenían mejores condiciones por lo mismo que hacían sus contrapartes nacionales. Las quejas por la pésima forma en que se llevaba a cabo la campaña crecieron, y pronto tuvieron lugar numerosos incidentes, pues los campesinos juzgaban ridículo exterminar animales que aún tenían curación, e incluso, como dice José Emilio Pacheco, al ganado "sospechoso o susceptible de enfermarse". A veces preferían irse a las montañas con todo y su ganado y, otras, de plano se enfrentaron a balazos con los del "rifle sanitario". El gobierno, preocupado, reiteró que se indemnizaría a los afectados con el pago del valor comercial de cada res sacrificada. Pero se supo entonces que había un notorio tráfico de indemnizaciones y que, además, en vez de dar dinero o tractores, el gobierno entregaba mulas.

Se acusó a los sinarquistas de causar los encuentros sangrientos en el campo, pero éstos aclararon que no tenían nada que ver. El PAN condenó el exterminio y favoreció la vacunación, y la izquierda, por no dejar, atacó también a los sinarquistas. Se soltaron rumores de que Lázaro Cárdenas alentaba la oposición a la campaña, y, cuando tuvo lugar en Michoacán un choque en el que murieron más de 50 campesinos, Cárdenas salió al quite para pedir calma a los michoacanos y que "colaboraran con el gobierno". Alemán decidió formar un Comité Nacional de la Campaña Contra

Matar a las reses enfermas de fiebre aftosa, o "rifle sanitario", fue la solución
impuesta por Estados Unidos y ejecutada por Miguel Alemán

BRACEROS

El bracerismo se volvió un problema
nacional a fines de los cuarenta

la Fiebre Aftosa y en el acto llamó a Cárdenas para que la encabezara. Pero el general se negó y, según sugiere en sus memorias, recomendó al presidente que enfundara el rifle sanitario, que no cediese tan groseramente a los caprichos de Estados Unidos y optara por la vacunación. En todo caso, Alemán dio marcha atrás; en noviembre de 1947 presentó un plan salomónico que combinaba la cuarentena, las vacunas y la matanza de animales "sólo en caso necesario". A lo largo del sexenio de hecho sólo se utilizó la vacunación, pero en menos de un año la política moderna acabó con cerca de 700 mil cabezas de ganado.

Otro gran problema fue la cuestión de los braceros. A causa de la guerra México suscribió con Estados Unidos un "convenio temporal" para que miles de campesinos, escogidos por el gobierno de México, fueran a auxiliar a los agricultores del sur estadunidense. Al terminar la guerra, el país vecino ya no parecía a favor de la política del bracerismo, entre otras cosas porque habían ingresado en su tierra tantos ilegales (o "mojados" como se les llamó también) como legales. Se iniciaron deportaciones masivas de espaldas mojadas y la cuestión con mucha frecuencia ocupó los titulares de los periódicos, pues las autoridades migratorias de Estados Unidos sometían a maltratos inhumanos a los braceros, además de que éstos por lo general padecían condiciones de explotación dignas de las épocas esclavistas.

De hecho, Estados Unidos optó por pedir trabajadores agrícolas cada vez que hacían falta, pero, cuando no, cerraba la frontera y se quejaba de la molesta invasión de "grasientos". Los mojados nunca dejaron de intentar pasar a Estados Unidos, lo que ocasionó problemas serios en las ciudades fronterizas, y a nivel oficial los convenios se siguieron firmando año con año, sólo que Washington pronto prefirió que el gobierno de México lidiara directamente con los agricultores fronterizos y de hecho se negó a sancionar a aquellos que insistían en contratar a los ilegales por una miseria y en condiciones infrahumanas, pero que, con todo, eran preferibles a la indigencia a la que los había sometido la política agraria del régimen.

Era comprensible la emigración de esos campesinos. Desde el inicio del alemanismo quedó claro que los grandes favorecidos eran los ricos; y éstos se lucían en grandes bailes "de fantasía" y "blanco y negro", y llamaban la atención con sus extravagancias. Las páginas de sociales cobraron una gran importancia (Rosario Sansores, el Duque de Otranto, la revista *Social*) y los ricachones pusieron de moda las Lomas de Chapultepec, el puerto de Acapulco (a donde se llegaba en los DC-3 de Aerovías Guest), el Country Club, el Jockey Club, el "estilo californiano", la canasta uruguaya y los tes de caridad, el Hipódromo de las Américas, las asociaciones ecuestres, el University Club, el Club de Banqueros, el restorán Ambassadeurs, los baños Alameda, el Deportivo Chapultepec, el whisky, los cocteles, los abrigos de visón y las cobijas eléctricas. La vieja "aristocracia" (resguardada por el pedigrí de sus apellidos, usualmente dobles como de políticos) trataba de establecer las distancias entre el brote de nuevos ricos, usualmente políticos o líderes o arribistas de toda índole.

Pero no eran muchos los "self-made-men" que se enriquecían; de hecho, la riqueza tendía a concentrarse en pocas manos, y el gobierno alemanista ofreció a las mayorías años duros de explotación para subsidiar la riqueza de los menos. Bajos salarios y precios desmesurados fueron las bases económicas de Alemán y, por tanto, compensatoriamente, surgió una suerte de dosificado y fariseico interés por la vida de los pobres, especialmente a través del cine, que frecuentó el tema de las cabareteras y las historias del arrabal. A través de estas películas, más inconsciente que conscientemente, cristalizó una visión maniquea de los pobres, se imprimieron peculiaridades y formas de conducta, y se reiteraron las supuestas "leyes naturales" en las que el pobre debía al rico sumisión, lealtad, respeto, reverencia y extrema docilidad. La virulencia cuasimística del anticomunismo reforzó la tendencia a considerar válidos los valores morales cristianos acuñados durante la Colonia, pero como se empezaba a vivir una realidad de culto al dinero y de corrupción avasalladora para hacerse de él, lo que predominó fue el imperio del formalismo cada vez más vacío y el afianzamiento de la corrupción moral, la hipocresía y el fariseísmo.

El presidente Alemán siguió ejercitando en el control del aparato político. Una de sus vías fue el descabezamiento de gobernadores que tuvo lugar al principio de la administración. El primero en caer fue el de Jalisco, Marcelino García Barragán, quien se había empeñado en apoyar la candidatura de Henríquez Guzmán. Semejante acción fue castigada por el presidente, quien derrocó a García Barragán (secretario de Defensa en 1968) cuando a éste sólo le faltaban unas semanas para completar su mandato.

En marzo de 1947 cayó Hugo Pedro González del gobierno de Tamaulipas; como García Barragán, González se fue por donde no debía y sostuvo la "precandidatura" de Rojo Gómez. Además, González pertenecía al grupo del ex presidente Emilio Portes Gil, quien, con este golpe, quedó prácticamente fuera de las más importantes áreas de influencia. En su caso se utilizó el artículo 76 de la Constitución y surgió la Temible Desaparición de Poderes, que acabaría poniéndose de moda entre los presidentes mexicanos. Con estas venganzas, además, el presidente daba a entender que no tendría piedad con los disidentes y que más valía que todos los políticos se "disciplinaran".

También cayeron Juan M. Esponda, gobernador de Chiapas, connotado vendedor de presidencias municipales; y el de Oaxaca, Edmundo Sánchez Cano. En Durango, el gobernador Blas Corral se enfermó de muerte y tuvo que hospitalizarse, con lo cual ocasionó un lío en el que hubo dos gobernadores interinos. Y el gobernador de Coahuila, Ignacio Cepeda Dávila, para no andarse con cuentos, de plano se suicidó. El sustituto no le gustó al centro, así que pronto cayó y fue reemplazado por un hombre

¡Cómo se querían! El presidente Miguel Alemán abraza a Vicente Lombardo Toledano quien, por esas fechas, fundó el Partido Popular

de Alemán. Esto ocurrió en julio de 1947. En ocho meses seis gobernadores habían sido borrados de la cinta patria, y Alemán tenía en sus manos casi todo el poder.

En cambio, el sector obrero y lo que quedaba de la izquierda cada vez se veían en condiciones más endebles. La división era patente y se manifestó con claridad cuando concluyó el periodo "prorrogado" de Fidel Velázquez y fue necesario elegir un nuevo secretario general. Los lobitos no querían perder el control de la confederación por ningún motivo y propusieron a Fernando Amilpa. Esto los llevó a chocar con los grandes sindicatos de industrias, que querían una limpia total, cese del continuismo y renovación en la CTM. Los lobitos recurrieron a todas sus marrullerías y se salieron con la suya, pero les costó el desmembramiento de la central, pues los opositores, capitaneados por los líderes ferrocarrileros Luis Gómez Z. y Valentín Campa, optaron por crear una nueva confederación, la Única de Trabajadores (CUT), que se llevó a telefonistas, petroleros, electricistas, tranviarios, mecánicos de aviación, cementeros y otros, casi 200 mil miembros salieron de la CTM. Ésta, para cubrir esos huecos, reclutó con sus métodos gangsteriles a campesinos y obreros agrícolas. La CNC protestó airadamente, pero la operación ya estaba hecha. Amilpa, nuevo jefe de la CTM, ofreció al instante su apoyo incondicional y acrítico al presidente.

Vicente Lombardo Toledano apoyó a los lobitos, sus viejos discípulos. El connotado maestro advertía que se estaba quedando fuera de las grandes jugadas. Su influencia en la CTM era fuerte pero a todas luces tendía a disminuir, pues Fidel Velázquez y los viejos Lobos cada vez lo hacían menos. Lombardo se vio precisado a apoyarlos en sus maniobras contra Gómez Z., a cambio de que la central lo respaldara sustancialmente en su proyecto más querido, la formación de su propia organización política, "popular". Lombardo, incluso, estuvo de acuerdo en que la CTM cambiara su viejo y más aguerrido lema, "Por una sociedad sin clases", por el menos comprometedor: "Por la emancipación de México". Los comunistas protestaron, no tanto por el cambio de lema sino porque ahora quedaban fuera de los grandes puestos sindicales. La CTM quería desprenderse rápidamente de todo aquello que lo relacionara con el satanizado "comunismo".

Lombardo ya había avanzado en su intento de creación del Partido Popular. Desde 1944 había iniciado los trabajos, pero bajó el ritmo porque Ávila Camacho le pidió que lo hiciera, y que se esperara hasta después de las elecciones. El buen Lombardo lo hizo, pero ya el 10 de julio de 1946 declaró que buscaba la unificación de la izquierda no en un partido obrero-marxista sino en una gran coalición de fuerzas "democráticas y progresistas" que luchara "por los ideales de la Revolución Mexicana". En enero de 1947 echaron a andar las célebres mesas redondas marxistas, en las que participaron el Partido Comunista Mexicano, la Universidad Obrera, la Acción Socialista Unificada y varios intelectuales importantes, entre ellos José Revueltas, que vivía una de sus peores épocas ideológicas. Los que participaron refunfuñaban por el golpe a los petroleros y la implantación del amparo agrario, pero todos estuvieron de acuerdo en que se debía posponer la lucha por el socialismo y tratar de concluir la "revolución democrático-burguesa". Los superestalinistas líderes del PCM, Hernán Laborde y Dionisio Encinas, planteaban que debía propiciarse el capitalismo de estado. Pero a fin de cuentas, casi todos (Siqueiros fue uno de los pocos que impugnaron las teorías de Lombardo por lo que fue acusado de provocador) coincidieron en considerar a Alemán como "burgués progresista" y en apoyar la industrialización.

Alemán, seguramente, quedó complacido. De hecho, le había gustado mucho que Lombardo creara su partido (si es que no se lo sugirió), pues éste sin duda se ubicaría en una izquierda bastante manipulable; esto le permitiría eliminar del gobierno a todo izquierdista, además de que ahora el PRI podía inscribirse en un supuesto "centro", ajeno, como se decía en épocas de Ávila Camacho, a los extremismos de izquierda y derecha. En esta última automáticamente quedaba el PAN y el sinarquista Partido Fuerza Popular, aunque, en realidad el PRI y el gobierno estaban tan a la derecha como esos grupos, si no es que aún más. Con la anuencia oficial, y tras llevar a cabo sus trabajos preparatorios, Lombardo Toledano finalmente constituyó el Partido Popular en 1948, tras lograr adeptos notables, entre los que se contaban José Revueltas (había sido expulsado del PCM a principios de la década), Enrique Ramírez y Ramírez y ¡Salvador Novo!

Sin embargo, las cosas no resultaron fáciles para el nuevo partido. El gobierno se distanció de él lo más que pudo, salvo cuando le era necesario utilizarlo, y, para colmo de males, los líderes obreros violaron el pacto ("todo político que se dé a respetar debe violar sus pactos", decía Gonzalo N. Santos) y Fernando Amilpa de plano negó el apoyo de la central al nuevo PP, a pesar de las actitudes conciliatorias de Lombardo. Pero Fidel Velázquez no sólo le dio la espalda a su ex jefe sino que lo expulsó de la CTM y aprovechó el viaje para despotricar en contra del comunismo. ¡Qué lejos se hallaban aquellos días, a principios de la década, en que Fidel declamaba "admiro a los comunistas" y chorreaba elogios para Lombardo! A partir de ese momento, Lombardo perdería su derecho de visitar el techo del estado mexicano y, con su Partido Popular, se vio obligado a hacerle el juego al gobierno para poder sobrevivir.

Miguel Alemán fue el primer presidente civil y convirtió al "civilismo" en seña de identidad del gobierno, al igual que su "juventud", la cual simbolizaba al joven México que, seguro de sí mismo, crecía de prisa y con muchas ganas de ingresar en las ligas mayores. Entre sus primeros planes se hallaba la democratización del país y la lucha por mejores condiciones de vida del pueblo, que para esas alturas resentía cada vez más la carestía y la inflación.

Alemán era consciente de que la base política sobre la que se halla-

El pizpireto presidente Alemán inaugura el servicio de trolebuses en la ciudad de México

Quema de judas, sábado santo, en las calles de Tacuba

La ciudad de México durante la modernización de Miguel Alemán

ba ("bárbara", la llamó José Revueltas; "dirigida", Octavio Paz) saboteaba desde el interior cualquier intento serio de democratización. Por supuesto, las raíces de la antidemocracia se hallaban en el presidencialismo a la mexicana y en el partido oficial. Como Alemán se hallaba luchando por quitarse estorbos de encima y acumular todo el poder, resultó evidente que la presidencia misma no se iba a democratizar pronto. Pero quedaba el partido oficial, y en 1947 Alemán indicó a Rodolfo Sánchez Taboada, presidente del PRI, que la vida interna debía ajustarse a los principios democráticos; los candidatos locales y estatales debían de ser políticos populares, conocidos en la región, y ya no impuestos desde el centro vía los sectores. Tímidamente, Sánchez Taboada trató de ensayar una elección interna más o menos libre en León, Guanajuato, en junio de 1947. Sin embargo, ninguno de los bandos contendientes aceptó la derrota y al comité ejecutivo del PRI le costó mucho trabajo solucionar el conflicto, incluso se vio en la necesidad de cambiar al gobernador y de enviar a Luis Echeverría, secretario privado de Sánchez Taboada, para imponer la unidad "a toda costa". Algo semejante ocurrió, después, en Tampico, donde, a causa de las elecciones municipales, acabaron en pleito la CNC y las autoridades del PRI. Aquí también costó trabajo la unificación de los priístas de Tampico, y eso bastó para que el PRI desistiera de sus propósitos de democratización, especialmente cuando los tres sectores del partido celebraron un pacto para conservar su cuota de puestos de elección popular. Con esto, la democracia en el seno del PRI acabó de languidecer. Sin embargo, como los políticos "jóvenes" se quedaron con ciertas ilusiones de democratización, el presidente se vio obligado a crear un foro en el cual pudieran desenvolverse, y así formó el Instituto Nacional de la Juventud Mexicana en febrero de 1950. En el partido siguió predominando la imposición de candidatos y la consiguiente política de "carro completo", es decir, de que el gobierno ganara de todas, todas, sin perder casi nunca una elección. Esto a su vez representó la perpetuación de todos los sistemas de alquimia electoral para manipular y maquillar los resultados de las elecciones. La vieja guardia había triunfado, pero esto más bien favorecía al presidente.

Todo parecía optimismo y seguridad en el gobierno de Miguel Alemán, pero las condiciones distaban de ser favorables, especialmente en cuestiones económicas. Si bien la guerra mundial había favorecido las exportaciones, una vez que ésta concluyó todo se fue modificando. Muchos de los mercados externos se perdieron. La industria de Estados Unidos de nuevo quería expanderse, lo cual en México era fácil porque los industriales que tanto alentó Ávila Camacho salieron con productos de pésima o muy baja calidad, y la gente no dudaba en adquirir, si podía, productos estadunidenses (lo cual fue acentuando una progresiva preferencia por lo que viniera de Estados Unidos, fuese lo que fuese).

Ya no se podía exportar como en tiempos de la guerra, y se decidió que la producción se dedicara al mercado interno, y para esto se elevaron barreras arancelarias que pararan la competencia extranjera. Sin embargo, varias empresas estadunidenses optaron por acatar las condiciones que ponía México para la inversión extranjera, que en la práctica no eran rígidas, o "se podían arreglar", y obtuvieron estupendas ganancias, como Sears Roebuck, que "llegó para quedarse".

Pero en 1947 había escasez de materias primas, de crédito y de energía eléctrica, transporte inadecuado y maquinaria obsoleta. Además, la inflación no cedía, el gobierno tendía al gasto deficitario y muchos ricos preferían dedicarse a la mera especulación.

Ante todo esto, Miguel Alemán anunció que no devaluaría el peso y que su política económica no sería inflacionaria ni deflacionaria, porque se trataba de acelerar el crecimiento económico. El presidente no quería elevar los impuestos, así es que para financiarse optó por fortalecer el ahorro interno y por buscar créditos del extranjero. Trató de intensificar la producción agrícola e industrial para, con ello, detener la inflación. Otorgó todos los apoyos que pudo al sector privado y el estado mismo echó a andar grandes inversiones contratando a empresas privadas. Elevó los aranceles, prohibió importaciones suntuarias, dio créditos a la industria, mantuvo bajos los impuestos, dispuso precios agrícolas que aseguraban materias primas baratas, aplicó un severísimo control obrero y logró que las huelgas disminuyeran sustancialmente. Sin embargo, los empresarios se quejaban de "excesiva protección al obrero", exigían la derogación de los contratos colectivos de trabajo y las revisiones periódicas de salarios. No querían escalafones ("hay que propiciar el mérito, y no la antigüedad") y trataron de rehuir toda contribución al Seguro Social. Protestaban por los controles de precios (que eran simbólicos, pues escasamente se aplicaban) y, en fin, procuraron aumentar la presión para que el gobierno hiciera la mayor cantidad posible de concesiones.

El gobierno de Alemán trató de obtener dinero como pudo, pues con el programa de grandes obras, el gasto público aumentaba vertiginosamente. Empezaron a llegar los primeros créditos, lo cual fue un alivio. El presidente Truman, de Estados Unidos, visitó la capital (era la primera vez que un mandatario estadunidense llegaba a la Ciudad de México). Alemán y Truman resaltaron la "interdependencia" de los dos países y la "buena voluntad". Al mes siguiente Alemán visitó Washington y fue recibido con grandes muestras de efusión. El primer resultado concreto de ambas visitas fue que se abrieron más líneas de crédito para nuestro país y hubo un acuerdo "para la estabilización del peso". Pero Alemán regresó con la impresión de que poco se había logrado con los estadunidenses.

Esto era especialmente cierto con respecto a la situación de nuestra moneda. A mediados de 1947 la pérdida de dólares era alarmante. Mucho se iba por el terreno de las importaciones y poco llegaba a través de las exportaciones. Ni siquiera podían vender ganado a causa de la terrible epidemia de fiebre aftosa que abrumó al país durante esa época. El Fondo Mexicano-Norteamericano de Estabilización había otorgado créditos por diez millones de dólares, pero las reservas de divisas perdieron más de cien

La devaluación del peso, en 1948, afectó a todos y propició la carestía

El nacimiento de la inflación, según un caricaturista de la época

En 1948 una nevada entusiasmó a los capitalinos

millones. La fuga de capitales era ya una realidad incuestionable; además, las empresas y los ricos sabían que la devaluación era inminente y la convocaron dolarizándose. José Emilio Pacheco reporta que los alemanistas "amasaron fortunas cambiando oportunamente en dólares sus pesos". Alemán aseguraba que no quería devaluar ni imponer un control de cambios, así es que empezó a buscar desesperadamente nuevos créditos del extranjero. Recibió otros diez millones de dólares, pero la crisis continuó a lo largo de 1947 y el principio de 1948. Las reservas de dólares y de oro bajaron espectacularmente. Todo aquel que disponía de cinco mil pesos (y estaba enterado de estas cosas) quería tener sus mil dólares.

El 21 de junio ya no fue posible detener la devaluación, a pesar de los nuevos créditos del Fondo Monetario Internacional, del de Estabilización y del Eximbank. La paridad se fijó en 6.88 por dólar, pero aun esto era inestable, así es que el gobierno puso a flotar el peso. El secretario de Hacienda Ramón Beteta dio la cara por su presidente y culpó a "la situación internacional" de la devaluación. La administración alemanista, pues, no había cometido ningún error.

Mucha gente opinaba lo contrario. El PAN y el Club de Banqueros responsabilizaban al gobierno por no haber devaluado a tiempo y por gastar en exceso. La izquierda consideró que consentir a la iniciativa privada había llevado al despilfarro, a la corrupción y a una injustísima distribución de la riqueza, pues muy pocos disfrutaban los grandes lujos costeados por la pobreza de las grandes mayorías. Narciso Bassols, en la *Revista de Economía*, no se anduvo con rodeos y dijo que la industrialización era anárquica, sin rumbo fijo, y que las obras públicas favorecían la especulación y el despilfarro. El gobierno, además, había optado por los créditos del exterior cuando debió realizar una reforma fiscal. En todo caso, la devaluación era un hecho y, finalmente, el peso dejó de flotar y se estacionó en 8.65 por dólar.

La devaluación llevó a la cresta al descontento popular. Desde 1942 el malestar no había cesado, pero en 1947 y 1948 era ya muy intenso y varios líderes temían que las bases los desbordaran. Este tema, además, en cierta forma alimentó las ideas que Daniel Cosío Villegas externó en su ensayo "La crisis de México" que publicó *Cuadernos Americanos* en 1947. En este trabajo extraordinario, el historiador planteó que la Revolución Mexicana se había propuesto democratizar al país y favorecer a la inmensa mayoría de pobres. También había permitido que México se enfrentara a sí mismo, para reconocerse y desarrollarse. Pero las intenciones habían estado muy por encima de quienes tenían que volverlas realidad. Las metas eran razonables, explicaba Cosío, por tanto la pequeñez de los grandes líderes resultaba alarmante. No se logró la democratización ni remotamente y a lo más a que se había llegado era a que los presidentes no se perpetuaran en el poder y rebasaran la condición de caudillos o caciques. La separación de poderes era una falacia y la prensa se había vuelto simple comercio. La reforma agraria careció de visión, de iniciativa; faltó la técnica y la constancia. Los obreros se habían vuelto un mero apéndice del gobierno, que los había envilecido. Pero lo peor era la corrupción, la prevaricación, el robo, el peculado, que crearon una nueva burguesía, la cual llevó al país a la desigualdad económica. Lo más alarmante de los planteamientos de Cosío Villegas, como hace ver Enrique Krauze, era la conclusión de que se estaba a punto de perder la identidad nacional. México se hallaba en una crisis gravísima y la necesidad del cambio era impostergable; de no llevarlo a cabo, el país acabaría por "confiar sus problemas mayores a la inspiración, la imitación y la sumisión a Estados Unidos, no sólo por vecino, rico y poderoso, sino por el éxito que ha tenido y que nosotros no hemos sabido alcanzar. A ese país llamaríamos en demanda de dinero, de adiestramiento técnico, de caminos para la cultura y el arte, de consejo político, y concluiríamos por adoptar íntegra su tabla de valores, tan ajena a nuestra historia, a nuestra conveniencia y a nuestro gusto. A la influencia norteamericana, ya de por sí avasalladora, se unirían la disimulada convicción de algunos, los francos intereses de otros, la indiferencia o el pesimismo de los más, para hacer posible el proceso de sacrificio de la nacionalidad, y, lo más grave aún, de la seguridad, del dominio y de la dicha que consigue quien ha labrado su propio destino".

En la década de los ochenta se pudo ver cuánta razón tenía Cosío Villegas casi cuarenta años antes. No sólo empezó a hacer crisis la antidemocracia del sistema y la terrible desigualdad económica, sino que mucha gente decía, tan quitada de la pena, que le gustaría que México fuera parte de Estados Unidos; había una fuerte campaña por poner en inglés los productos comerciales ("Shadow es performance"), lo que antes tenía nombre en español ya lo habían cambiado ("Dulcereal de Trigo" por "Sugar Smacks"), era moda entre la clase media alta redactar en inglés las invitaciones a las fiestas, o hablar en inglés a la menor provocación (especialmente ante sirvientes o empleados), infinidad de juguetes ostentaban la bandera de Estados Unidos, muchísimos comercios tenían denominaciones en inglés (por lo general con pésima ortografía) y, por supuesto, la economía mexicana era severamente condicionada por el Fondo Monetario Internacional, el gobierno o los bancos de Estados Unidos. Entonces resultó claro que las oportunas, gravísimas advertencias de Cosío habían sido la voz que clama en el desierto. Por fortuna, la lucidez y la integridad de gente como él impidió que la identidad nacional sucumbiera del todo; por el contrario, en parte ésta se fortaleció a través de la cultura y la elevación del nivel de conciencia colectiva, y de hecho se había iniciado una lucha, al parecer definitiva, de una parte de México contra la otra, y no sólo era una "disputa por la nación" sino que se trataba de un profundísimo cambio de piel.

La devaluación, además, precipitó otros problemas con los trabajadores. En 1948, los ferrocarrileros eligieron a Jesús Díaz de León, mejor conocido como "el Charro" por su afición a las suertes (carísimas) de la charrería Pero el verdadero poder lo conservaba Luis Gómez Z., quien en septiembre

El gobierno de Miguel Alemán trató con mano dura a los obreros, especialmente a los petroleros y ferrocarrileros ignoró al sindicato y llevó las conclusiones de la comisión especial a la recién formada Confederación Única de Trabajadores. Esto era lo que el presidente Alemán requería para implantar una de sus innovaciones: el charrismo, o sea, la manipulación de los obreros a través de sindicatos blancos y el envío a la cárcel de los líderes rebeldes. Díaz de León no se anduvo con historias y acusó a Gómez Z. y a Pedro Sánchez Castorena de un desfalco de más de 200 mil pesos. Por supuesto, Díaz de León debió haber llevado la acusación al Comité de Vigilancia del sindicato, pero "el Charro" no quiso hacerlo porque el comité estaba controlado por Gómez Z. Entonces recurrió a un pleito penal, lo que significaba la intervención del gobierno. El resultado fue que los seguidores de Gómez Z. del Comité de Vigilancia desconocieron a Díaz de León como secretario general, y en su lugar pusieron a Francisco Quintana. Díaz de León, con la complicidad del gobierno, utilizó las tácticas preferidas de Fidel Velázquez: recurrir a pistoleros para apoderarse por medio de la violencia del control de todo el sindicato ferrocarrilero. El gobierno apoyó enteramente a Díaz de León, lo reconoció oficialmente y acabó enviando a la cárcel a Gómez Z., a Sánchez Castorena y a Valentín Campa.

Una vez "solucionado" el conflicto, no extrañó que, como había ocurrido a principio del sexenio con los petroleros, Ferrocarriles aprovechara el golpe dado para llevar a cabo una drástica reestructuración de la empresa. Se inició un juicio económico para reducir los salarios, se despidió a 12 mil trabajadores, y se suprimieron muchas ventajas y prestaciones: tiempos extras, pases, asistencia médica, permisos con goce de sueldo, además de que se crearon 500 nuevos puestos para empleados de confianza (que, a fin de cuentas, resultaron dos mil).

El presidente Alemán se había anotado otro triunfo por nocaut en sus luchas para someter a los obreros, pues no sólo dobló y domesticó a los ferrocarrileros sino que logró amedrentar seriamente a los demás sindicatos de industria que se mostraban rebeldes. En efecto, la mayor parte de los obreros prefirieron someterse, y a fin de cuentas sólo algunos (petroleros y mineros) trataron de formar una central independiente que sirviera de herramienta de lucha. Así surgió, en medio de una intensa campaña "anticomunista" de la Coparmex y del gobierno, la Unión General de Obreros y Campesinos de México (UGOCM), que se definió de "izquierda y en contra del gangsterismo sindical". Pero a esta nueva organización se le negó el registro y se le saboteó por todas partes, así es que nunca obtuvo gran fuerza, y en 1949 el presidente Alemán podía presumir de un control férreo de los obreros en beneficio de "la industrialización".

Pero no todos se disciplinaban. En 1948, el millonario Jorge Pasquel, gerente del diario *Novedades*, suprimió la columna "Presente" del periodista Jorge Piñó Sandoval, quien no se conformó con el moderno autoritarismo de Pasquel, sino que obtuvo fondos y en julio sacó a la luz pública su revista *Presente*, con la colaboración del portadista Antonio Arias Bernal, de los caricaturistas Abel Quezada, Ernesto García Cabral y Fa-Cha, y los colaboradores Renato Leduc, José Pagés Llergo, René Capistrán Garza, Tomás Perrín y Jorge Ferretis. La revista (costaba 20 centavos) surgió con la espada al aire y pronto se hizo célebre por sus contundentes críticas al gobierno y a los altos funcionarios allegados a Alemán. Entre las denuncias de Piñó Sandoval se contó una investigación de las fabulosas mansiones, a veces palacetes, que en menos de dos años los alemanistas habían logrado construir; entre éstas se hallaban las de Antonio Díaz Lombardo, del IMSS, Ramón Beteta (de Hacienda), Fernando Casas Alemán (Departamento del D.F.), Carlos M. Cinta (de Nacional Reguladora), Enrique Parra Hernández (a quien llamaban el "ministro sin cartera") y de Andrés Gómez (pariente de Alemán y oficial mayor de Agricultura). También se denunciaron negocios alucinantes de Antonio Ruiz Galindo, secretario de Economía, quien era dueño de la empresa de muebles DM Nacional, lo cual le permitió llenar las dependencias de gobierno con sus productos. O los negociazos de Díaz Lombardo en el Seguro Social, que iban desde "los trafiques en la construcción de clínicas y hospitales, en los contratos con las farmacias subrogadas, en la distribución de puestos y en las compras de esa institución", informó la revista *Proceso* en 1983, que añadió: "Se descubrió que el metro cuadrado de construcción era pagado por el IMSS a razón de 360 pesos, cuando el precio comercial, comprobado por *Presente*, era de 200 pesos."

En su informe de 1948, Alemán veladamente amenazó a *Presente*. Poco antes un grupo de pistoleros había allanado y devastado los talleres donde se imprimía la revista y poco después la Productora e Importadora de Papel, SA (PIPSA), le canceló la dotación de papel y a cambio le ofreció otro mucho más caro, lo cual hizo que *Presente* redujera sus páginas y aumentara el precio en diez centavos. Para entonces los ataques a la libertad de expresión arreciaban: dos directores de publicaciones cayeron asesinados, varias revistas y periódicos fueron clausurados y se suprimieron las polémicas representaciones de *El gesticulador*, de Rodolfo Usigli. Desde que fue escrita en 1938 y publicada en 1944, esta obra tuvo muchos problemas, pues, como con *La sombra del caudillo*, de Martín Luis Guzmán, numerosos políticos y militares se sentían aludidos. En 1947 el director Alfredo Gómez de la Vega logró escenificarla en el Teatro de Bellas Artes con María Douglas, Carmen Montejo y Rodolfo Landa. El estreno, naturalmente, fue un escándalo que no gustó nada al gobierno. El director del Departamento de Teatro del INBA, Salvador Novo, por tanto, fue el encargado de obstaculizar la obra al máximo, pero, cuando hizo unas declaraciones asesinas en contra de *El gesticulador*, Usigli enfureció y en el camerino del director Gómez de la Vega sin más le reclamó; Novo no dijo nada en ese momento, pero salió del teatro, esperó al gran dramaturgo afuera y cuando lo vio acercarse lo derribó con dos potentes bofetadas. Después, Novo declaró a la prensa: "Usigli es un paranoico ansioso de notoriedad", a lo que el aludido respondió: "No se puede estar de acuerdo con personas de costumbres equívocas."

Emilio Azcárraga, de la XEW, fue iniciador de la televisión a la mexicana a fines de los cuarenta

La industria, como en tiempos de Ávila Camacho, recibió toda la ayuda del mundo en el alemanismo

Con el apoyo recibido, la industria nacional se expandió con el fin de sustituir importaciones

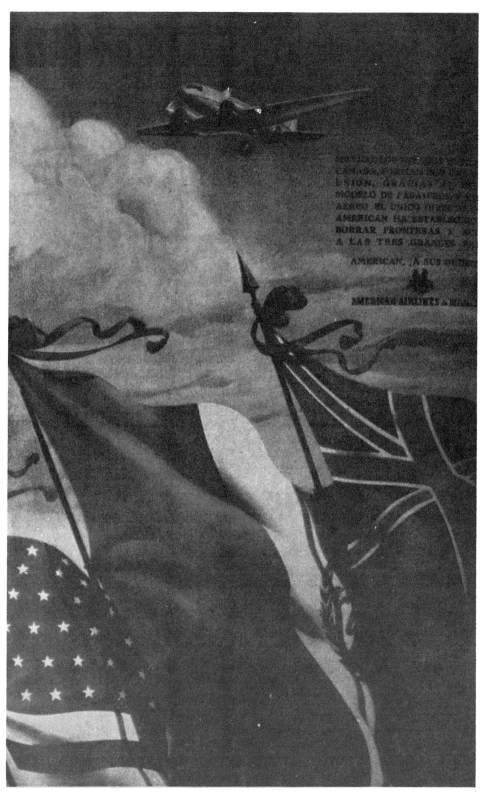

Alemán abrió en grande las puertas al capital extranjero, y durante su mandato **cobró** fuerza la penetración estadunidense en México

Por estas fechas, Alemán no sólo nos dio el charrismo sino que también nos regaló el guarurismo nacional, y él mismo se rodeó de abultadas guardias personales, lo cual hizo que los demás funcionarios pronto lo imitaran. Ya entonces también se podía advertir que, además de sus íntimos (llamados el "gabinete paralelo"), los beneficiarios del gobierno de Miguel Alemán era el grupo de empresarios conocidos como la "Fracción de los Cuarenta" (todos ellos hicieron sus fortunas en esa década), y quizá por eso a la gente le gustaba referirse a "Alí Babá y los cuarenta ladrones". Jorge Pasquel y Melchor Perrusquía eran empresarios muy cercanos al presidente, al igual que Bernardo Quintana, Bruno Pagliai, Eloy Vallina, Carlos Hank González, Gastón Azcárraga, Rómulo O'Farril, Gabriel Alarcón y Carlos Trouyet. De todos estos magnates con el tiempo surgieron los poderosos grupos ICA, Comermex, Atlántico e Industria y Comercio, además de que, años después, Alemán y sus amigos llegaron a tener un gran control de los medios de comunicación a través de empresas como Televisa, *Novedades, El Heraldo de México, Avance*, Editorial Novaro y Editorial Diana. Juan Fragoso, Elvira Concheiro y Antonio Gutiérrez también informan en *El poder de la alta burguesía* que, con Emilio Azcárraga, años después Alemán intervino en el ramo hotelero a través de los hoteles Fiesta Palace, Paraíso Marriot, Ritz y Condesa del Mar.

Las luchas en la cultura

Desde un principio el presidente Miguel Alemán se declaró simpatizante de la cultura. Una de sus primeras medidas fue la creación del Instituto Nacional de Bellas Artes (INBA), que dirigió el compositor Carlos Chávez; del INBA surgió la Orquesta Sinfónica del Conservatorio Nacional, que después se llamó Orquesta Sinfónica de México y por último Orquesta Sinfónica Nacional, la cual durante casi 20 años fue dirigida por Luis Herrera de la Fuente. Los conocedores decían que Herrera se entusiasmaba tanto en el podio que zapateaba las obras que conducía.

Alemán también llamó a los Tres Grandes y les encargó murales en los edificios públicos. De ellos, el genial José Clemente Orozco murió poco después, en septiembre de 1949; su presencia fue creciendo con el tiempo, a pesar de los tupidos ataques que se propinaron a los muralistas. Él siempre fue visto con más respeto por su virulencia, humor y extraordinario vigor. Su visión de la violencia, el tocar fondo a través de la crítica y la visión desoladora, desnuda, de la realidad hicieron que se adelantara a su época. A fines de los años ochenta era más vigente que nunca. Y Diego seguía abonando escándalos. Uno de ellos tuvo lugar cuando pintó el Hotel Reforma, de la familia Pani, y caricaturizó orozquianamente a varios personajes clave de la vida nacional. Pani "corrigió" los esperpentos, pero esto le costó un pleito terrible con el pintor, quien lo fue a buscar pistola en mano y acompañado por varios sindicalistas. A la larga Rivera logró que

90

El gran pintor José Clemente Orozco murió a fines de la década de los cuarenta

El compositor Carlos Chávez fue el primer director del Instituto Nacional de Bellas Artes

La obra pictórica de Rufino Tamayo obtuvo reconocimiento internacional a fines de los cuarenta

Diego Rivera antes del escándalo del Hotel del Prado

se estableciera que ningún propietario tiene derecho a modificar una obra artística.

Después le encargaron otro mural en el recién construido (y muy moderno) Hotel del Prado. Diego pintó allí una de sus obras maestras, el *Sueño de una tarde dominical en la Alameda*, en la que, con su tradicional espíritu provocador, escribió la frase (de Ignacio Ramírez y tantos más) "Dios no existe". Esto motivó que una turba de fanáticos religiosos borroneara la frase del Necromancer del mural. Las protestas por la "blasfemia" subieron a tal punto que Diego mejor eliminó la frase, escoltado por un grueso contingente de intelectuales y artistas que la prensa llamó "grupo de comunistas". Por su parte, el presidente Alemán dio su docta opinión al respecto: "Alrededor de la pintura no debemos hacer una discusión de orden nacional. El país no quiere lucha ideológica, quiere trabajo. ¿Creen ustedes que a estos lugares del norte del país, por ejemplo, les interesa la pintura de Diego Rivera?"

La intolerancia fanática de los católicos mexicanos encontró una de sus expresiones más grotescas cuando los sinarquistas, ya a fines de 1948, organizaron un mitin en la Alameda (la del mural de Diego), donde se encuentra el hemiciclo a Juárez. El Benemérito (O Bomberito Juárez, como le llamó años después el Loco Valdés en la televisión, lo que le ocasionó un fuerte castigo) a casi cien años de distancia continuaba encendiendo las furias de los ultraderechistas (en algunas escuelas privadas los niños tenían que decir "¿puedo ir al Juárez?" cuando querían ir al baño). Ese día los sinarquistas treparon la estatua del viejo liberal y le encapucharon la cabeza. El gobierno alemanista enfureció como pocas veces, lo cual le permitió, poco después, suprimir el registro del Partido Fuerza Popular. Sin duda, la furibunda intolerancia de los sinarquistas estaba avivada por su propia mística, pero también por el clima de furor anticomunista que para entonces era generalizado (el presidente del PRI Sánchez Taboada ya había sentenciado que el comunismo era una "doctrina exótica", por si algún despistado no lo había colegido a través de las miles de condenas al marxismo-exotismo). "Exóticas", por cierto, también se le llamaba a las bailarinas que mostraban el ombligo y que causaron sensación por esas fechas: Tongolele, la del mechón y el cuerpo-escultural por encima de todas, pero también fue célebre la Su Muy Key. Estas exóticas, para que no fueran a relacionarlas con las doctrinas homónimas, en el cine solían ser sumamente pudorosas a causa del opresivo clima moral de la época. Muchas de ellas ni siquiera podían ser llamadas "ombliguistas", pues no mostraban ni ese nudo de carne. "Yo nunca enseñé el ombligo en mis películas", contó Ninón Sevilla, la-no-menos-espectacular-rubia-que-se-hizo-famosa-bailando-rumba "Ahora nadie lo cree. Pero así eran los censores. Yo tenía fama de mujer escandalosa y ni al ombligo llegué", contó una vez, "en el cine nacional, no había gente más moral que las rumberas, las cabareteras y gente así. Éramos la moralidad y no mostrábamos las pantaletas por nada. Así es que cuando en una película una señora y un señor hacen el amor pues se

Germán Valdés, Tin Tan, el pachuco
gandalla y de gracia incomparable

Pedro Infante, el máximo mito popular
mexicano

cae el mundo''. Esto, ocurrió, precisamente, en la película *La diosa arrodillada*, de Tito Davison, guión de José Revueltas y con María Félix. Una secuencia amorosa, que a estas alturas podría filmar una monja, causó el escándalo y la ofensa moral de críticos y periodistas.

Arrancaban ya varios mitos cinematográficos: el de las rumberas y cabareteras, melodramones que debían ser vistos con docenas de pañuelos, en los que Ninón Sevilla, Meche Barba, Rosita Fornés, Rosa Carmina y/o María Antonieta Pons eran explotadas, vejadas y vilipendiadas por los hombres, la sociedad y el destino. Todas ellas alimentaron las fantasías más sinuosas y los fervientes onanismos de los entonces adolescentes (pero después también: cuando estas películas fueron retransmitidas por la televisión).

Para 1947 (año en que *Enamorada*, del Indio Fernández, arrasó con los chaparritos Arieles), Pedro Infante ya había llegado a la capital, donde fue descubierto y protagonizó varias películas. Pero su verdadera popularidad surgió con el estreno de *Nosotros los pobres*, de Ismael Rodríguez. La gente pobre (pero también la clase media y muchas señoras ''de la alta'') sucumbieron gozosas ante el carisma, la apostura, buena voz, energía vital, calidez, sencillez y simpatía del charro cantor. Pedro Infante rebasó la condición de ''ídolo'' y se constituyó en un auténtico mito nacional porque encarnó una figura arquetípica en México. Su personaje Pepe el Toro (hombre bueno, trabajador, amoroso, agobiado por desdichas cada vez más truculentas) dio para dos películas más, que, aunque ni remotamente eran tan buenas, resultaron éxitos descomunales de taquilla. Con Ismael Rodríguez, Infante transitó los grandes éxitos (*ATM, Qué te ha dado esa mujer, Los tres huastecos*), pero volvió a las grandes alturas en *La oveja negra*, que con todo y sus recetas argumentales y la explotación inmisericorde de los sentimientos, es cine del mejor. Nadie como Pedro Infante logró, ni ha logrado, constelar tantos signos de la identidad nacional, por eso, cuando murió, en un accidente de aviación en 1957, hubo un auténtico luto en todo el país y se consolidó una presencia que a fines de los ochenta seguía viva y eficaz.

Otro personaje con una gracia y carisma desusuales fue Germán Valdés, Tin Tan, que a fines de los cuarenta entró con pie firme en la cinematografía nacional. Con Gilberto Martínez Solares, Tin Tan llegó a momentos francamente geniales de comicidad. Martínez Solares y Tin Tan formaron todo un equipo célebre que incluía a Vitola, Borolas, el enano Tun Tun y el carnal Marcelo. La gracia gandallesca del pachuco Tin Tan se transformó en verdadera anarquía e imaginación delirante (como en la parte del hospital siquiátrico del doctor Lucas Demente en *Las locuras de Tin Tan*). Lo mejor de Germán Valdés se filmó a fines de los cuarenta y a principios de los cincuenta: *El rey del barrio, El ceniciento, Calabacitas tiernas, El sultán descalzo* y *Mátenme porque me muero*.

La gran atracción del alemanismo, sin embargo, fue el mambo y su creador Dámaso Pérez Prado, quien llegó de Cuba para instalarse en México con gran espectacularidad (''qué bonito y sabroso bailan el mambo las mexicanas, mueven la cintura y los hombros igualito que las cubanas", cantaba el extraordinario Beny Moré). Pérez Prado se mexicanizó con gran gusto, y pronto se hallaba componiendo mambos a los "ruleteros o chafiretes", al Poli, a la Uni y a otras manifestaciones de la vida en nuestro país. Su ritmo se hallaba cargado de fuerte energía, solía ser movido y explosivo y generó un modo de bailar que requería habilidad y condición física. Era también profundamente sensual. La orquesta del Cara de Foca, como se le decía, estaba compuesta fundamentalmente por metales, y los arreglos musicales de Pérez Prado se volvieron legendarios por su complejidad y refinamiento, y porque claramente integraban lo mejor del uso de metales de las grandes bandas estadunidenses, como la de Glenn Miller o Stan Kenton (fue excelente el "Mambo a la Kenton").

El mambo causó furor en la sociedad mexicana, pues iba muy bien con la época en que predominaba la vida nocturna y la atmósfera de fiesta colectiva que propiciaban los ricos, listos a festejar las ganancias desorbitadas que les propiciaba el régimen alemanista. Para el pueblo fue una oportunidad de sacudirse la desesperación que causaba la creciente dureza de la vida.

Mambo, rumba y cabareteras eran elementos que confluían en otra de las leyendas doradas del alemanismo: la Vida Nocturna. Para la gente adinerada, la incipiente clase media y la abrumadora pobreza había sitios a donde ir a bailar, ver shows y "sketches": desde el Leda, Ciros, Club de los Artistas y Waikikí, hasta los salones Smyrna y Montecarlo, La Valenciana, La Bohemia, o los teatros Colonial, Follies, Margo. Después, para desahogar-el-frenesí-nocturno, se hallaba la zona roja, que en realidad era un grupo de calles ubicadas por el rumbo céntrico de San Juan de Letrán: las calles de Órgano (muy *ad hoc*), Rayón, Pajaritos o Vizcaínas, que, por supuesto, eran para el pueblo, la plebe, la pelusa, porque los consentidos del régimen, los ricos, tenían sus burdeles lujosos, dotados de la elegancia-de-los-años-cuarenta, así es que nadie bienacido tenía que andar rondando (a no ser que se quisieran "emociones fuertes" o hubiera que llevar de paseo a algún turista) por los rumbos bravos de la Plaza de Garibaldi, con su mariachi, Tenampa, canciones, y posibilidades de todo tipo de movidas.

Como en los años veinte y treinta, en los cuarenta floreció también el bailongo (o "dancing", como dicen que debe decirse), sólo que para entonces el imbatible danzón poco a poco fue ocupando un lugar honorífico y tradicional ante los embates del swing, el bugui-bugui o el arrollador mambo.

En tanto, en el medio intelectual se daba por un hecho la consagración internacional de Rufino Tamayo vía el libro de ricas reproducciones que le habían dedicado en Estados Unidos. Pero, a pesar de su notoria decadencia, el amo seguía siendo Diego Rivera. En 1948, la revista *Times* publicó la saporranesca faz del genial pintor y eso fue el preludio del gran homenaje nacional que Fernando Gamboa organizó a través de una exposición magna, recapituladora, de su obra en Bellas Artes. En esa ocasión el escándalo en turno consistió en el desnudo de la joven poeta Pita Amor que, junto al retrato de María Félix, abría la muestra. Frida Kahlo tuvo que asistir en camilla, pues para entonces la pobre padecía los horrores de los corsés metálicos o de yeso y era cliente asidua de hospitales; ni siquiera sus "fridos", que pintaban en pulquerías, lograban aligerarla un poco.

En 1948, Pablo Neruda pidió asilo al gobierno de México; desde su sitial de senador, el poeta tronó contra el presidente de Chile, lo cual lo puso en peligro de muerte. "Pura publicidad", se dijo aquí en México, donde, a tono con la "modernización" cada vez tenía menos fuerza todo tipo de arte "social". Neruda, a fin de cuentas, no se asiló en nuestro país, pero el que sí llegó, "para quedarse", fue el editor Arnaldo Orfila Reynal. En un viaje a Buenos Aires, Daniel Cosío Villegas lo reclutó y lo trajo para que dirigiera el Fondo de Cultura Económica con un salario de 1,500 pesos al mes (el Fondo, por cierto, pagaba a dos pesos la cuartilla de traducción, que, como se ve, siempre se ha pagado muy mal en México).

Ese año, Salvador Novo publicó su excelente libro *Nueva grandeza mexicana*, pero el maestro había entregado toda su energía al teatro, pues su cuate Carlos Chávez lo nombró cabeza de la Dirección de Teatro del flamante Instituto Nacional de Bellas Artes (INBA). Novo era de los pocos intelectuales que no temía "contaminarse" con la modernidad que propiciaba el alemanismo y ganó muy buen dinero haciendo publicidad para Augusto Elías. Carlos Monsiváis reporta que Novo fue autor del célebre eslogan "Siga los tres movimientos de Fab: remoje, exprima y tienda", porque en México ya habían llegado los detergentes y toda una invasión de aparatos electrodomésticos: refrigeradores, lavadoras, licuadoras, planchas, aspiradoras, cobijas eléctricas y demás maravillas-del-mundo-occidental. Los nuevos productos (adquiribles si eran de importación o contrabando, deleznables si eran nacionales) se anunciaban profusamente en los medios: la radio, que continuaba poderosísima (sin saber que a la vuelta de la esquina se hallaba ya la llegada del televisor), los grandes periódicos y las revistas *Hoy, Mañana, Revista de Revistas, Paquita, Social* y demás (hasta la oficialista *Tiempo*, que Martín Luis Guzmán formó aclarando que "cualquier parecido con otra publicación era coincidencia", porque *Tiempo*, casualmente, era casi idéntica a *Time*) obtenían buenos ingresos mediante el fenómeno de la publicidad, que crecía con fuerza, y llevaba de la mano a empresas que daban informes sobre la solvencia de comercios que pedían créditos.

En 1949 apareció un nuevo y dotadísimo autor, Juan José Arreola, que con *Varia invención* hizo ver que México contaba con un estilista sofisticado, cosmopolita, que se hallaba al día y que hablaba un francés irreprochable. Actor, mimo, declamador, Arreola lucía sus sacos-de-pana-gastados-por-la-luna (faltaban muchos años para que el Maestro apareciera en las pantallas televisivas con lucidores casimires) e introdujo un aire enteramente nuevo en la literatura mexicana.

Por su parte, José Revueltas hacía guiones para el cine, especialmente con Roberto Gavaldón, y padecía problemas con sus camaradas del marxismo. En 1949 publicó *Los días terrenales*, una novela espléndida en la que aparecían críticas devastadoras a los líderes y militantes del Partido Comunista Mexicano. Los comunistas, que no se atrevían a lanzarse contra el gobierno de Miguel Alemán, no titubearon en lanzar insultos y críticas a Revueltas, e incluso Pablo Neruda aprovechó una visita que hizo a México y emitió una biliosa conminación para que el camarada Revueltas dejara esas abominaciones. Ante ese alud de críticas, el escritor logró que la editorial retirara el libro de la circulación pública. Era evidente que, como se decía en *Los días terrenales*, en la militancia comunista existían los "curas rojos", gente que transfería una intensa religiosidad al marxismo, que, por supuesto, en su propia naturaleza albergaba la posibilidad de semejantes deformaciones. Un año después, el pobre Revueltas volvió a vivir algo semejante. En esa ocasión el centro del escándalo fue su obra *El cuadrante de la soledad*, que dirigió el joven promesa Ignacio Retes con esconografía de Diego Rivera. Los izquierdistas de nuevo consideraron que la obra atentaba contra el buen nombre de los comunistas mexicanos, y los berrinches de muchos intelectuales, especialmente de Enrique Ramírez y Ramírez, motivaron que Revueltas de nuevo cediera y las representaciones de *El cuadrante* fueron suspendidas.

Por esas fechas Octavio Paz empezó a publicar libros definitivos: primero fue *Libertad bajo palabra* y, un año después, su colección de ensayos, ahora clásicos, *El laberinto de la soledad*. Al parecer, mientras la soledad se confinara a laberintos y no a cuadrantes no había problemas, pues el libro de Paz obtuvo un éxito instantáneo y contundente. Sus ideas en torno a las máscaras, los mitos y la cultura popular llamaron mucho la atención y dieron tema para discusiones interminables. La poesía durante el alemanismo brilló con la edición definitiva de *Nostalgia de la muerte*, la obra maestra de Xavier Villaurrutia; con *Trayectoria del polvo*, y *Presentación en el Templo*, de Rosario Castellanos.

"Lo mexicano" volvió a ser tema, dada la "doctrina de la mexicanidad" alemanista, y de él se apropió el grupo Hiperión, "los existencialistas mexicanos", como los llamó Díaz Ruanova. Los del grupo Hiperión, alumnos del filósofo José ("Quechin") Gaos, eran Leopoldo Zea, Emilio Uranga, Ricardo Guerra, Joaquín Sánchez McGrégor, Jorge Carrión y Jorge Portilla, y de ellos su maestro decía: "Los hiperiones tienen genio y mal genio." Se reunían en los Kikos y Sanborns, en casa de Angelina Moroleón o en La Rambla, afamada cantina de avenida Chapultepec y Bucareli. Uranga publicó su *Análisis del ser del mexicano*, Jorge Carrión, "Mito y magia del mexicano", Leopoldo Zea trajo a México a su ídolo Arnold Toynbee y Jorge Portilla, autor de la *Fenomenología del relajo*, sorprendía a todos por su fervor religioso, que en lo más mínimo excluía los placeres dionisiacos, y por su inteligencia deslumbrante.

La filosofía tuvo una importancia enorme para estos jóvenes intelectuales

Los olvidados, obra maestra de Luis Buñuel en México

Yolanda Montes, Tongolele, fue la máxima exótica del alemanismo

de principios de los años cincuenta; además de los hiperiones, dice Díaz Ruanova, estaban los hegelianos Fernando Salmerón y Alejandro Rossi (el venezolano-italiano que se quedó en México) y los marxistas Adolfo Sánchez Vázquez, Wenceslao Roces, José Revueltas y Carlos Félix (aunque, después, Jorge Carrión le entró fuerte al pensamiento marxista, y Luis Villoro llegó a considerar la formación del Partido Mexicano de los Trabajadores a consecuencia de los sucesos de 1968). Revueltas, por su parte, atrajo al marxismo a los jóvenes "miticistas" Eduardo Lizalde y Enrique González Rojo.

En 1950, la era de oro del cine mexicano empezaba a declinar, pero Luis Buñuel, en cambio, en México encontró vetas decisivas. Su obra maestra *Los olvidados* impactó en el festival de Cannes, después de que aquí hubo quejas inanes de mucha gente que consideró "denigrante" la película. Buñuel contó que una peinadora de plano no podía admitir que una Madre Mexicana se comportara como lo hacía la enigmática Stella Inda en *Los olvidados*. Sin embargo, el éxito internacional tapó la boca de los subdesarrollados mexicanos que echaban pestes y el público tuvo mejor ánimo para enfrentar los horrores abismales del film de Buñuel.

Sin embargo, uno de los grandes acontecimientos de la vida mexicana en ese periodo fue la televisión. En un principio Miguel Alemán envió, en 1947, a Salvador Novo a Estados Unidos y Gran Bretaña con el fin de estudiar y observar la televisión para considerar si en México debía de ser comercial y de empresa privada, como en Estados Unidos, o de estado, como en Europa. Ya en 1950 tuvo lugar la primera transmisión televisiva en México: el cuarto informe presidencial. El gobierno entregó la concesión de la primera difusora, canal 4, a la familia O'Farrill, muy conocida por su fortuna en los medios de comunicación; después se dio otra concesión, la del canal 2, a Emilio Azcárraga, el zar de la XEW, y, por último, se concesionó el canal 5 al inventor Guillermo González Camarena, quien, por desgracia, nunca logró encontrar el apoyo debido para sus indagaciones.

Inicialmente, el canal 4 transmitía tres horas y media al día para los 2 mil 500 receptores que había de los 10 mil autorizados por la secretaría de Economía. Se impulsó mucho la producción local, y destacaron los teleteatros encomendados al INBA y que dirigía Salvador Novo. La televisión pasmaba al respetable, y quien tenía un receptor solía recibir muchas visitas de todos aquellos que querían constatar el milagroso maridaje de cine y radio en la mismísima casa.

Novo, por cierto, aprovechó como nadie su puesto de titular de la Dirección de Teatro del INBA y logró que, por única vez en la historia, la solemne-y-sagrada sala mayor del Palacio de Bellas Artes albergara obras teatrales mexicanas, y de autores desconocidos, además. El primero de ellos fue Emilio Carballido, quien a los 25 años llegó al éxito por la puerta más grande de todas con su obra *Rosalba y los llaveros*. Desde entonces Carballido mostró dotes inusitadas, talento irrebatible, malicia, sentido del humor y penetración, lo que lo llevó a constituirse como el autor mayor

Salvador Novo, rutilante celebridad
del alemanismo

Emilio Carballido, con la pequeña ayuda de
Salvador Novo, la hizo en grande con *Rosalba
y los llaveros*

de la dramaturgia mexicana durante la segunda mitad de este siglo. El público ovacionó *Rosalba*, pero esta aclamación no obstó, sin embargo, para que algunos cronistas se quejaran porque en las representaciones una actriz exclamaba: "¡Ya me voy de esta pinche casa!", lo cual también fue mal visto por Carlos Chávez, quien dio instrucciones para que se omitiese la Intolerable Ordinariez: Novo, por su parte, fingió sordera hasta que las quejas en la prensa arreciaron y el mismísimo secretario de Educación Gual Vidal ordenó la eliminación del flagrante pinche.

El éxito de Emilio Carballido animó a Novo a repetir, y esa vez eligió la obra *Los signos del zodiaco*, del también muy joven Sergio Magaña, quien igualmente se convirtió en uno de los dramaturgos mayores en México. *Los signos* tuvo un gran éxito, y catapultó a Magaña al estrellato. Por desgracia, durante la administración siguiente ni Novo repitió ni Ruiz Cortines mostró gran interés por la cultura, así es que Carballido y Magaña fueron los únicos que pudieron presumir de que habían estrenado sus primeras obras en el mismísimo Palacio de Bellas Artes.

Estos dos dramaturgos también fueron de los primeros en disfrutar la gran novedad en el medio literario, en 1951: las becas del México City Writing Center (impunemente ostentaba su nombre en inglés porque las proporcionaba la Fundación Rockefeller vía la escritora Margaret Shedd, sólo años después se denominaría Centro Mexicano de Escritores, cuando Felipe García Beraza logró el patrocinio de empresarios mexicanos, como Carlos Prieto y Carlos Trouyet). Los otros agraciados que obtuvieron las becas fueron Juan José Arreola, Juan Rulfo y el poeta Rubén Bonifaz Nuño; la primera promoción del Centro Mexicano de Escritores, pues, fue un verdadero trabuco, lo cual sin duda contó para que éste se convirtiera en un punto decisivo de la literatura mexicana de la segunda mitad del siglo.

Ese mismo año Octavio Paz publicó su libro de poemas *Águila o sol*, que lo consolidó como el poeta número uno de México, pues José Gorostiza ya había sido devorado por su opus magnum *Muerte sin fin* y Xavier Villaurrutia murió en ese 1951. Un año después David Alfaro Siqueiros terminó su mural *Cuauhtémoc redivivo*, Novo estrenó *La culta dama* y Luis Buñuel filmó *Subida al cielo* con bellas canciones de Agustín Ramírez. Continuaron también las indagaciones sobre lo mexicano: José Gaos publicó *En torno a la filosofía mexicana* y Leopoldo Zea, *La filosofía como compromiso*. El antropólogo Alberto Ruz descubrió la gran tumba de Palenque, llena de ofrendas, ajuar, collares. Y murieron dos grandes: Mariano Azuela y Enrique González Martínez.

Pero el verdadero interés de 1952, naturalmente por encima de la literatura, las elecciones y el cambio de poderes, fue la manifestación ctónica del bien y el mal: la lucha libre, especialmente desde que la televisión empezó a transmitirla. Los viernes por la noche la gente se prendía con el Gran Teatro de la Arena México: las luchas de los superestrellas el Santo y Gori Guerrero (la pareja atómica), el Cavernario Galindo y Wolf Rubinskis (la pareja infernal), Tarzán López y Enrique Llanes (la pareja técnica), Blue

Humberto Mariles en sus días de gloria

Joaquín Capilla, el clavadista olímpico

Demon y su carnal Black Shadow, el Verdugo y Murciélago Velázquez (escritor y, como Rubinskis, también actor), todos ellos dignos herederos del Perro Aguayo, Firpo Segura y Black Guzmán. Televisión y lucha libre se retroalimentaron en un principio, pero después vinieron los conflictos. Las grandes estrellas no quisieron someterse a la empresa de Azcárraga, así es que ésta montó su propio ring en los estudios de la avenida Chapultepec y creó su establo de luchadores: los esquiroles Lalo el Exótico (el fantasma del exotismo recorría México), el Médico Asesino, el Bulldog y la Tonina Jackson, pero ninguno de ellos ni de lejos tuvo el arrastre de los profesionales de la Arena México. Esto indicó, por una parte, la combinación de paternalismo, despotismo, explotación y manipulación que la televisión ejercía sobre sus artistas y empleados, la cual llegaría a extremos de alta hilaridad años después. La lucha libre por la tele duró hasta 1954, cuando fue suspendida por las altas dosis de moralina con que llegó el gobierno de Ruiz Cortines y su regente Ernesto Uruchurtu para diferenciarse de Miguel Alemán.

Sin embargo, las luchas siguieron con su gran popularidad, y de hecho crearon un fenómeno curioso: la mitificación de El Santo, que va acompañada por las películas de luchadores. Pronto aparecieron en historieta las aventuras de El Santo, dibujadas por José G. Cruz, que fueron popularísimas. El Santo también protagonizó muchas películas, que usualmente se fundían con las historias de ánimas, monstruos u otros ítems góticos. Las películas resultaron tan malas que, como se dice, eran buenísimas, e incluso hubo un cultín entre los críticos franceses por las películas de luchadores mexicanos, lo que prueba que la estupidez se pasea por todas partes, incluyendo los *Cahiers du Cinema*. El Santo sobrevivió todo eso (hasta la regocijante película *Adiós ídolo mío*, de José Buil, que casi lo infartó, y los asedios de los moneros Jis y Trino, a fines de los ochenta) y ya bien viejo seguía luchando, seguido por su hijo (El Santo Chico), "¿ favor del bien y la justicia" (porque en sus principios El Santo más bien era Hell's Angel, pues era rudo entre los rudos).

Otro deportista que se hizo celebérrimo durante el alemanismo fue el clavadista Joaquín Capilla, medalla de bronce, y Humberto Mariles, medalla de oro en la olimpiada de Londres. Mariles capitalizó su éxito para crear la Asociación Nacional Ecuestre, donde los nuevos ricos de estirpe política mandaban a sus hijos a aprender la elegante equitación. Era el deporte de moda. Pero muchos años después el pobre Mariles, a quien Alemán quería tanto, sufrió más que su preciado caballo Arete cuando se enredó en un escándalo internacional de narcotráfico que lo llevó a la cárcel.

Reelección, divino tesoro

En 1949 el gobierno presumía tanto de su "gigantesco programa de obras públicas" que incluso armó una exposición para celebrarlas en la Ciudad de México. Pero esto no amenguaba la dureza de la carestía de la vida y

Salvador Novo escribía en la revista *Mañana*: "No se había visto que un huevo llegara a costar primero cincuenta, luego sesenta y cinco, hasta ochenta y cinco centavos; las verdolagas están a dos pesos cincuenta el kilo; nunca se había visto que una cebolla costara a dos pesos el kilo, y por una docena de alcachofas chiquitas quieren diez pesos, y quince por la docena de las más grandes." En la Ciudad de México surgían colonias de clase media, como la Lindavista, "sin enganche y sin intereses", decía la publicidad, "adquiera un lote en el Club de Golf de la colonia Lindavista. Sólo 200 pesos mensuales. Cada lote vale 12 mil pesos". La botella de ron Potrero costaba cuatro cincuenta; el whisky importado, veintitrés pesos. Los cigarros Raleigh, recién aparecidos, regalaban los cerillos con la compra de cada cajetilla. El gobierno congeló el precio de la masa en veinticinco centavos y en cincuenta el de las tortillas, y publicaba tablas comparativas de los precios de artículos de consumo básico en otros países. El comercio, a su vez, se lavaba las manos, "culparnos es como responsabilizar al cartero cuando trae malas noticias", solían decir desde entonces.

En tanto, México llamaba, casi suplicaba, la llegada del capital extranjero, "siempre y cuando se ajustara a las leyes del país", que indicaban: no más del 49 por ciento. Esto debía tomarse con un grano de sal; de hecho, las condiciones eran tan buenas que el capital estadunidense (los europeos estaban muy pobres por la reconstrucción) tomó posesión de las ensambladoras de automóviles, refacciones, radios y televisiones, maquinaria agrícola, telas y fibras sintéticas, medicinas, alimentos procesados, lo que motivó que en 1952 Lázaro Cárdenas expresara su disgusto, posiblemente después de pasar por la avenida Insurgentes en la Ciudad de México, donde se había instalado el gran almacén de Sears Roebuck; éste, en la navidad, asombró al público al poner a un enorme santaclós mecánico cuyas risotadas se oían desde lejos. Los citadinos ignoraban que el tal santaclós se reía con ganas de que a partir de entonces las costumbres navideñas de Estados Unidos desplazarían sin gran problema a los pocos modernos Santos Reyes y a los anacrónicos Nacimientos.

En 1949 tuvo lugar la ruidosa polémica sobre los restos del emperador Cuauhtémoc, que Eulalia Guzmán aseguraba haber descubierto en Ixcateopan, Guerrero. Esto enmarcaba estupendamente la llamada "doctrina de la mexicanidad" del presidente Alemán, quien, en vista de que cada vez se uncía más a los poderosísimos e imparables Estados Unidos, al menos se repetía que como-México-no-hay-dos y que aquí-la-Virgen-María-dijo-que-estaría-mucho-mejor. La mexicanidad supuestamente era un rechazo a "los imperialismos" y el resaltamiento de los valores nacionales, pues "para nuestros problemas había soluciones propias".

Hubo fricciones entre el ministro Beteta y los empresarios por la tasa a los artículos de lujo, por el impuesto que se puso a los bonos "sin impuesto" del gobierno, además de que no les gustó para nada el gravamen sobre ganancias excedentes. Y empezaba a llegar el turismo estadunidense, pues, después de la devaluación, sus dólares rendían mucho en nuestro país. Ellos también iban al sitio de moda, Acapulco, donde la bahía era inmensa, había playas para todos los gustos, las aguas eran limpísimas y en los flamantes hoteles Papagayo, Caleta y Club de Pesca se pasaban magníficos ratos como correspondía a gente bien nacida.

La carestía no cesó, pero a fines de 1949 la situación económica del gobierno empezó a mejorar. La balanza de pagos se compuso y llegaron más créditos del Banco Internacional de Reconstrucción y Fomento (BIRF) y el Eximbank, y Alemán pudo proseguir entusiasmado con su programa de obras. Acapulco, por cierto, se benefició con estas inversiones, aunque mucha gente indicaba que las mejorías turísticas del puerto se debían a que Alemán había comprado terrenos y planeaba grandes inversiones personales en el puerto. De hecho, se rumoraba insistentemente que el presidente aprovechaba el puesto para enriquecerse como nadie había hecho en los gobiernos de la revolución, que no se caracterizaban por la impoluta honradez de sus funcionarios. La corrupción era un lastre que cada vez pesaba más y contaminaba todo. Abajo, la gente se acostumbraba a pagar todo tipo de sobornos; arriba, lo mismo: los empresarios sabían que para facilitar las cosas había que aceitar numerosas manos y a los funcionarios no se les hacía cargo de conciencia aceptar o de plano exigir dádivas.

La mejoría económica se debió a la guerra de Corea y las necesidades que implicó en cuanto a materias primas. Además, los ricos mexicanos advirtieron que difícilmente la moneda se devaluaría más, así es que trajeron sus capitales de regreso. En 1950, el crecimiento económico ascendió a un espectacular nueve por ciento (pero la inflación subió en la misma proporción), y el presidente Alemán pudo pagar puntualmente al Fondo Monetario Internacional y al Tesoro de Estados Unidos. En el interior, aumentó el crédito, pero también el circulante, así es que en 1951 la inflación llegó a la que para entonces era la cifra horrenda de 24 por ciento al año. Había signos de recesión en la economía mexicana, decían los expertos.

Para entonces, el presidente Alemán había inaugurado la carretera Panamericana, que, al menos en teoría, conectaba a todo el país. Llevó a cabo también grandes obras de electrificación e irrigación para los agricultores privados, expandió el Seguro Social, abrió avenidas en la capital, construyó los primeros multifamiliares y el viaducto, primera obra ''moderna'' en la Ciudad de México; levantó un nuevo aeropuerto un poco más allá del viejo de Balbuena, inició también la erección de la Ciudad Universitaria, e incluso la inauguró en 1952 cuando la obra apenas se podía entrever (en realidad CU empezó a funcionar hasta 1954). Alemán seguía la costumbre de iniciar obras y de inaugurarlas en la condición que estuviesen: por lo general, a medias, y así se quedaban porque al fin y al cabo ya se habían inaugurado. Alemán también dejó muchas obras inconclusas, y una buena cantidad de ellas ya no fueron terminadas por Ruiz Cortines, pues, después de todo él más bien se dedicó a descabezar al alemanismo. El presidente Alemán se apreciaba a sí mismo enormemente y por eso mandó poner una inmensa y definitivamente fea estatua suya en la Ciudad Universitaria

Un grupo de la gran caravana del hambre protagonizada por los mineros de Nueva Rosita a principios de los cincuenta

El rector Luis Garrido y el presidente Alemán inauguran la Ciudad Universitaria en 1952

Guillermo González Camarena, inventor de la televisión a colores. Después adquiriría la concesión el canal 5

(o sea, en la entrada sur de la ciudad, así los turistas podían decir: "Mira cómo quieren en México a Walt Disney"). Al sistema hidroeléctrico, al multifamiliar y al viaducto los bautizó con su nombre, y sus autohomenajes menudearon por todas partes. A partir de entonces todos los presidentes hicieron lo mismo (o permitieron que sus funcionarios lo hicieran): impunemente pusieron sus nombres a calles, edificios, escuelas e instituciones.

En 1951, en medio de la fiebre de las obras que generaban fortunas a empresarios y funcionarios, los motivos de preocupación del presidente no eran las protestas de los trabajadores (los mineros de Nueva Rosita entraron en huelga y llevaron a cabo la famosa Caravana del Hambre, a pie, desde el extremo norte de Coahuila hasta la Ciudad de México, donde ocuparon el centro deportivo 18 de marzo; hicieron un gran mitin en el zócalo, pero cuando quisieron repetirlo la policía los cercó, los golpeó, y los dejó encerrados, en una ominosa prefiguración de los métodos de Pinochet, dentro del centro deportivo, que fue llamado "la cárcel Miguel Alemán"; el gobierno falló en contra de ellos y los regresó en trenes a Nueva Rosita); más bien, el presidente se hallaba ante la inminencia de la sucesión presidencial. Para nadie era un secreto que Alemán quería reelegirse, o, de perdida, prorrogar su mandato (el estilo Fidel Velázquez parecía muy efectivo). El secretario particular Rogerio de la Selva, varios secretarios de estado y el "gabinete paralelo" se encargaban de vender la idea de la reelección de Alemán. Por supuesto, hubo muchos dispuestos a apoyarlo, pero en realidad la mayor parte de las fuerzas políticas del país se negó a oír hablar de la reelección. Los ex presidentes Cárdenas y Ávila Camacho rechazaron tajantemente la posibilidad. Cárdenas ya había recibido la visita de Ramón Beteta, el secretario de Hacienda, quien le dijo que si estallaba la tercera guerra mundial vía Corea, tal vez el presidente prolongaría su periodo y tomaría medidas extremas contra los izquierdistas. Se dice que, a su vez, Cárdenas comentó: "Pobre licenciado Alemán, rodeado de tanto indeseable. No va a saber qué hacer con tanto dinero." El grupo Artículo 39 y la CROM, debidamente aleccionados por el presidente, se pronunciaron a favor de la reelección y la respuesta fue poco alentadora. Finalmente, Alemán no pudo crear un consenso favorable y no tuvo más remedio que renunciar a dar el obregonazo.

Descontado él, a regañadientes, Alemán tuvo que constituirse como Gran Elector. Pero querer reelegirse constituyó un error gravísimo que lo debilitó en buena medida. Ya no pudo dar el dedazo a gusto ni trabajar debidamente al sucesor. El aparato político de hecho pudo vetarle a Fernando Casas Alemán, regente de la capital, quien para entonces metía el acelerador a fondo a su campaña. Posiblemente Alemán lo habría elegido con gusto, pero ahora la atmósfera general era contraria a un "continuismo" tan flagrante. En ese contexto, hasta cierto punto Alemán se vio en una situación relativamente parecida a la de Cárdenas cuando tuvo que nombrar sucesor: no podía hacerlo por el más afín porque el consenso lo impedía claramente. Cárdenas, al parecer, para entonces parecía apoyar las pretensiones de Miguel Henríquez Guzmán, general millonario, quien se daba cuenta que Alemán difícilmente se inclinaría por él, así es que ya había iniciado trabajos para lanzarse por su cuenta como candidato a la presidencia.

Alemán, finalmente, tuvo que apoyar al otro suspirante que más sonaba, Adolfo Ruiz Cortines, secretario de Gobernación y también conocido (según Gonzalo N. Santos) como el Tío Coba, a causa de la inclinación a halagar obsequiosamente a los jefes. Ruiz Cortines había estado muy cerca de Alemán, quien le abrió el camino para la gubernatura de Veracruz y luego se lo llevó al cuarto bat del gabinete. Sin embargo, es posible que a Ruiz Cortines no le haya agradado la designación forzada del presidente y que por ese hecho haya puesto tanta energía en contrastarlo después. En todo caso, si Alemán esperaba que el viejo Ruiz Cortines le cuidara las espaldas, se hallaba completamente errado.

En sus exprimibles *Memorias*, Gonzalo N. Santos revela muchos detalles interesantes de Adolfo Ruiz Cortines. Muy joven, este veracruzano era empleado inferior de la aduana y no dudó en colaborar con los estadunidenses cuando éstos se adueñaron del puerto de Veracruz en 1914. Para entonces era un "roto" o "catrín moreno, de ojos negros muy grandes y ceja negra poblada" que vestía con pulcritud y sombrero de carrete. Después, aún pobre, quiso casarse con Lucía Carrillo, una muchacha muy rica, pero los familiares de ella se opusieron porque Fito "había apoyado a los gringos". En vista de eso, el entonces Adolfo Ruiz decidió recurrir al truco de la sunamita. Se fingió enfermo de muerte y pidió que antes de fallecer le permitieran casarse con la muchacha. Actuó tan bien que convenció a todos, especialmente porque les hizo ver el pequeño detalle de que previamente se había permitido embarazar a la señorita. El matrimonio se llevó a cabo. Al poco rato Adolfo Ruiz se había recuperado espléndidamente y lo festejaba con un tequila "de tres pisos". El general Francisco Mariel, que había sido testigo de la boda en el lecho del "agónico", comentó: "Este Fito Ruiz es un gran actor, yo llegué a creer que estaba moribundo."

En aquella época, Ruiz Cortines tenía 24 años y era "un gran bailador de rumba y de danzón y. . . tenía mucho partido con las putas del burdel, que le llamaban 'el Fakir'. . . Era en su juventud Fito Ruiz lo que llaman los franceses *un jeune homme très bien porté*. Ya de ministro de Gobernación se hizo muy austero y el coñac lo tomaba a escondidas", refiere Santos. Más tarde Fito Ruiz se convirtió en Adolfo Ruiz Cortines al ser diputado federal por Tuxpan, lo que también le permitió apoyar al enérgico joven Miguel Alemán. A Ruiz Cortines le fue difícil obtener la diputación porque Carlos Barón Obregón se opuso a él y publicó pruebas de que había servido a los invasores en 1914. Claro, cuando se perfiló con perspectivas sólidas a la presidencia a Ruiz Cortines le preocupó que Barón sacara a la luz el "incidente". Santos le recomendó que diera "dos costales", o sea: dos millones de pesos para que se callara. Como Ruiz Cortines no disponía

Desde seis años antes, el general Henríquez Guzmán quería jugar en la grande; en 1952 finalmente fúe candidato a la presidencia

Represión a henriquistas en julio de 1952

del dinero, llamó al gerente del Banco Agrícola, José María Dávila, a quien dijo: '"Chema querido, para una batalla estratégica de la Revolución se necesitan dos millones de pesos al riguroso contado, ¿la Revolución podría contar con este dinero con la ayuda de usted y por mi conducto?' Dávila dio el dinero, gustoso; y Barón Obregón lo aceptó, encantado".

Por su parte, el millonario Miguel Henríquez Guzmán se moría de ganas de ocupar la silla, y por esfuerzo no quedó. Seis años antes había llegado hasta las finales, y en 1951 trató de lograr que Alemán lo eligiera. Para eso se dedicó a bombardear la candidatura de Casas Alemán, que parecía la más fuerte. Indicó a sus seguidores —Marcelino García Barragán, Antonio Ríos Zertuche, César Martino, Wenceslao Labra, Pedro Martínez Tornell y Ernesto Soto Reyes— que presionasen dentro del PRI por una ampliación de la democracia interna, pues intuían, y con razón, que el presidente no los veía con mucho agrado; los íntimos de Alemán tenían una fuerte influencia sobre él y antipatizaban con los henriquistas. Sin embargo, el presidente del PRI, Sánchez Taboada, respondió duramente cuando Labra y Martino iniciaron las agrupaciones campesinas henriquistas, y ellos, a partir de entonces, aumentaron sus críticas, siempre veladas, al sistema de designación presidencial que después se folclorizó como "el dedazo".

En octubre de 1951 la convención nacional del PRI nombró candidato a Adolfo Ruiz Cortines quien rápidamente designó director de campaña a Gilberto Flores Muñoz, ya que el presidente del PRI Rodolfo Sánchez Taboada había apoyado a Casas Alemán. Para entonces Henríquez Guzmán se escindió del sistema y registró oficialmente la Federación de Partidos del Pueblo (FPP), que fue vista fríamente por el gobierno, pero que obtuvo la simpatía de estudiantes y profesionistas fastidiados por los métodos antidemocráticos del PRI. Se decía que Henríquez contaba con el apoyo de Lázaro Cárdenas (incluso era público que la esposa del general, Amalia Solórzano, y su hijo Cuauhtémoc participaban en las organizaciones henriquistas). Pero Cárdenas ni vetó ni respaldó públicamente a la FPP. Años después Cárdenas relató que Henríquez fue a verlo para pedirle su apoyo, y el general lo atajó: "A la representación nacional sólo se llega por dos caminos: por voluntad unánime del pueblo, al grado de que el gobierno se vea obligado a reconocer el triunfo, o cuando el gobierno simpatiza con la candidatura en juego."

La ambición de Henríquez Guzmán inquietó al gobierno, no tanto porque tuviera posibilidades de ganar, sino porque manifestaba la molestia profunda del pueblo y de la izquierda: la carestía exasperaba a todos, la corrupción se había convertido en cinismo al escudarse bajo el manto de "las obras públicas", los campesinos se habían pauperizado, los obreros no cesaban de recibir golpes, los disidentes eran reprimidos con ferocidad y la supeditación a Estados Unidos era cada vez más flagrante. Ante todo eso, el candidato oficial Ruiz Cortines tenía que hacer algo.

Los henriquistas iniciaron su campaña política planteando que ellos eran los verdaderos representantes de la revolución y de sus ideales, ya que el gobierno se había desviado de las doctrinas revolucionarias a través de la inmoralidad, la burla al voto y de la formación de grupos excesivamente privilegiados.

Además de la FPP, muy posiblemente para quitarle votos a Henríquez y para congraciarse con el gobierno, el flamante Partido Popular postuló, claro, a Vicente Lombardo Toledano, quien cada vez perdía más peso en el aparato oficial (después de las elecciones de 1952 quedó prácticamente fuera de combate). El PAN, a su vez, lanzó la candidatura de Efraín González Luna, "para probar fortuna". A 12 años de creado, el Partido de Acción Nacional se iba conformando y se afirmaba como una fuerza sumamente limitada pero real, que a la larga legitimaba al gobierno.

Las elecciones tuvieron lugar en medio de una fuerte vigilancia del ejército (cinco soldados en cada casilla), seguramente para intimidar a los henriquistas, pues varios de ellos eran militares y todavía tenían el gustito por los alzamientos armados. Como de costumbre, todo estaba preparado para que Ruiz Cortines y el PRI resultaran ganadores "en cualquier circunstancia". Al final de la jornada el PRI proclamó su victoria absoluta, y el alto mando henriquista denunció que había tenido lugar un gran fraude electoral y que el vencedor legítimo era su candidato.

Al día siguiente los henriquistas llevaron a cabo un gran mitin en la Alameda Central para festejar su victoria. A éste concurrieron cívicamente la policía y el ejército, que reprimieron con brutalidad a los opositores-difidentes. Golpearon a todos, hubo varios muertos, decenas de heridos y se arrestó a 500 manifestantes. La prensa, como era usual, no informó nada de esto. Esta última muestra de la mano pesada de Miguel Alemán motivó una reunión urgente de los henriquistas. "Se trataba", refiere Raymundo Ramos en un artículo periodístico, "de seguir tomando alcaldías y, finalmente, de desconocer al gobierno de la República e instaurar el periodo presidencial del general Henríquez. El consenso a favor de la rebelión era mayoritario, pero faltaba el voto de calidad de quien debía encabezarla. El general García Barragán salió de la habitación una vez emitido su sufragio en favor del proyecto, y les dijo a quienes seguían discutiendo: 'Yo me voy a dormir. Me avisan si se deciden. . . pero yo creo que *éste* se raja.' Henríquez palideció y se tragó la terrible verdad de esas palabras. El general multimillonario era ya un anticomunista declarado cuyas relaciones con don Lázaro se habían agriado definitivamente."

Los organismos electorales de la secretaría de Gobernación dieron la presidencia de la República a Adolfo Ruiz Cortines con el 74.31 por ciento de los votos; a Henríquez Guzmán decidieron otorgarle medio millón de votos (el 15.87 por ciento); González Luna no estuvo bien aspectado y obtuvo el 7.82 por ciento de la votación, y al pobre Lombardo Toledano le atribuyeron el 1.98: casi ridículo, pero el PP no perdía el registro. Y en su último informe el optimista Miguel Alemán dijo que "durante la preparación de estos actos electorales imperó la más absoluta tolerancia y comprensión por parte del gobierno. . . Podemos vislumbrar el México que

114

A fin de sexenio las cosas se le descompusieron a Alemán, quien tuvo que renunciar a la idea de reelegirse

anhelamos, cuyo incremento agrícola produzca lo suficiente para su mantenimiento. . . Fueron fructuosos los esfuerzos por combatir la miseria.''

Una vez derrotados, los henriquistas que se disciplinaron fueron reintegrados, ''con los brazos abiertos'', al seno de la familia revolucionaria, pues ésta, entre otras cosas, ya no quería desgastantes pleitos internos ni escisiones (la de Henríquez era la tercera en 18 años), y quería ser flexible, reintegrar a los disidentes, si éstos acataban la disciplina cada vez más férrea del sistema político que acababa de consolidarse. No era difícil la reintegración, pues el mismo Ruiz Cortines se había adueñado de cuando menos dos banderas henriquistas: la lucha contra la corrupción y la carestía. García Barragán, Ríos Zertuche y César Martino fueron de los primeros en regresar al PRI.

Muchos profesionistas se retiraron de la FPP, al darse cuenta de que ésta languidecía a pasos agigantados. Y unos cuantos se quedaron girando con la idea del alzamiento armado. En enero de 1954 tuvo lugar un asalto al cuartel de Delicias, Chihuahua. La prensa dio a entender que el ejército tenía noticias del plan y que por eso fue fácil contenerlo. Tanto el gobierno como la prensa responsabilizaron a los henriquistas, así es que, cuando éstos organizaron una manifestación el 5 de febrero, las autoridades aprovecharon para reprimirla con el pretexto de que los manifestantes, ''embriagados'', habían agredido a los peatones y a los comerciantes. Al día siguiente la prensa se llenó de todo tipo de desplegados de los sectores priístas que pedían ''todo el peso de la ley para los subversivos''. Diligentemente, en menos de un mes, la secretaría de Gobernación canceló el registro de la Federación de Partidos del Pueblo.

Miguel Alemán, en tanto, se resignó a entregar el poder que tanto había disfrutado. Al fin de su gobierno su impopularidad era manifiesta. Además de sus políticas económicas que habían propiciado una corrupción que siempre había existido pero que a partir de entonces se desencadenó, Alemán se distinguió por su carácter autoritario y abusivo contra todo aquel que estuviera en contra del gobierno. Con la Dirección Federal de Seguridad y con el delito de ''disolución social'' se dedicó a espiar y a encarcelar disidentes. ''The Land of Mañana es el recipiente de las inversiones extranjeras'', escribe Carlos Monsiváis, ''y en correspondencia sobrevienen los asesinatos de ejidatarios para que surjan fraccionamientos, despidos y golpizas y cárceles para los obreros empecinados en el sindicalismo libre, la represión mantenida a través de la complacencia y la complicidad de hábitos, ideas y pasiones multiclasistas. . . Al despotismo lo atemperan el asesinato, el fraude, el despojo y lo prestigiaron las caridades repartidas del botín''.

Así como favorecía y consentía a los empresarios en negocios que infinidad de veces rebasaban los marcos legales, Alemán no se tentó el corazón para aplastar a los indefensos que se atrevían a manifestar sus ideas. De esta manera, sentó la tendencia represiva del estado mexicano, que a fines de los años cincuenta y a lo largo de los sesenta se convertiría en parte esencial del estilo personal de gobernar de los presidentes de la revolución.

3. El desarrollo estabilizador

(1952-1958)

La política del contraste

El primero de diciembre de 1952 ocurrió la transmisión de poderes, y Miguel Alemán seguramente tuvo que armarse de paciencia, pues el nuevo presidente de hecho criticó la gestión anterior (a pesar de su responsabilidad en ella). Adolfo Ruiz Cortines, en su mensaje de toma de posesión, admitió que la corrupción era una herida profunda en el país, que urgían acciones para contrarrestar la carestía, además de medidas económicas para enfrentar la crisis recesiva que se vivía.

Para rectificar los abusos de la administración alemanista, el nuevo presidente nombró un gabinete que ya no estaba compuesto por "brillantes técnicos", "jóvenes universitarios" o allegados de Alemán. Antonio Carrillo Flores ocupó la cartera de Hacienda, que estaría muy atareada durante todo el sexenio; Gilberto Loyo se hizo cargo de la secretaría de Economía; Ángel Carvajal, la de Gobernación; Luis Padilla Nervo, la de Relaciones Exteriores, y Adolfo López Mateos se encargó de la secretaría del Trabajo.

Pero los observadores no se fijaron tanto en la composición del gabinete como en el hecho de que, visiblemente, el nuevo presidente estableciera distancias con relación a Miguel Alemán. Esta impresión se corroboró cuando, en diciembre, Ruiz Cortines inundó al congreso con un paquete de leyes, como suelen hacer los nuevos presidentes de México. A partir de entonces los funcionarios debían "manifestar sus bienes" al entrar en servicio; en cualquier momento, sin denuncia previa, de oficio, podía investigarse a quien diera muestras de "enriquecimiento inexplicable". Esta ley, de hecho, no llegó a aplicarse, pero se comentó mucho por la dedicatoria que llevaba a la administración anterior. Ruiz Cortines, se decía, llevaría a cabo una "moralización implacable".

La crítica a Alemán también iba implícita en una de las primeras medidas ruizcortinistas para frenar la carestía y restaurar el poder adquisitivo de la población: una tremenda ley "antimonopolios", con severas sanciones para los acaparadores que menudeaban con el pretexto de que era inminente una tercera guerra mundial. No sólo se aplicarían multas altísimas a los acaparadores sino que éstos también podían ser encarcelados hasta por nueve años. Ruiz Cortines acompañó esta medida con un control de

La corbatita de moño de Adolfo Ruiz Cortines se extendió pronto entre sus funcionarios.

precios, que se anunció como rígido, con el abaratamiento del frijol y del maíz, y con el fortalecimiento de la Compañía Exportadora e Importadora Mexicana (Ceimsa, que en los años sesenta se transformaría en Conasupo). La Ceimsa se encargaría de la distribución de artículos básicos para evitar que los voraces comerciantes pudieran seguir haciendo de las suyas. Además, el nuevo presidente avisó que instrumentaría una política "de austeridad", la cual restringiría notablemente el gasto del gobierno. Se suspendía, pues, el "gigantesco programa de obras públicas" que tanto había celebrado la iniciativa privada. ¡Y se prohibieron los Cadillacs de lujo! La única continuidad visible consistió en la reforma a los artículos 34 y 115 constitucionales que concedía derechos políticos totales a las mujeres; como hace ver Olga Pellicer de Brody en "El afianzamiento de la estabilidad política", penúltimo tomo de la *Historia de la Revolución Mexicana*, en esa época ninguna organización femenina luchó por esta conquista, que, por tanto, debía de verse "como una concesión gratuita del ejecutivo, signo de la actitud progresista y la buena voluntad que pretendía proyectar el nuevo mandatario".

Estas medidas fastidiaron a los empresarios mexicanos y a los derechistas en general, pero en diciembre de 1952 y en enero del año siguiente los chismes calientes seguían girando en torno al "antialemanismo" de Ruiz Cortines, que era real, aunque muchos especialistas, como el régimen, prefirieron negarlo. Desde su campaña Ruiz Cortines dejó ver que trataría de atajar a Miguel Alemán. En Guerrero, por ejemplo, ordenó a uno de sus jilgueros que atacara ferozmente al gobernador Alejandro Gómez Maganda, uno de los defensores acérrimos de Alemán. La fidelidad al jefe de Gómez Maganda llegó al extremo de ignorar las advertencias y de, incluso, publicar desplegados en la prensa nacional defendiendo a Miguel Alemán. Por supuesto, después de esto, en 1954, el presidente recurrió a la "desaparición" de poderes y Gómez Maganda se fue a la banca en medio de injurias. Ruiz Cortines también forzó la "renuncia voluntaria" de Tomás Marentes, gobernador de Yucatán, quien era miembro del llamado "gabinete paralelo" de Alemán, compuesto por sus más allegados. Para eliminar a Marentes se aprovechó la violencia que tuvo lugar en una asamblea de los henequeros y la huelga que al día siguiente llevaron a cabo supuestos estudiantes que desquiciaron a la ciudad y que se enfrentaron a la policía y causaron todo tipo de destrozos. Es muy plausible que estos problemas hayan sido instrumentados desde el centro, porque el ejército no recibió órdenes de intervenir y la policía actuó en forma sumamente pasiva, lo que de ninguna manera es norma cuando las fuerzas policiacas acuden a protestas públicas. Para colmo, llegaron a Mérida dos enviados de Gobernación que "arreglaron los conflictos" sin que Marentes pudiera hacer algo. Lo que sí hizo fue volar en el acto a la capital, donde se le ordenó renunciar.

Pero esto sólo corroboró lo que era evidente en enero de 1953: Ruiz Cortines procuraba distanciarse de Miguel Alemán lo más posible. Seguramente esto obedeció a la necesidad pragmática de mostrar una "nueva imagen" a través de una "política de contraste", como la llamó Olga Pellicer de Brody. Miguel Alemán así lo comprendió y en enero de 1953 tuvo que elogiar los proyectos ruizcortinistas, pues eran "de vital importancia para la nación", y, para evitar mayores problemas, mejor se fue a vacacionar en Europa. Si acaso Alemán llegó a pensar que podría manipular a Ruiz Cortines bien pronto tuvo que quitarse la idea de encima, y él también se disciplinó (lo que implicaba que el nuevo gobierno no promoviera golpes bajos por el "enriquecimiento inexplicable" del ex presidente, quien para entonces supo hasta qué punto el Tío Coba era experto en las patadas por debajo de la mesa, y cómo le encantaban las maniobras secretas para desgraciar gente). Alemán guardó un resentimiento agudo, toda su vida, hacia Ruiz Cortines, quien con tanta prisa lo expuso como fuente de corrupción.

Si lo que Ruiz Cortines quería era disponer de todo el poder sin estorbos, a partir de la salida de México de Alemán ya no tuvo obstáculos. El nuevo presidente del PRI, el general Gabriel Leyva Velázquez, al instante declaró que el partido era absolutamente ruizcortinista y que reformaría los estatutos del PRI a fin de que "se adaptaran al ideario y normas fijadas por el presidente". A partir de ese momento priístas y funcionarios compitieron tenazmente para ver quién elogiaba mejor a Ruiz Cortines. El PRI se consolidó entonces como gran agencia de colocaciones, como acarreador de apoyos para el presidente y como instrumentador de muchos de sus caprichos.

Si esto ocurría en el comité ejecutivo del PRI es obvio que los sectores manifestaron la misma docilidad: la CNC, siempre el sector más débil, en lo más mínimo trató de contrariar algún deseo presidencial, mucho menos se ocupó en atender las necesidades de los miles de campesinos y pequeños propietarios que a lo largo del sexenio padecieron un abandono notable. La CNOP, robustecida durante los dos regímenes anteriores, también se puso a disposición total de Ruiz Cortines. Y ya no era necesario contener a la CTM, pues ésta se hallaba muy quietecita después de los golpes de Alemán, quien, además, antes de irse le echó encima a la CROC.

En 1952, Fidel Velázquez había vuelto a ser elegido secretario general de la CTM. La no-reelección había sido respetada, pues Fidel regresaba a encabezar la central después del periodo de Fernando Amilpa (claro que, a partir de entonces, como Porfirio Díaz, Velázquez se reelegiría puntualmente cada cuatro años, lo cual sería imitado por varios líderes obreros). Este control férreo de la CTM por parte de los lobos ocasionó que la central se escindiera en numerosas ocasiones en los años cuarenta. De ella salieron otras "confederaciones": la Proletaria Nacional (CPN), la de Obreros y Campesinos de México (COCM), la Única de Trabajadores, de Luis Gómez Z. (CUT) y la Nacional de Trabajadores (CNT). Todas estas agrupaciones, orquestadas por el gobierno, en abril de 1952 formaron la Confederación Revolucionaria de Obreros y Campesinos (CROC), que encabezó Luis Gómez Z., fiel al régimen después de su encarcelamiento

Fidel Velázquez tomó el control de la CTM

de 1948. La CROC, desde un principio, contó con la franca simpatía de Alemán, y también de Ruiz Cortines. Fidel Velázquez enfureció y se lanzó a criticar a la nueva central, ya que muchos de sus componentes eran enemigos suyos. La CROC, naturalmente, respondió a los ataques, y durante un buen tiempo las dos centrales se entretuvieron cultivando una pugna mutua; los líderes de la CROC, según Fidel Velázquez, actuaban "como provocadores sin escrúpulos, y tal parece que su misión única es la de dividir a las agrupaciones más serias del país". Fidel Velázquez, para congraciarse con Ruiz Cortines, quien había manifestado deseos de que los obreros se unificaran, propuso la creación de una nueva central unificada, e incluso aseguró que estaría dispuesto a renunciar si eso era necesario. La CROC primero se carcajeó, pero después vio el surgimiento del "Pacto de Guadalajara", que en 1953 formó el Bloque de Unidad Obrera (BUO) con la unificación federalizada de la CTM, la CROM, la CGT y los sindicatos de telefonistas, electricistas, tranviarios, ferrocarrileros y mineros. La CROC no se adhirió al BUO, que a fin de cuentas, como dijo Luis Araiza, era "un gigante ciego sin lazarillo", que se concretó en acarrear obreros para dar apoyos masivos al gobierno. El BUO funcionó, dentro de lo que cabe, desde 1953, pero no se constituyó formalmente hasta 1955.

Pero en 1953, los obreros, en pugna o no, presenciaban los esfuerzos de Ruiz Cortines por imprimir la austeridad en su gobierno y por contener las alzas de precios, lo cual motivó, casi al instante, la "desconfianza" y las protestas de la iniciativa privada. Ruiz Cortines sí aplicó la ley antimonopolios, al menos durante 1953, y en ese año hubo más de 16 mil multas a comerciantes acaparadores. La vigilancia del control de precios fue asignado a la secretaría de Gobernación, que creó un ejército de inspectores para vigilar que no se violase el control fijado a 78 productos alimenticios y a 30 industriales. Abarroteros, tenderos, carniceros, tortilleros y boticarios (aún se decía "boticas" a las farmacias) fueron los más sancionados. Además, la Ceimsa importó grandes cantidades de maíz, frijol y trigo, para evitar la escasez y la consiguiente alza generalizada de los precios.

Los empresarios centraron sus ataques sobre la Ceimsa ("competencia desleal, nociva y nefasta intervención del estado, rotundo fracaso, monopolio oficial y otras lindezas semejantes). La gran prensa nacional, encabezada por el ultraconservador periódico *Excelsior*, de Rodrigo del Llano, apoyó las protestas del sector privado.

Pero lo que más fastidió a la empresa y la prensa fue la política de austeridad, que dejó inconclusas muchas obras, suspendió otras y redujo partidas para el campo y los transportes. Todos los contratistas y proveedores del gobierno estaban muy molestos. El presidente de la Asociación de Banqueros anunció que los inversionistas privados abrirían un "compás de espera", que significó la parálisis del aparato productivo durante ese año y la inevitable fuga de capitales.

Esto sí preocupó a Ruiz Cortines. Una cosa era "contrastar" el régimen de Miguel Alemán y otra ser boicoteado por los empresarios. La contrac-

Los avances de las grandes compañías estadounidenses en México eran indetenibles

ción de inversiones, la fuga de capitales, más la austeridad gubernamental hicieron que el crecimiento económico disminuyera en 1953 y que Ruiz Cortines modificara sus puntos de vista e iniciara lo que después fue llamado el "desarrollo estabilizador": prudencia en el gasto público, bajos salarios, búsqueda de créditos exteriores, apertura a las inversiones estadunidenses y estabilidad de precios y de la paridad del peso.

La posibilidad de incrementar las inversiones y los créditos de Estados Unidos era factible dada la "buena vecindad" con los "primos del norte". En 1953 Ruiz Cortines se entrevistó con su homólogo estadunidense Dwight Eisenhower con motivo de la inauguración de la presa Falcón en el río Bravo (que, por supuesto, beneficiaría a los agricultores "pribravos"). La avanzada edad de ambos mandatarios contribuyó a que todo fuera cordialidad y buenos deseos. A pesar de que nuestro país se negaba a participar en pactos militares y trataba de, cuando menos, cimentar su autonomía en las relaciones exteriores, en Estados Unidos se habían dado cuenta de que los gobiernos "revolucionarios" mexicanos no causarían problemas, sino que, por el contrario, eran confiables, predecibles y sumamente flexibles en su idea del nacionalismo y la mexicanidad tan exaltada por Alemán. Como después dijo una revista estadunidense, en México había exención de impuestos, facilidades de repatriación de utilidades, lo del 49 por ciento a la inversión extranjera era muy relativo, las inversiones se recuperaban "en uno o dos años" y la utilidad promedio era de un excelente 15 por ciento. Por otra parte, aunque en 1953 Gilberto Loyo, secretario de Economía, declaró que México prefería no recurrir a los empréstitos foráneos pues podía autofinanciarse a través del ahorro interno, un año después el punto de vista había cambiado por completo y el país se lanzaba cada vez más a la caza de los créditos del BIRF, el FMI, Eximbank y de todo aquel que quisiera prestar dinero. Ya en 1955 el régimen se enorgullecía (como siguió ocurriendo hasta avanzados los años ochenta) en la "gran confianza que inspiraba en el mundo, pues nadie dudaba de su capacidad de pago".

A principios de 1954, Ruiz Cortines indudablemente disponía del control total del panorama político. Ese año se canceló el registro de la Federación de Partidos del Pueblo pero también se urdió la creación del Partido Auténtico de la Revolución Mexicana (PARM). El gobierno alentó a que el grupo Héroes de la Revolución, integrado por veteranos del movimiento armado y por algunos militares, formara el nuevo partido, que en cierta forma trataba de neutralizar los planteamientos de que la Revolución Mexicana se había desviado. El PARM obtuvo su registro legal hasta 1957, y siempre fue considerado un partido "satélite", movido a control remoto por el gobierno. Con el surgimiento del PARM la oposición, en esos momentos, quedaba confinada al PAN, el PP y el PARM, pero sólo el primero representaba una verdadera oposición, y el PARM sirvió para levantar una fachada seudodemocrática y para legitimar, al aceptarlas, las victorias del PRI. Sólo hasta 1988, o sea: 34 años después, el PARM presentó un candidato propio a la presidencia, pues (al igual que el PPS) por lo general "se adhirió" a los candidatos que presentó el partido oficial.

Pero la constitución del PARM no desveló a nadie, como sí lo hacía la problemática económica. Ruiz Cortines, consciente de que debía "autorrectificar" sus primeras propuestas, se empeñó en restaurar el equilibrio perdido. Lo inmediato era parar las fugas de capitales, ya que en los tres primeros meses de 1954 muchos millones de dólares se habían ido calladamente hacia Estados Unidos. El presidente y sus ministros Carrillo Flores y Gilberto Loyo idearon, entonces, una nueva devaluación, ya que, en esos momentos, nadie la esperaba ni había compras de pánico de dólares. Sigilosamente, las autoridades hicieron sus preparativos y ni siquiera se le avisó al Fondo Monetario Internacional. Con la astucia que caracterizaba al hombre de la corbatita de moño, se eligió el miércoles de la semana santa a las seis de la tarde para anunciar la medida, porque los bancos ya habían cerrado y no abrirían hasta cuatro días después. La televisión y la radio informaron que el peso se devaluaba a 12.50 por un dólar. Todo aquel que quiso especular con la medida no encontró dónde cambiar dólares y los turistas estadunidenses fueron acosados para que vendieran sus dólares a la ya vieja paridad de 8.65.

Como es sabido, toda devaluación es un detonador de aumentos de precios, y Ruiz Cortines, que empezó su gobierno controlándolos severamente, se dedicó a vigilar que los comercios no reetiquetaran las mercancías en tiendas y almacenes. Sin embargo, los precios subieron en muchas partes y, al advertirlo, el público se lanzó a hacer compras de pánico. Los salarios, como era de esperarse no se elevaron, así es que de pronto la gente más necesitada descubrió que su de por sí muy menguado poder de compra había disminuido seriamente. En un principio las centrales obreras no dijeron nada, pero después dieron su apoyo al presidente y mostraron su determinación al declarar que combatirían enérgicamente a los acaparadores. Tanto la CTM como la CROC y las "centrales del bolsillo" que conformaron el Pacto de Guadalajara el cual dio origen al BUO, coincidieron en el apoyo irrestricto. A pesar de que el disparo de la inflación y el desabasto eran hechos incontrovertibles, durante el primero de mayo los obreros ratificaron su apoyo a "su amigo y jefe" el presidente de la República y ya no se vieron leyendas ofensivas como las de un año antes ("Santa Madriza, patrona de los granaderos").

Además de la devaluación, Ruiz Cortines ya había echado a andar las obras públicas, aunque no con la euforia de Miguel Alemán. Las exportaciones empezaron a crecer, ya que con la devaluación los productos mexicanos eran una ganga en el extranjero. Y cayeron los créditos: en 1954 llegaron 50 millones de dólares, que se utilizaron para engordar las reservas y para echar a andar las obras en el campo, en la industria, en los transportes y en las empresas paraestatales, especialmente Petróleos Mexicanos y la Comisión Federal de Electricidad. El resultado de todo esto fue que se reinició el crecimiento económico y tanto el gobierno como el sector privado acabaron muy satisfechos.

Pero nada paró la carestía. Ya en el desfile del primero de mayo numerosas mantas pedían la elevación de los salarios. Cada vez crecían más las presiones para que los sindicatos pidieran el aumento de salarios, y a mediados de mayo el presidente inauguró la costumbre de los mensajes a la nación a través de la radio y la televisión "encadenadas". Ruiz Cortines ofreció un diez por ciento de aumento a burócratas y suplicó a los empresarios que mejorasen los sueldos de sus empleados en la misma proporción. Al final, pronunció la frase que lo llevó a la fama: "México al trabajo fecundo y creador." Como era de esperarse, los líderes obreros se deshicieron en halagos serviles al presidente.

La generosa iniciativa privada estuvo de acuerdo en el aumento del diez por ciento, aunque éste en lo más mínimo resultaba suficiente ante los estragos de la devaluación, que fue del 24.5 por ciento. Ese porcentaje exigió la CROC y también la UGOCM que, ante la hostilidad oficial se iba confinando cada vez más al campo. Ante esto, la CTM se vio precisada a hacer algo más y entonces Fidel Velázquez sorprendió a la población al anunciar que de no obtener un 24 por ciento de aumento todos los sindicatos de la CTM irían ¡a la huelga general! Claro que el lobo mayor se cuidó de hacer ver a los empresarios y al gobierno que seguirían "hasta el agotamiento, los caminos de la comprensión, el mutuo arreglo, la conciliación". Eso sí, para que vieran que los lobos eran "muy machos" Fidel avisó que la huelga sería legal, pero si encontraban obstáculos entonces "sería revolucionaria".

La CROC, que poco antes parecía muy combativa, al ver lo que decidía la CTM al instante se declaró en contra de la Temible Huelga General ("tutus, tutus per cuder", gustaba decir en privado el presidente, lo cual significaba: "todos, todos por joder"; por cierto, Carlos Monsiváis reporta que cada vez que Ruiz Cortines decía una "leperada", exclamaba: "Perdón, investidura").

El sector privado se alarmó con la amenaza del revolucionario Fidel Velázquez. Ignoraba para entonces que Fidel Velázquez tenía vocación para las balandronadas. "De lengua me como un plato", bien pudo haber dicho Adolfo López Mateos, secretario de Trabajo, quien en escasos 11 días arregló todo el asunto; de los más de cinco mil emplazamientos que exigían el 24 o el 30 por ciento de aumento no hubo ninguna huelga ni de panaderos, ni de despachadores de gasolina, ni de telegrafistas, burócratas, ni de empleados de radiodifusoras, gaseras, de panteones o de cabaretes. Casi todos aceptaron el famoso 10 por ciento que propuso el presidente y sólo en algunos casos se concedió el 12, el 15 o 16 por ciento. Sólo los trabajadores de la Industria Eléctrica Mexicana (IEM), de la industria textil y los cinematografistas llegaron a la huelga, pero también éstos cedieron con una elevación de salarios del fabuloso 12 por ciento.

A fin de cuentas, los expertos señalan que el amago de huelga de Fidel Velázquez fue sumamente útil, pues dejó ver a los inversionistas nacionales y extranjeros que la clase obrera mexicana podía sincronizarse espléndidamente con el gobierno a fin de que existieran condiciones óptimas para el capitalismo, que empezaban, al menos en los países subdesarrollados, por la mano de obra barata. Con la "huelga general", Fidel Velázquez demostró que podía mediatizar debidamente las protestas de los trabajadores, aunque éstos tuvieran que anudarse las tripas y ver en los aparadores las maravillas del mundo "moderno", que continuaban asombrando: había aviones tetramotores y ya no se consumían 30 horas para viajar a Europa, como ocurría apenas seis años antes; los aparatos electrodomésticos, al igual que los automóviles, cambiaban de modelo e introducían "adelantos" que muchas veces eran inútiles pero que llamaban mucho la atención. Ya había llantas "sellomáticas", alta fidelidad, plumas "atómicas" o bolígrafos, y el primer "supermercado", al estilo de los Estados Unidos, aséptico y con escaso personal. Avanzaba la obsolescencia planificada. Los pobres, al menos, podían saber que todo eso existía aunque ni remotamente pudiesen adquirirlo: los automóviles, televisiones, refrigeradores y teléfonos seguían siendo inalcanzables para ellos, pero, en cambio, las capas medias crecían, se distanciaban de los más pobres y empezaban a familiarizarse con los adelantos, sin darse cuenta de que toda una concepción del mundo penetraba a través de ellos.

Los salarios de la clase trabajadora empezaron a mejorar en cierta medida y a partir de 1954 el desarrollo estabilizador logró que los precios dejaran de encimarse. Esto hizo que, al menos por dos años (1955 y 1956) la situación general en México pasara por una fase de relativa tranquilidad.

Pero en 1954, en medio de la catarata de emplazamientos a huelga, se avivaron también los problemas con Estados Unidos a causa de los braceros. La invasión de ilegales, o espaldas mojadas, crecía espectacularmente (ya había más de un millón para entonces) y el imperio del norte ahora insistía en renovar los convenios para aplicar una política migratoria consecuente. El gobierno mexicano, en esas condiciones, optó por retrasar las pláticas, así es que, de súbito, la administración de Einsenhower sin más planteó que contrataría unilateralmente a los braceros. Ruiz Cortines declaró con mucha delicadeza que no le parecía correcto que se le hiciera a un lado en esta cuestión tan importante para México. Por tanto, anunció que no autorizaría la salida de trabajadores. Pero ya había miles de ellos en la frontera, esperando contratarse legalmente. Por supuesto, muchos miles de mexicanos trataban de cruzar a como diera lugar.

La secretaría de Defensa Nacional anunció que ofrecería todas sus vacantes para emplear a esa gente, y también se planteó un "plan de interés en el territorio nacional" a través del cual las ciudades del norte echarían a andar obras urgentes de remodelado, pavimentación, iluminación, etcétera, para ocupar a los que insistían en irse a trabajar con los gringos para huir de la pobreza nacional. Nada de esto se hizo, a fin de cuentas. También se colocaron destacamentos armados de la policía en zonas clave de la frontera con California para impedir el cruce una vez que se inició la contratación del otro lado. En Mexicali más de 7 mil quisieron hacerlo (en Tijuana fueron más de mil) y todos ellos fueron reprimidos por la fuerza pública que no conocía otra manera de lidiar con ese tipo de problemas. Hubo muchos golpeados, decenas de heridos y la extrema violencia alarmó a mucha gente.

En vista de eso, Estados Unidos desistió de la contratación unilateral y firmó un nuevo convenio con México, que, como siempre, favorecía alevosamente los intereses de los agricultores estadunidenses. De esta manera, miles de mexicanos pudieron pasar legalmente a trabajar (en 1957 ya eran más de 400 mil). Sin embargo, había un millón de ilegales y Estados Unidos decidió expulsarlos a través de lo que se conoció como la Operación Espaldas Mojadas. Se incrementó la vigilancia y los guardias fronterizos capturaron a más de 2 mil ilegales por día. Éstos eran puestos en autobuses o vagones de tren y se les llevaba lo más al sur posible, para evitar que los expulsados sintieran tentaciones de regresar pronto. Más de 750 mil fueron arrestados y expulsados a lo largo de ese año, lo cual creó problemas extraordinarios en México, pues los campesinos no sólo eran los más desposeídos sino que cada vez había menos. Para entonces se estimaba en cerca de cuatro millones los trabajadores pobres del campo que a duras penas lograban sobrevivir. La llegada masiva de un millón más solamente agudizó todos los problemas del campo, donde, como se sabe, los programas de fomento agrícola, los créditos bancarios y las obras de irrigación sólo beneficiaban a los poderosos agricultores privados que calladamente reintegraban los grandes latifundios a la vida nacional. La llegada de los cientos de miles de mojados, con el tiempo, pavimentó el camino para las invasiones de tierras que se desataron en 1958.

1954 sin duda fue el año crucial para el gobierno de Ruiz Cortines. En mayo Estados Unidos decidió acabar con "el problema de Guatemala", que en realidad no existía, o al menos en la proporción paranoica con que los anticomunistas estadunidenses lo planteaban. Las reformas sociales de Jacobo Arbenz ni remotamente podían considerarse "comunistas", pero en plena guerra fría cualquiera se consideraba subversiva (como demostraron las actividades del senador McCarthy a principios de la década). Estados Unidos "denunció", alarmado, que el bloque socialista estaba armando a Guatemala y en junio tropas "mercenarias" invadieron la pequeña república centroamericana.

Los izquierdistas mexicanos, que después de la acción de la Santa Madriza, patrona de los granaderos, se hallaban francamente escamados, ante el abuso de poderío y la franca intervención de Estados Unidos en lo que consideraba su "traspatio" formaron la Sociedad de Amigos de Guatemala, publicaron desplegados de protestas y marcharon por las calles en apoyo al gobierno de Arbenz. Lázaro Cárdenas envió un telegrama de simpatía con el pueblo guatemalteco. Los estudiantes del Politécnico y de la Universidad se olvidaron de los "clásicos" de futbol americano y de los desfiles de "perros" y organizaron mítines y recolección de fondos para ayudar a Guatemala. Esto bastó para que la derecha mexicana se

130

El presidente Ruiz Cortines se reunió con el de Estados Unidos en la Presa Falcón, octubre de 1953

Concedido el voto

Por Freyre

—...Ahora sólo le falta un toque femenino.

A principios de los años cincuenta se legisló el voto de las mujeres

sintiera escandalizada ante la "franca actividad subversiva" de los comunistas mexicanos. La prensa se engolosinó insultando a estudiantes e izquierdistas, y la cadena García Valseca enfocó sus ataques sobre Lázaro Cárdenas, a quien acusó de "malversación de fondos". *Excelsior* y *El Universal* reimprimieron los infundios. En vista de eso, el gobierno, a través del general Leyva Velázquez, presidente del PRI, aprovechó el viaje para enfatizar su irreversible anticomunismo y su repudio a ese tipo de ideologías extrañas que no respondían al patriotismo inherente de la sicología del mexicano, "cuya máxima vibración la produce el Himno Nacional y ama a México". Con esto, la izquierda tuvo una mínima probadita de las represiones que se encimarían en los siguientes años.

Del chachachá al rocanrol

A fines de 1952, Salvador Novo inauguró su Teatro de la Capilla, ubicado en Coyoacán, donde, además del foro para experimentación escénica, el maestro de maestros después ofreció las maravillas de su condición de cocinero en un restorán que servía el filete a la pimienta y las sopas que Novo hacía "con sus propias manecitas". La presencia importante del acto no fue Alfonso Reyes o el poeta alfabetizador Jaime Torres Bodet, sino la "primera dama" doña María Izaguirre, segunda esposa del presidente de moño Adolfo Ruiz Cortines. Esta ominosa presencia, por otra parte, señaló lo que vendría a ser el declinamiento definitivo de Salvador Novo (o Nalgador Sobo, como también se le decía, entre risitas), quien a partir de entonces se hundiría en los pantanos del oficialismo (en 1968 Novo, como Martín Luis Guzmán y otras lumbreras intelectuales, se puso en contra del movimiento estudiantil, y, cuando murió, en 1974, el sepelio del maestro se convirtió en un gélido acto oficial).

La presencia de doña María era un aviso de una de las primeras leyes que emitiría Ruiz Cortines en diciembre de 1952: la concesión de los derechos políticos a las mujeres, que a partir de ese momento podrían votar no sólo en las elecciones para diputados, como ya había ocurrido en 1949, sino ¡en las presidenciales también! Sin embargo, esta medida, que sin duda estaba muy bien, no significaba gran cosa para la condición de las mujeres en México, que eran educadas para el matrimonio. Por supuesto, muchas de ellas cursaban ya estudios universitarios, pero la mayoría, de estudiar, se preparaba para la "carrera comercial" y podía aspirar a la maravilla de ser ¡secretarias ejecutivas o "parlamentarias"! Otras, a quienes no atraía el gran futuro de ser secres, estudiaban para educadoras o, incluso, para maestras. Es claro que numerosas mujeres tenían gusto e inclinaciones por la vida familiar (que, por supuesto, siempre ha sido y será vital para la buena salud de la sociedad), pero aquellas que albergaban inquietudes profesionales, o ejecutivas, se enfrentaban ante un medio social que desalentaba e incluso reprimía a quienes pretendían "violentar las funciones tradicionales de los sexos": las mujeres, a la iglesia, la cocina y los niños, como decían los machos alemanes. De hecho, las oportunidades profesionales para las mujeres resultaban escasas, así como el machismo era omnipresente.

En el hogar, las señoras de clase media al menos contaban con el alivio de las criadas (nadie entonces les habría llamado "empleadas domésticas"), que por lo general venían de algún pueblito cercano, trabajaban todo el día y buena parte de la noche, y apenas disfrutaban de la gran oportunidad de ver un poco de televisión al anochecer, después de ir por el pan y de enfrentar los asedios de los "cazagatas" que pretendían llevarlas, después de una sana bailada de rico chachachá, el nuevo ritmo sensación, en el California Dancing Club, a los guangos colchones de los hoteles de paso (si es que el hijo del patrón, o el patrón mismo, no las habían asaltado ya en el más conveniente pero igualmente sórdido "cuarto de servicio" de las casas o departamentos de clase media). En el mejor de los casos, las criadas podían aspirar a perdurar muchos años en un trabajo y convertirse en "parte de la familia" con la misma concepción paternalista con que el estado trataba al pueblo.

Las criadas constituían uno de los últimos escalones sociales y resentían el Temible Racismo que imperaba en México. Todo güerito de ojos claros (oh maravilla tener ojos verdes o, mejor aún, azules) era bien apreciado, así como se repudiaba a los prietos y aindiados. Si de plano eran indios, peor; aunque los indios eran objeto de las dosis más siniestras del paternalismo y de la condescendencia, ningún grupo social ha sido objeto de tanto despojo, explotación, discriminación o repudio en nuestro país. En la colonia se discutía si los indios "tenían alma o no", pero en el México independiente no les fue mejor. Ni la reforma juarista ni la revolución escaparon de aplastar a los grupos indígenas del país, y siempre se consideró que la esencia nacional era el mestizaje, por lo que los indios tenían que "integrarse", esto es: aculturarse, y perder lenguas, tradiciones y formas de vida. Se suponía que en México se execraba la noción de las reservaciones, pero los gobiernos mexicanos nunca se cansaron de llevar a indios (especialmente los "problemáticos") de un lado a otro del territorio nacional, especialmente a Campeche. Esto ocurría, incluso, en los años setenta cuando cambiaban los conceptos de trato a los indios y se empezaba a considerar que era importantísima la preservación de los rasgos y modos específicos de los "grupos étnicos" para la salud del país.

Pero a principios de los años cincuenta el indio sólo era bueno para explotársele y para despojarle lo poco que tenía en beneficio, otra vez, de los agricultores privados. Naturalmente, este racismo (que abarcaba prácticamente todo el espectro de la sociedad) implicaba el peso específico del malinchismo (explorado intensamente, en esos momentos, por los estudios de "lo mexicano"), que también abarcaba todas las capas sociales (y muy especialmente, en esos momentos, a la intelectualidad) y que se fomentaba indirectamente con las nociones de "industrialización" y "desarrollismo",

Dos damas de la vida en los años cincuenta

En el circo

Kitty de Hoyos, una de las pioneras del nudismo en los años cincuenta

Ana Berta Lepe, gran estrella del ruizcortinismo

pues éstos abrían la puerta a la admiración acrítica e incluso devota de lo extranjero, especialmente del "hombre blanco y barbado".

Al racismo y el malinchismo se debe agregar el clasismo, igualmente incrementado por el vuelo capitalista del país, que en esos momentos empezaba a llegar a las delicias del capital monopolista de estado. La sociedad marcaba con claridad las distancias entre los-que-no-eran-iguales ("¿qué pasó?, ¡todavía hay clases sociales!", se oía con frecuencia). Importaba mucho entonces la diferencia entre la gente decente, de buen nacer, y la pelusa, los pelados incultos, ignorantes y mugrosos. Del jodido se esperaba autohumillación constante, docilidad y, de ser posible, adulación. Mientras más arriba en la "escala social" más natural y lógica resultaba la arrogancia, el desprecio y el despotismo hacia los de abajo, quienes, por otra parte, estaban perfectamente de acuerdo con ese trato, después de siglos de enajenación. Los pobres enseñaban a sus hijos a ser dóciles y "respetuosos" de la clase media o de "la alta" (como les llamaba Gabriel Vargas, quien, por cierto, ya había salido de *Pepín* y editaba *La familia Burrón* en la cadena García Valseca). Si algún jodido miserable quería trepar en las jerarquías y llegar "a lo más alto" tenía que ponerse muy listo, trabajar duro para el jefe, otorgarle toda su lealtad, adivinar lo que él quería y adelantarse, de ser posible; averiguar los puntos débiles del patrón y compensarlo mediante severas dosis de halagos y servilismo, especialmente cuando se acercara el momento de ascender; había que conocer los gustos del jefe y compartirlos, aunque en lo interno causaran repugnancia; se debía llamar la atención, pero no demasiado ("el que se mueve no sale en la foto"); no presionar a no ser que el jefe fuese presionable; ya en el equipo superior había que formar un grupo o fortalecer el ya existente, establecer una red de relaciones y posibles alianzas, y, por supuesto, estorbar al máximo, o de plano sacar de la jugada, a todo aquel que también hiciera su luchita para trepar "hasta arriba". En todo caso había que ser consciente de que el jefe tomaba la gran decisión, y que a él se debía llenar de elogios. Cualquier parecido con la manera como los secretarios de estado luchaban por obtener la primera magistratura es pura coincidencia, o prueba de que el sistema se reflejaba en todos los aspectos de la vida nacional.

En los años cincuenta la atmósfera moral no era muy airada que digamos. Los prejuicios y convenciones sociales eran casi inexpugnables. Las costumbres eran cada vez más rígidas y formales, aunque aún todo era muy inconsciente. Las jerarquías y los autoritarismos iban de la mano en toda la sociedad mexicana. Se mantenían imbatibles las nociones machistas de virginidad y sumisión de la mujer, y del escarnio al homosexual, pues el sexismo imperante, también inconsciente, era total. El sexo era absoluto tabú, y quienes tenían preferencias sexuales "no ortodoxas" tenían que conformar un submundo clandestino y ciertamente peligroso.

Esta "moralidad" se incrementó en los primeros años del ruizcortinismo, cuando hizo su aparición el inefable y ocasional *comic-relief* del sistema Ernesto Uruchurtu, regente de la capital, quien aplicó a su modo la "política del contraste"; ya que el alemanismo implicó el "esplendor" de la vida nocturna, con sus exóticas y sus aventuras etílicas, Uruchurtu, con todo y las úes de su nombre, se encargó de frustrar a los pachangueros: dispuso que los clubes nocturnos se cerraran a la una de la mañana y clausuró los "lugares de escándalo", aunque, claro, para nada se metió con el legendario burdel de la Bandida, Graciela Olmos, donde se reunía la plana mayor de los políticos a darle al whisky, a las muchachonas, y a oír los corridos braveros y léperos con que la Bandida beneficiaba a sus cuates y con los que despotricaba contra los enemigos de sus amigos. Muchos de los políticos alemanistas que se fueron a la banca allí encontraron el sitio adecuado para chillar sus desventuras al compás de los versos de la Bandida, autora, por cierto, del corrido "Siete leguas".

La censura no pasaba por la casa de doña Graciela pero era omnipresente en el cine, el teatro, la televisión y las publicaciones. No obstante, el afán "modernizador" llevó a un mínimo destape. Aparecieron entonces los primeros desnudos, como ya ocurría en la cinematografía europea (en el cine Prado o en el notorio cine Río la runfla de onanistas se extasiaba ante los senos de las atrevidas Silvana Pampanini, Françoise Arnoul o Martine Carol). En México los desnudos pretendían ser "estéticos" pero eran francamente estáticos, y las pioneras de la teta al aire fueron Ana Luisa Pelufo, Columba Domínguez, Kitty de Hoyos, Amanda del Llano y Aída Araceli; estos desnudos fueron sumamente apreciados, a pesar de su condición de foto-fija y de la insondable hipocresía que se escudaba en "el arte".

Uruchurtu (había que "parar la trompita" para decir su ondulante nombre) también permitió, como válvula de escape, que el personal chaquetero nacional tuviera el gustito de las revistas "porno" de la época, *Vea* y *Vodevil*, que nunca faltaban en las peluquerías y que merecían campañas indignadas de los jóvenes fascistas del Movimiento Universitario de Renovación Orientadora (MURO) que, con los porros, era la máxima pestilencia en la Universidad.

A pesar de todo esto, la austeridad, la grisura y la "moralización" ruizcortinista-uruchurtiana eran francamente anticlimáticas. El descabezamiento enérgico del alemanismo significó, desde el principio, un cambio de estado de ánimo en todo el país. De la euforia y el ritmo de mambo se pasó a una especie de cruda, y no precisamente benigna, un poco salir de un sueño para despertar en otro sueño de días nublados. Esta "depresión moral" no se atenuó ni con las flores que Uru (son demasiadas las vascas úes) plantó en los camellones de la avenida Insurgentes y en el Paseo de la Reforma, ni con las sinuosidades del delicioso, cachondón, cha-chachá, que, como todo lo bueno en esa época, llegó de Cuba. La Orquesta Aragón, la Orquesta América y el trompetista Enrique Jorrín fueron los introductores de la nueva moda que, por supuesto, arrasó. Casi todos sucumbieron ante las sabrosuras del chachachá, y en las inefables fiestas de XV Años (en los salones *ad hoc*) tan pronto como las "damas" y "chambelanes'' despachaban el riguroso vals de Strauss (ah, ''Voces de primavera'') venía lo bueno con ''Los marcianos'', ''El túnel'' o ''Las clases del chachachá'', que pronto ocuparon su bastión académico en el cine nacional. Pero éste, pobrecito, ya de plano había salido de la época-de-oro, entraba en un mercantilismo puro y perdía todo brillo y frescura. Sólo Luis Buñuel (para entonces más mexicano que ''el mole'') continuaba con las buenas películas. En 1953, *La ilusión viaja en tranvía* entre otras cosas nos mostraba el nuevo paisaje urbano: grandes edificios, avenidas sobre los viejos ríos, flores uruchurtianas y una expansión que devoraba los cuatro puntos cardinales; en el sur, por ejemplo, los otrora pueblos de Mixcoac, Coyoacán y San Ángel ya se habían integrado a la ciudad, y sólo Tlalpan, Tepepan y Xochimilco parecían un tanto retirados. Buñuel también retrató espléndidamente a la Ciudad de México en *Ensayo de un crimen*, que filmó en 1955 con las bellas Miroslava y Rita Macedo, y Ernesto Alonso, en una versión muy libre y tan buena como la deliciosa novela de Rodolfo Usigli. Éste, por su parte, seguía siendo el máximo dramaturgo nacional después de sus grades éxitos de los años cuarenta *La familia cena en casa* y su chef d'ouvre política *El gesticulador*, que, para no variar, se había estrenado en medio de severos problemas de censura. En la década de los cincuenta Usigli se hallaba en su etapa de las *Coronas*, pero su obra decisiva ya estaba escrita y estrenada.

En 1954 llamó mucho la atención que el animoso editor y librero Rafael Giménez Siles anunciara en las grandes marquesinas luminosas de sus Librerías de Cristal los libros de éxito, como . . . *Y México se refugió en el desierto*, en la que José Fuentes Mares se había metido con el cacique Terrazas. En ese mismo año se formó el Centro de Estudios Mexicanos (CEM), con Alfonso Caso, Pablo González Casanova, Francisco Martínez de la Vega, Enrique Cabrera y Alonso Aguilar. El CEM se proponía estudios de alto nivel sobre los problemas nacionales, y uno de sus primeros grandes temas fue el análisis de las inversiones extranjeras en México.

Ese mismo año, el de la devaluación-sorpresa, murió la pintora Frida Kahlo. Andrés Iduarte (autor de *Un niño en la revolución mexicana*) era director de Bellas Artes, y, como había querido mucho a Frida, dispuso que se le velara con honores en el vestíbulo del Palacio de Bellas Artes. Allí se congregó la plana mayor del comunismo mexicano. Diego Rivera no estaba seguro de que Frida estuviera muerta. ''Me horroriza la idea de que todavía tenga actividad capilar. Los vellos de la piel se le levantan'', decía, ''me aterra cremarla así''. ''Pero si es muy sencillo'', le respondió Rosa Castro, ''que el doctor le abra las venas. Si no fluye sangre, está muerta''. Allí mismo le cortaron la yugular al cadáver y salieron unas gotas.

Iduarte nunca se imaginó que uno de los fridos, Arturo García Bustos, cubriera el ataúd con una bandera roja que lucía una hoz y martillo en el centro de una estrella blanca. Dado la atmósfera anticomunista de la época, Iduarte se consternó. Pidió a Diego que retirara la bandera, pero el gran muralista amenazó con sacar el cadáver a la calle para velarlo allí. En

La tele

ese momento llegó el general Lázaro Cárdenas. Él, sin preocuparse por la bandera, hizo guardia de honor junto al ataúd, con su hijo Cuauhtémoc, César Martino, Andrés Henestrosa, Siqueiros, Diego y el mismo Iduarte, quien había avisado de todo lo ocurrido a la presidencia. "Si el general Cárdenas está montando guardia", le dijeron, "usted también lo debería hacer". Y lo hizo.

Al día siguiente la prensa estaba molestísima por la "farsa rusófila" que había mancillado Bellas Artes. El escándalo fue tal que sin demora corrieron a Iduarte del INBA. Diego, a su vez, logró ser readmitido en el Partido Comunista Mexicano, lo cual venía suplicando de rodillas desde unos años antes. Poco después volvió a casarse, contrajo cáncer, viajó a la URSS a radiarse, pintó sus últimos cuadros y murió en 1957, a los 71 años de edad.

En 1955 se constituyó Telesistema Mexicano, S.A., compuesto por los grupos de Rómulo O'Farril y Emilio Azcárraga, que habían absorbido los intereses de González Camarena. Para entonces la televisión ya era popularísima, y cada vez había más receptores. Llegaban las series estadunidenses, pero los programas locales eran muy apreciados: el "Duelo de dibujantes", donde aparecían Freyre, el Chango García Cabral, y otras estrellas de la caricatura (Abel Quezada ya pintaba a los ricos con un anillo en la nariz y a los policías con moscas alrededor, y hacía la publicidad de la brillantina Wildroot). También aparecía el Terrible Monje Loco con sus historias de terror de medianoche. Se transmitían numerosas películas mexicanas de la "época-de-oro". Empezaban también las telenovelas, que en los sesenta serían ya institución, "punto intermedio entre la realización social y el pesimismo absoluto", nos dice Carlos Monsiváis; melodramones que resultaban "expresión y fijación de sentimientos socialmente válidos que robustecían la moral dominante". Los locutores de éxito eran Paco Malgesto, el bachiller Álvaro Gálvez y Fuentes, y Pedro Ferriz, quien años después vería Ovnis en todas partes. Para los niños estaba el "Teatro Fantástico" de Enrique Alonso, Cachirulo, patrocinado por el chocolate Exprés Pulverizado; también las caricaturas del Gato Félix, cuya cola le servía de signo de interrogación o de bastón, y las del payaso Bozo, que se salía del dibujo y hacía travesuras al dibujante, sin duda un "avance" de las corrientes del artista que se contempla a sí mismo.

Ya no había lucha libre, pero sí box televisado, y se podía ver a la sensación del momento, el Ratón Macías, peso gallo y buen muchacho, no tirado-a-matar como los Kids Aztecas, los Changos Casanovas, o el Toluco López, muy popular también y fuerte fajador, todo lo contrario de Fili Nava que se la pasaba corriendo por el ring. El Ratón nunca quiso pelear contra el Costeñito Gutiérrez, o Baby Face Gutiérrez, que venía muy acreditado del extranjero (estuvo a punto de disputar el campeonato mundial de peso gallo en Australia), pero que aquí nunca la hizo. El Ratón Macías

Raúl Macías, el Ratón, causó
furor con sus triunfos en el box

Beto Ávila la hizo en grande en las ligas
estadunidenses del beisbol en 1954

resultó tan buen muchacho que, cuando se retiró, se volvió empresario y lanzó al mercado el refresco Mexi-Cola, que sabía espantoso, ni siquiera le llegaba al Spur-Cola (para entonces también se bebían los refrescos del Valle, el Delawere Punch, obviamente importado, y los Barrilitos Dr. Brown, porque la población mexicana ya se había echado el clavado definitivo en los refrescos hasta obtener el dudoso honor de constituirse como el país que más tomaba líquidos embotellados: por supuesto, Coca y Pepsi a la cabeza).

Por la tele también se veían los toros (domingos por la tarde), con los grandes éxitos de Carlos Arruza, Luis Procuna (que estelarizó el espléndido film-cine-verdad de Carlos Velo *Torero*), Fermín Rivera, Calesero, Manuel Capetillo y Joselito Huerta. También se veían, claro, los partidos de futbol: los equipos "españoles" ya habían desaparecido del mapa y los triunfadores del momento eran el Marte, el Zacatepec y el Oro, sin descontar, por supuesto, al Guadalajara, que poco después se pondría cañón, especialmente en 1957, y al Atlante. En el beisbol el acontecimiento de los cincuenta fue el surgimiento del equipo capitalino los Tigres (propiedad del cacique empresarial Alejo Peralta), cuyos juegos con los Diablos Rojos casi al instante se convirtieron en "clásicos" (a fines de la década los Tigres contrataron a Chacumbele, un guapachoso negro cubano que cantaba, bailaba y echaba porras encima de la trinchera de la novena capitalina). Otros "clásicos" eran los juegos del Guadalajara-Atlante o los Poli-Uni del futbol "americano", ya en el flamante estadio de Ciudad Universitaria. Esos juegos de los Burros Blancos contra los Pumas atraían a muchos jóvenes de la clase media, y contaban ya con las afamadas "porras"; la de la UNAM estaba comandada por Luis Rodríguez, Palillo, fósil por antonomasia y personaje célebre de la Universidad como el conocido gigantón Wama. Estas porras, como se sabe, solían ser bravas, y dieron origen a los "porros" de los años posteriores, que se convirtieron en rufianes a sueldo de políticos y funcionarios para aplastar movimientos revolucionarios de los estudiantes con métodos francamente gangsteriles, dignos de la CTM.

Por cierto, ingresar en las preparatorias o en las escuelas superiores de la Universidad en aquella época significaba una rapada segura y la humillante participación en los desfiles de "perros", los alumnos de primer ingreso, que recorrían la avenida Insurgentes bañados en aceite, llenos de plumas, pastoreados a punta de patadas, mientras los comerciantes cerraban sus negocios y se quejaban de esos "jóvenes vandálicos". Semejantes iniciaciones, por otra parte, no eran nada comparadas con las que tenían lugar en el ejército o el Colegio Militar.

Pero no todo era escandaloso en los deportes. Allí estaba el gran orgullo nacional por el triunfo del nadador Damián Pizá (que además nunca se metió en problemas como los del eximio general Mariles) o del beisbolista Beto Ávila que la hizo en grande en la liga "americana" de Estados Unidos, pues fue campeón de bateo con los Indios de Cleveland en 1954.

Juan Rulfo escribió sus dos libros en los cincuenta; después se convirtió en el único autor que se volvía más famoso con cada libro que no escribía

En 1954 el Fondo de Cultura Económica publicó *El llano en llamas*, primer libro del jalisciense Juan Rulfo, y un año después su legendaria novela *Pedro Páramo*, que fue criticada duramente por el poeta fondista Alí Chumacero. Sólo hasta fines de la década esta novela fue reconocida como un libro espléndido y, después, como la obra maestra que es. Como es sabido, Juan Rulfo ya no volvió a publicar otro libro, al punto de que se convirtió, como se decía después, en el único autor que cada vez se volvía más famoso con cada obra que *no* publicaba. Esto generó la leyenda rulfiana, pero al escritor le representó un triunfo terrible que tuvo que pagar y que lo hundió en neurosis abismales, en amargura y en tarjeta de presentación del régimen.

Rulfo formaba con Juan José Arreola una pareja antitética y complementaria. Arreola ya había publicado su extraordinario libro *Confabulario* y, además, se convertía en un gran editor. En su colección Los Presentes publicó por primera vez (en México) a Julio Cortázar, y abrió la puerta de la literatura a mucha gente importante: Elena Poniatowska, Fernando del Paso, José Emilio Pacheco, José de la Colina y, especialmente, al joven Carlos Fuentes, que debutó con el libro de cuentos *Los días enmascarados*. En él se hallaban ya varios rasgos definitorios de este gran escritor: una capacidad narrativa fuera de serie, riqueza lírica y reflexiva, y el talento de saber fundir en un estilo propio e inconfundible las señas de identidad de otros: la obsesión mítica de Octavio Paz, la conciencia política de José Revueltas, el cosmopolitismo y alta cultura de Arreola y la desoladora mexicanidad de Rulfo. *Los días enmascarados* fue muy bien recibido, pero el gran despegue de Fuentes lo constituyó su ambiciosa novela *La región más transparente*, que en 1958 publicó el Fondo de Cultura Económica (Joaquín Díez-Canedo a cargo de la producción). Ostentando la influencia de *Manhattan transfer*, de John Dos Passos, *La región* fue un hito: estableció rumbos en cuanto a temática (la Ciudad de México como gran personaje), a la técnica (amplia experimentación, lirismo desatado, fusión de géneros), además de que recuperaba el aliento de los muralistas al "pintar" a la ciudad en un fresco inmenso; para entonces la Ciudad de México era una urbe considerablemente moderna (ya se configuraba el sector cosmopolita que en los sesenta se conoció como "zona rosa" en la colonia Juárez), pero aún limpia de hacinamiento y contaminación. El éxito mexicano de *La región* se extendió con rapidez a Estados Unidos y a Europa, y propició el surgimiento formal del horriblemente llamado "boom", o auge, de la literatura latinoamericana de los sesenta.

Octavio Paz publicó en ese periodo *La estación violenta*, que incluía el poema "Piedra de sol", su célebre obra maestra. Él, más Arreola y Fuentes y otros jóvenes entusiastas se divertían en la Casa del Lago del Bosque de Chapultepec con Poesía en Voz Alta, llevaban a cabo escenificaciones, recitales y se practicaba la antropofagia cultural.

Este grupo (sans Arreola) al final de la década se instaló en el periódico *Novedades*, formó el suplemento cultural "México en la Cultura", bajo la dirección de Fernando Benítez, y se autoproclamó Vanguardia Artística y Cultural Heredera de Alfonso Reyes y Los Contemporáneos. El grupo expandió su influencia cuando Fuentes y el aguerrido crítico literario Emmanuel Carballo dirigieron, al alimón, la *Revista de Literatura Mexicana*. En el suplemento de Benítez apareció Elena Poniatowska, quien además de su trabajo como prosista pronto se hizo célebre como entrevistadora, pues con una carita de lo más inocente dejaba caer preguntas terribles que nadie en sus cabales se habría atrevido a formular. A fines de los cincuenta también hizo su aparición Josefina Vicens que publicó *El libro vacío*, una especie de cinta de Moebius literaria que se contempla a sí misma. Igualmente brillaba Rosario Castellanos, pionera del feminismo, poeta de versos aparentemente sencillos y magnífica prosista, como dejó ver en su novela chiapaneca *Balún Canán*. En las antípodas, Luis Spota logró uno de los grandes éxitos de la década (y su mejor libro) con *Casi el paraíso*, que sacaba a balcón el provincianismo de los ricos mexicanos, siempre listos a reverenciar a los aristócratas europeos, aunque con facilidad les tomaran el pelo, como ocurre en el libro. También destacó Sergio Galindo con *El bordo*, y Emilio Carballido, sin dejar de triunfar en el teatro, pasó con éxito a la narrativa con su magnífica noveleta *El norte*. En la poesía, Jaime Sabines fue la máxima revelación, seguido por Jaime García Terrés (*Las provincias del aire*), y Tomás Segovia (*Apariciones*), Eduardo Lizalde y Marco Antonio Montes de Oca. En 1958 se publicó también *Picardía mexicana*. de A. Jiménez, que recogía los albures y chistes pícaros, como el del "gallito inglés", que se volvería su logotipo.

En la música popular, además de la invasión de los cubanos del chachachá, de los Churumbeles de España y del chileno Lucho Gatica, ("usted muge y yo gimo"), el público apoyó con gusto los grandes boleros de Álvaro Carrillo y a los trios románticos que en 1949 se echaron a andar con los Panchos, su requinto finísimo y la voz de Hernando Avilés. Los Panchos hilaron una serie de éxitos a través de excelentes boleros, como "Sin ti", "Rayito de luna" y "Me voy pal pueblo". Además, este trío puso la nota para los demás: requintos de nivel casi virtuosístico, combinación de voces apoyadas en un buen cantante, ritmos dulces y cadenciosos, generados por las maracas y la guitarra de apoyo, y, más que nada, composiciones de alta melodiosidad, versos claros y fuerte romanticismo. Los Tres Ases, con Marco Antonio Muñiz; los Tecolines, y, al final de la década, los Tres Caballeros, y los Dandys, de tintes dramáticos y abismales, constituyeron lo más destacado de la gran época de los trios. Qué bolerazos nos regalaron estos grandes músicos populares (siempre de traje y corbata), que, naturalmente, surtieron de arsenal musical a las sesiones de amigos, de todas las edades, que al calor de la armonía (y de las copas) sacaban las guitarras y, todos juntos, le entraban a los boleros, y, ya picados, a las canciones rancheras.

En éstas el maestro absoluto fue José Alfredo Jiménez, quien desde 1947 impresionó al respetable con sus clásicas "Yo" y "Ella", preludio de una rica serie de composiciones que él mismo se encargó de cantar, o, si no, Pedro Infante, Lola Beltrán o Lucha Villa. El talento de José Alfredo rayaba en la genialidad, y muchas veces le correspondió quintaesenciar aspectos del alma nacional, como en "La vida no vale nada" o "El rey", que manifestaban las realidades últimas de millones de mexicanos: perplejidad sana y esencial ante la existencia que subrayaba la desolación de una realidad social durísima para el pueblo. Sin embargo, si bien José Alfredo reveló los abismos contradictorios y sorjuanescos del amor, que llevaba a los hombres a llorar a las cantinas ("desarticuló la prédica del machismo y legitimó y promulgó las 'lágrimas de los muy machos'", dice Carlos Monsiváis), también manifestó la vía a través de la cual la sabiduría popular sorteaba los grandes problemas: "la vida no vale nada pero yo sigo siendo el rey": en medio de los conflictos más atroces se intuye que la condición humana es única y que, en el fondo, nada ni nadie puede evitar el valor que confiere el sólo hecho de estar vivo. A José Alfredo se le acusó de dipsomaniaco, desobligado, incapaz de enfrentar la realidad, de vivir en la cantina y de ser un machista irreversible, lo cual, naturalmente, es posible hallarlo en sus canciones, pero se pasó por alto que al expresar todo esto el compositor lo externaba, lo objetivaba y daba pie para la conciencia (y la ulterior transformación), además de que lo hacía con un extraordinario talento musical, a través de melodías muy bellas que sólo pueden acusarse de monótonas si se desconocen los mecanismos formales de la canción popular. Además, no dejaba de ser una gruesa hipocresía colectiva satanizar efectos conductuales del pueblo que respondían a realidades de extrema explotación, manipulación y paternalismo. Por otra parte, José Alfredo fue el vehículo de transición de la canción ranchera, que cada vez se alejaba más del campo, de los ranchos, y se asentaba en el cambiante medio urbano, lo que, posteriormente, generaría mutaciones terribles: las canciones "rancheras" de los años setenta con mucho rebasarían el espectro del machismo para llegar a las antípodas en el caso de Juan Gabriel.

La influencia de Estados Unidos se dejaba sentir con fuerza acumulativa en casi todos los órdenes de la vida mexicana, y la música no era excepción. De allá venía la parte final de la época de las grandes orquestas (Ray Anthony, Billy May, Ray Coniff al final de la década), que aquí fue reproducida por Luis Arcaraz ("viajera que vas"), Pablo Beltrán Ruiz y García "Whatchamacallit" Esquivel. Pero pronto el cambio sería radical y el gusto por estas orquestas y cantantes como Eddie Fisher se desvaneció ante el predominio de las preferencias de los jóvenes de clase media, que en un principio sucumbieron ante las chamarras de piel negra y la motocicleta estilo Hell's Angels de Marlon Brando en *El salvaje*, donde el actor de Elia Kazan inauguraría el tipo del joven marginal que rechaza las rigideces de la sociedad. En 1955 surgió el gran mito juvenil de James Dean que, poco después, con el estreno de *Rebelde sin causa*, causaría estragos aquí y en todo el mundo. Todos los chavos mexicanos se entusiasmaron con el carisma y el aire contracultural de James Dean y el pantalón de mezclilla acabó de popularizarse (las escuelas privadas los prohibían), junto con las calcetas blancas y la chamarra roja (las muchachas, por su parte, usaban tobilleras, crinolinas bajo la falda y cola de caballo). El llamado "rebeldismo sin causa" de la segunda mitad de los años cincuenta representó un cambio en las influencias estadunidenses. Por primera vez ya no fue el consumismo desatado o los dictados del Establishment lo que cundió, sino las primeras manifestaciones de la contracultura, que allá y aquí eran síntomas agudos de la inconformidad de los jóvenes ante el modelo de vida del anticomunismo y de los rígidos formalismos sociales. El vehículo de esta rebeldía era un fenómeno cargado de energía, vitalidad, alta tecnología y de irrebatible sensación de poderío: el rocanrol, forma musical que venía de los profundos estratos populares estadunidenses: la vida marginal de los negros en las ciudades y la tradición blanca del campo, que al incorporar la improvisación y la atmósfera marginal del jazz, y la cultura juvenil de las capas medias, generó un nuevo lenguaje universal para la expresión de los jóvenes que (primero inconscientemente) trataron de quitarse de encima la manipulación autoritaria de los adultos.

El rocanrol (que después sería simplemente "rock") pasó también a México y desde 1955 marcó hasta lo más profundo a muchos jóvenes. Esto no significaba nada más un fenómeno de dócil mimetismo, sino que constituía la manifestación de condiciones anímicas equivalentes en muchos jóvenes mexicanos citadinos y de clase media. Aquí también urgía una liberación emocional, pues eso fue en un principio el rocanrol.

Musicalmente, en un principio, el rocanrol en México fue hecho por adultos (la más joven era Gloria Ríos) que lo consideraban una moda más, que pasaría como pasaron el mambo y el chachachá; había que sacarle todo el jugo posible a esa nueva moda que iba proponiendo una estética "antiestética", donde los gritos y los aullidos eran de lo más normal, y la distorsión y el "ritmo frenético", parte natural del paquete, pero esto era algo que sólo podían hacer los jóvenes, lo cual ocurrió en nuestro país ya en 1957. Los Locos del Ritmo, los Teen Tops y los Black Jeans se encargaron de los primeros grandes éxitos. Lo lamentable, aunque comprensible, fue que los conjuntos mexicanos no compusieron su propio material en español y se dedicaron a traducir (o "refritear") los números más sonados del rocanrol gringo. Solamente los Locos del Ritmo, en un principio, crearon algo original: "Tus ojos", una balada convencional pero aceptable, y "Yo no soy un rebelde", que vino a ser un cuasihimno juvenil con sus planteamientos: "Yo no soy un rebelde sin causa, ni tampoco un desenfrenado, yo lo único que quiero es bailar el rocanrol y que me dejen vacilar sin ton ni son." Este aserto (más franco no podía ser) causó escándalo en la sociedad mexicana; no se veía que el querer pasarla bien y sin preocupaciones era algo perfectamente normal en esa edad, que los jóvenes ya estaban fastidiados de la incomprensión que implicaba verlos como "rebeldes

A fines de los cincuenta, resultó
que había una brecha
generacional

"Rebeldes sin causa" y rocanroleros, el terror de las buenas conciencias de fines de
los cincuenta

sin motivo", y que ellos manifestaban también los inicios de la agonía de todo un modo de ser y de vivir en México.

En los cincuenta se fue quedando atrás la vieja concepción rural de México. Fue el "adiós a la imagen nacional del charro y la china poblana", dice Carlos Monsiváis. La industrialización y el desarrollismo generaron formas de cultura urbana, pero también un franco proceso de cambios profundos en la identidad nacional; en lo peor se trató de una evidente desnacionalización, pero en sus mejores aspectos implicó empezar a tantear los nuevos rasgos del ser nacional. Surgían las primeras manifestaciones de una nueva sensibilidad y una nueva mentalidad que afloraría con claridad a fines de los sesenta y que en los años setenta y ochenta sería ya una realidad indiscutible.

Los jóvenes, "rebeldes sin causa", y el rocanrol fueron satanizados tajantemente por la sociedad, lo que denotaba precisamente la rigidez y la arterioesclerosis del sistema político-económico-social del país que llegaba a la intolerancia ante lo que podía sanearlo. Por el lado político se reprimía a maestros, ferrocarrileros e izquierdistas disidentes, y por el lado cultural se trató de aplastar a los jóvenes y sus aires de renovación. Ambas eran caras de la misma moneda que iniciaba una transformación en el país. Los ataques a los jóvenes crearon la llamada "brecha generacional" y ésta ocupó mucho espacio en la prensa, que atacaba virulentamente a comunistas y rocanroleros. Los chavos fueron denostados en todos los tonos y se llegó a extremos ridículos, como la campaña antirrocanrolera a raíz de las supuestas declaraciones de Elvis Presley: "Prefiero besar a tres negras que a una mexicana."

El autoritarismo en las familias, escuelas, empresas e instituciones; la paulatina pérdida de eficacia de la iglesia católica para proporcionar estabilidad sicológica a las masas, la estrechez de criterio propiciada por el anticomunismo, que fomentaba la irracionalidad y la recurrencia de métodos represivos, era considerada como forma imbatible en el trato a los jóvenes. Los valores tradicionales cada vez se diluían más ante la pérdida de sustancia y se convertían en ejercicios de pésima retórica, demagogia, o, peor aún, en uso consciente de lo que George Orwell, el Revueltas de los ingleses, llamaba "doble pensar": hacer valer las contradicciones más aberrantes o, simplemente, decir una cosa para hacer exactamente lo contrario.

El rock era una válvula de escape en aquellos días. Ni remotamente representaba un vehículo de una concepción de la vida, como ocurrió diez años después; en todo caso daba constancia de formas de la vida juvenil: la escuela, los ligues, las broncas con los papás, gustos, diversión y mucha energía. Los jóvenes tampoco eran desenfrenados, como se les acusaba, aunque algunas pandillas juveniles, que aparecieron en esa época entre la clase media, sí llegaron a cometer diversos desmanes, usualmente propiciados por la represión moral, como ocurrió durante el estreno de la película El *rey criollo*, de Elvis Presley, en el cine Las Américas (Parménides

García Saldaña, en su libro de relatos del mismo título, da una espléndida constancia de lo que allí ocurrió); más bien se rebelaban ante la rigidez y la intolerancia, ante la vaciedad de las propuestas de la sociedad, cuyas metas visibles consistían en el culto al dinero, el estatus, el "éxito social" y el poder. Estas premisas emergían por sí mismas de la naturaleza del crecimiento económico y eran estimuladas por las múltiples y sutilísimas formas de corrupción que habían llegado para quedarse. No se trataba de que los jóvenes emergieran como una fuerza especial en la vida política; más bien ellos fueron de los primeros en manifestar inconscientemente un orden insatisfactorio en lo esencial; lo único que reclamaban era que "los dejaran ser"; querían expresarse y desarrollarse en ambientes menos opresivos moral y culturalmente, por eso su rebeldía tuvo alcances profundos y complementó las luchas políticas de los obreros, y, como ellos, fueron combatidos y reprimidos con una virulencia insólita.

"Santa Madriza, patrona de los granaderos"

En 1955 el presidente Ruiz Cortines no era muy popular. De él la gente sólo destacaba su edad avanzada y por eso le decían el Príncipe Charro (que como se sabe era un eufemismo de "el Pinche Vetarro") y se le atribuía un viejo chiste: Ruiz Cortines metía la mano a la bolsa; sin embargo, ésta se hallaba agujerada, y el presidente decía: "¿Pasitas? ¿Cuándo compré pasitas?" Pero su administración, al menos momentáneamente, había salido de problemas económicos y proclamaba, orgullosa, que el crecimiento de 1954 había sido "como en las grandes épocas del alemanismo". Las exportaciones de ese año llegaron a verdaderos récords y Antonio Carrillo Flores, secretario de Hacienda, consideraba que la nueva política económica era lo que el país necesitaba después de la transición avilacamachista y el arranque inflacionario del alemanismo. Al fin se había llegado "al equilibrio", al "desarrollo estabilizador".

En primer lugar, se hizo a un lado la idea de no recurrir a los créditos externos, como había planteado Loyo en 1953, sino que, por el contrario, éstos se volvieron imprescindibles para el gobierno, que nunca quiso aplicar una rigurosa política fiscal, como en los países desarrollados, con el fin de crear condiciones ideales para los inversionistas, tanto extranjeros como del país.

Las exenciones y todo tipo de incentivos eran comunes para la empresa, así es que el gobierno sólo aplicó impuestos a la clase media y a los trabajadores (años después se sacaría de la manga feroces impuestos a la compra y tenencia de automóviles, "al valor agregado" y al "consumo suntuario"). Como tampoco se quería utilizar los depósitos y ahorros bancarios, lo mejor era someterse a préstamos internacionales, que entonces no tenían condiciones tan usureras como en los años ochenta. Los préstamos servían también para financiar a las empresas paraestatales, cuya política consistía en mantener relativamente bajos sus precios de productos y servicios, aunque

Grupos de estudiantes
derechistas queman revistas
"indecentes"

El PRI emprendió una "gran campaña de
reclutamiento" durante el ruizcortinismo

esto implicase que operaran con números rojos. La dependencia casi total a Estados Unidos no importaba demasiado, pues fuera del problema de los braceros, todo era "buena vecindad", y en 1958 la deuda externa era ya de 626 millones de dólares.

Ruiz Cortines reinició los gastos del gobierno, pero éstos se manejaron en forma moderada para no desatar los aumentos de precios. Los gastos por ningún motivo debían desequilibrar el presupuesto a fin de conciliar la estabilidad con el crecimiento. También se buscó la moderación en la política monetaria y se hicieron laberínticas operaciones bancarias para utilizar mejor los excedentes y para que no aumentara el circulante. Se acuñaron monedas de plata para los ahorradores que al comprarlas y guardarlas ayudaban a disminuir el dinero que circulaba. Por último, todo esto permitió que la nueva paridad del peso no sufriera demasiados embates y que se mantuviera fija en los 12.50 a lo largo del sexenio (y en los siguientes veinte años, pues sólo hasta 1976 se reinició el horror de las devaluaciones).

Sin demasiados problemas económicos el gobierno pudo enfocar la atención en las elecciones de diputados de 1955. El PRI inició una gigantesca campaña de afiliación para llegar, modestamente, a dos millones de militantes, el 20 por ciento de la ciudadanía. Para lograrlo se incorporó al PRI a todos los trabajadores del estado. Naturalmente, las afiliaciones no fueron individuales sino corporativas, así es que buena parte de los miembros del PRI eran "cautivos". Otros se enrolaron con gusto por su propia voluntad, pues advirtieron que el partido oficial era el boleto seguro para tener trabajo o para hacer negocios. Y como el gobierno estaba acostumbrado a maquillar a su gusto los resultados de las votaciones hay bases para suponer que el toque Max Factor también coloreaba la espectacular cifra de tres millones de mexicanos ("un millón 230 mil eran mujeres", se dijo ufanamente) que en 1955 contaba el PRI. Sólo el Partido Comunista de la Unión Soviética manejaba semejantes cantidades de miembros.

Para escoger candidatos a diputados y a siete gubernaturas Ruiz Cortines recurrió al entretenido sistema de la elección personal y el "palomeo" de candidatos propuestos por las tres corporaciones del PRI. De más está decir que la apatía del pueblo en estos comicios fue semejante a la de los anteriores, y dada la notoria debilidad de la oposición, el partido oficial ganó cómodamente y una vez más aplicó la política del "carro completo". Ya se habían quedado atrás las disensiones de viejos militantes y la disciplina de la "familia revolucionaria" cada vez mostraba hallarse mejor aceitada. Todos los políticos y el sector privado y las fuerzas vivas acataban las reglas del juego, las disposiciones no escritas, intangibles, que sin embargo pesaban cada vez más y empezaban a rigidizarse.

El ex presidente Alemán se manejaba con suma discreción, pero su hijo Miguelito, entonces de 24 años, halló las puertas abiertas en los negocios. Mediante una serie de operaciones relámpago, Miguel Alemán Velasco compró, a 10 pesos el metro, 5 millones y medio de metros cuadrados en los límites del D.F. y el estado de México y así creó el fraccionamiento Ciudad Satélite con su compañía Urbanización Nacional. Miguelito se reservó 60 mil metros cuadrados para levantar su propia residencia y para "fines comerciales". Pero en 1956 todo parecía en calma total, aunque, por supuesto, por debajo se gestaban conflictos agudísimos que en ese momento casi nadie era capaz de prever. Fidel Velázquez se había ganado la "confianza" absoluta de gobierno y empresarios, y por eso nadie quiso impedir que el otrora lechero y para entonces viejo lobo lograse lo que se proponía desde siempre: reelegirse *ad nauseam* en la secretaría general de la CTM. Los trabajadores de la industria textil, debidamente aleccionados, propusieron la reelección. Nadie chistó en la CTM. Como el presidente, Velázquez disponía ya del control total, casi sin fisuras, entre sus sindicalizados. Este control se había llevado a cabo a través de todo tipo de maniobras y de acciones de franco pistolerismo, que obligaban a muchos sindicatos a integrarse en la gran central y a aceptar los líderes que se les habían impuesto. El sistema obrero era un círculo concéntrico, un reflejo del sistema político nacional, tal como lo eran ya, o lo empezaban a ser, muchas instituciones de la vida nacional. Fidel Velázquez sabía manejar la "retórica revolucionaria" y era un experto en "dorar la píldora" para que los obreros más lerdos pudiesen creer que hacía algo por ellos. Los otros, los que se daban cuenta, o se hallaban coludidos en el juego o eran "purgados" de las filas sindicales, si no es que terminaban en la cárcel o en los panteones. La riqueza de los líderes obreros ya era escandalosa; además de los cinco coyotes y de sus inmediatos también destacaba ya el poderío y la riqueza de otros líderes obreros, como Luis Gómez Z. y su ex contrincante el Charro Díaz de León; o de Manuel Sánchez Vite, del Sindicato Nacional de Trabajadores de la Educación (SNTE), para sólo citar algunos ejemplos ilustres de la época.

Después del amago de la Temible Huelga General de 1954, a Fidel Velázquez le gustó mostrarse avalentonado y exigente para acabar aceptando lo que le proponían desde un principio. O menos. Uno de estos ejemplos lo dio en las negociaciones para fijar el salario mínimo de 1958. Fidel pidió 48 pesos y adujo que con esa cantidad los trabajadores apenas podrían obtener sus necesidades básicas, lo cual, claro, era correcto; sin embargo, el salario mínimo de 1957 era de 11 pesos, y Conciliación y Arbitraje fijó el de 1958 en 12, y ése fue el que se quedó.

A fines de 1956 la atención se fijó en el Instituto Politécnico Nacional (IPN), cuyo director era el millonario Alejo Peralta. En aquella época se daba alojamiento y alimentación a algunos estudiantes de provincia, y éstos, encabezados por Nicandro Mendoza, presidente de la Federación de Estudiantes Técnicos (FNET), iniciaron movilizaciones que Ruiz Cortines acabó por aplastar. En septiembre, el ejército tomó las instalaciones del IPN; se detuvo a cientos de estudiantes, se clausuró el internado y Nicandro Mendoza fue a dar a la cárcel.

En 1957 las exportaciones siguieron cayendo (el auge de 1955 sólo

153

había sido una excepción), la producción agrícola fue muy mala, las importaciones de insumos aumentaron, la deuda externa crecía, los especuladores procedieron a retirar sus capitales y se redujo la capacidad para adquirir artículos manufacturados. El gobierno, prudentemente, hizo a un lado el optimismo autojustificatorio de los años anteriores y como solución a los problemas sólo se le ocurrió la brillante y original idea de recurrir a los préstamos del exterior, pues sólo así evitarían aumentar impuestos, poner controles de cambio, devaluar la moneda o reiniciar la pesadilla de los aumentos de precios. De nuevo se restringió, hasta donde era posible, el gasto público, se aumentaron los créditos en alguna medida y se trató de ampliar las exportaciones. Todo esto sirvió, pero no se pudo evitar la escasez de productos y el aumento del costo de la vida. Para colmo de males, un terrible temblor sacudió la Ciudad de México, derribó el ángel de la Columna de la Independencia, y causó daños materiales, además del susto mayúsculo de los chilangos.

En medio de las nuevas dificultades económicas, que una mínima planificación hubiera podido prever, Ruiz Cortines se enfrentó a lo que Alemán llamaba "el paso más difícil para un gobernante" (mexicano, por supuesto): designar a su sucesor. Desde un principio Ruiz Cortines se deleitó haciendo creer a mucha gente que sus simpatías se hallaban puestas en el secretario de Salubridad, el doctor Ignacio Morones Prieto, a quien no dudó en llamar "un nuevo Juárez". Éste, por supuesto, se sentía con anuencia para ganar adeptos y hacer negociaciones "a la mexicana", esto es: dentro del máximo sigilo y sin ventilación pública, lo que en la década siguiente se llamó coloquialmente "la grilla" o "la tenebra".

El otro "precandidato" con fuerza y apoyos era el ministro de Agricultura Gilberto Flores Muñoz (quien años después sería asesinado a machetazos, al igual que su esposa, la escritora que firmaba con el nombre Ana Mairena). Ángel Carvajal también se sentía con posibilidades de obtener la designación de Ruiz Cortines y ya había iniciado sus trabajos para fortificarse. Pero los que "sonaban" más eran Morones y Flores Muñoz. Incluso se decía que María Izaguirre, la segunda esposa de Ruiz Cortines, en todas partes presentaba a la esposa de Flores Muñoz como "la futura primera dama". También se cuenta que una vez Ruiz Cortines se hallaba en acuerdo con Flores Muñoz; de pronto mandó llamar al secretario de Hacienda y le indicó: "Haga lo necesario para que todos los documentos y papeles de la secretaría de Agricultura queden limpios. Ya se viene la política y este Pollo", así llamaba a Flores Muñoz, "tiene que estar limpio. Ya sabemos, por lo demás, que lo está. Pero vea con interés el asunto que le pedimos. Sin demora, por favor". El secretario de Agricultura, de cualquier modo, algo se olió, y comentó que se decía que el sucesor era López Mateos. "Eso andan diciendo por ahí, Pollo, eso andan diciendo", respondió Ruiz Cortines. Éste, después, llamó a Agustín Olachea, el líder del PRI, y le preguntó "quiénes sonaban para la grande". Olachea mencionó a Flores Muñoz, a Ángel Carvajal y al doctor Morones Prieto, "honesto como Juárez, como Juárez austero, como Juárez patriota", lo calificó Ruiz Cortines. "¿Y qué se dice de López Mateos", preguntó al final. "Que está muy tierno", respondió el líder del PRI. De cualquier manera el presidente le ordenó que investigase si, como se decía, López Mateos era protestante. En todo caso, Olachea regresó con los informes sobre López Mateos (no era protestante; Evita, su esposa, sí, pero no practicante); ante esto, el presidente exclamó: "Ni siga, general, ¡ése es, ése es!" En realidad, casi nadie hablaba de López Mateos, quien aunque se había distinguido en la solución de los problemas obreros de 1954, no buscaba adeptos ni parecía interesado en la presidencia. Por tanto, fue una sorpresa mayúscula para políticos, observadores y "expertos" que el dedazo fuese a favor de éste. Según el cacique Gonzalo Santos, Ruiz Cortines lo escogió porque lo vio como "un hombre descolorido" que se podría manejar a control remoto. "La revolución se iba a dividir", cuenta Santos que le explicó Ruiz Cortines para justificar su decisión por López Mateos, "pues Morones adquirió mucha fuerza y Flores Muñoz también ha arrastrado contingentes para su candidatura y entonces optamos por salvar primero la unidad de la revolución". En todo caso, López Mateos resultó "la chica". Para seguir con los chismes insidiosos del resentido Santos (ya que en los años setenta el presidente Echeverría ordenó una campaña contra su cacicazgo, califato o prebostazgo; y después López Portillo le expropió la finca Gargaleote): López Mateos "era hijo natural de un español asturiano llamado don Mariano Gerardo López." También se rumoraba que López Mateos ni siquiera era mexicano, natural o no, sino guatemalteco.

En 1957 ya no hubo disensiones dentro de la familia revolucionaria y todo mundo acató la decisión de Ruiz Cortines. López Mateos tenía cierta fama de "izquierdista" pues en su juventud había apoyado a Vasconcelos; como, además, los principales problemas que empezaban a crecer se hallaban entre los obreros, la designación del secretario de Trabajo resultaba consecuente. El consenso a favor de López Mateos fue tan rotundo que incluso el Partido Popular se adhirió a su candidatura, así es que la única oposición que tuvo el PRI fue por parte del Partido de Acción Nacional, que propuso a Luis H. Álvarez para competir por la presidencia.

Una de las primeras cosas que hizo López Mateos fue nombrar a Alfredo del Mazo Vélez como coordinador de su campaña, pues el presidente del PRI, Agustín Olachea, no garantizaba; "eran evidentes sus limitaciones", se decía.

Pero la atención que generan las campañas presidenciales aminoró ante el alud de problemas que surgieron en 1958. Desde principios de año, los campesinos manifestaron su descontento y desesperación por el franco abandono al que los sometió la Revolución Mexicana, que sólo se acordaba de ellos cuando requería grandes contingentes de acarreados, y a cambio de una torta y un refresco, eran montados en camiones de redilas para vitorear a funcionarios. 2 mil campesinos invadieron terrenos privados en Sinaloa, donde había muchos latifundios disfrazados. El ejército sitió a los invaso-

Imagen oficial de los campesinos
y los precios

En la terca realidad, cada vez más
campesinos empobrecidos emigraban a la
ciudad de México

res pero éstos rehusaron salir de allí, lo que provocó situaciones muy tensas. La prensa responsabilizaba a Jacinto López, dirigente de la Unión General de Obreros y Campesinos de México (UGOCM), de instigar a los invasores. Gilberto Flores Muñoz, secretario de Agricultura, voló a Sinaloa, formó una comisión para estudiar el caso y Flores Muñoz acabó entregando 4 mil 840 hectáreas a casi 500 familias. Se anunció que en breve se otorgarían 14 mil hectáreas más.

Poco después los jornaleros agrícolas de La Laguna, desempleados, organizaron invasiones-relámpago: permanecían unos días en los terrenos y después se desplazaban a otros. Flores Muñoz fue allá también y nuevamente se responsabilizó a Jacinto López y a la UGOCM. Las invasiones continuaron en Sonora, Nayarit, Colima y Baja California. El ejército desalojó a los campesinos en casi todas partes. Cayó arrestado Gregorio Hernández, de la UGOCM, quien aseguró que Jacinto López había ordenado las invasiones. Con esto, el gobierno se lanzó contra López, en julio lo arrestó en Cananea, Sonora, y se le encarceló con cinco de los suyos en calidad de vulgares delincuentes comunes. Pero había que hacer algo para evitar la epidemia de invasiones de tierras.

Ruiz Cortines en todo su mandato prácticamente se había olvidado de la vieja tradición de la revolución de repartir tierras (ya se sabe que por lo general eran cerriles, además de que infinidad de veces la maraña burocrática impedía que los beneficiados tomaran posesión de los predios). Pero ante los problemas optó por confiscar el latifundio de Cananea, que constaba de 500 mil hectáreas y, además, pertenecía a la Cananea Cattle Company, que la adquirió de la familia Green. En agosto finalmente tuvo lugar la expropiación que, por supuesto, fue generosamente indemnizada por el gobierno a 125 pesos por hectárea, de inmediato y en efectivo. Los agricultores se pusieron muy contentos, pues, como en las épocas de Ávila Camacho, las expropiaciones resultaban excelente negocio. El acarreo de campesinos para la ceremonia del reparto fue espectacular, y así Ruiz Cortines concluyó su mandato presumiendo de gran benefactor de los campesinos cuando en casi todo su sexenio los mantuvo en el abandono. Jacinto López, en la cárcel, fue uno de los primeros líderes que pudieron apreciar las bondades del "presidente agrarista".

Las invasiones de tierra ocuparon los titulares de los diarios en la primera parte de 1958, pero pronto la atención pública se desplazó hacia la cuestión de los maestros, que después de las "rectificaciones" y de la cacería de brujas que Ávila Camacho desató contra los "maestros comunistas-cardenistas", éstos habían sido domesticados con la creación del Sindicato Nacional de Trabajadores de la Educación. El SNTE pronto se convirtió en uno de los gremios más corruptos del país, a pesar de lo alarmante que resultaba que la educación de los niños mexicanos estuviera en semejantes manos. Primero Jesús Robles Martínez y después Manuel Sánchez Vite se encargaron de amasar enormes fortunas que les dieron reputación caciquil. El SNTE, por supuesto, fue solapado por el gobierno en todo momento, pues, como la CTM, respaldaba las políticas oficiales y acarreaba no sólo maestros a los actos públicos sino también enormes contingentes de niños de las primarias oficiales que ni siquiera recibían una paleta Mimí. Los salarios de los maestros siempre fueron contenidos y todo brote de rebeldía se aplastó, así es que en el magisterio se fueron avivando los descontentos. En 1956 los profesores de primaria del Distrito Federal, inconformes con el aumento del 14 por ciento obtenido por el SNTE, organizaron un mitin de protesta, convocado por Othón Salazar y Encarnación Pérez Rivero quienes exigieron un aumento salarial del 30 por ciento. Othón Salazar se ganó la estima y la confianza de los maestros, y éstos trataron de llevarlo a la directiva del comité seccional del D.F. Pero el SNTE cerró filas y evitó el ascenso de Othón. Por tanto, los maestros de primaria del D.F. organizaron su propio congreso y eligieron a Salazar y a Pérez Rivero. El gobierno desconoció estos nombramientos y dio todo su apoyo al SNTE. Ante eso, Othón Salazar creó el Movimiento Revolucionario del Magisterio (MRM) y empezó a extender su influencia, además de que logró despertar el apoyo entusiasta de los estudiantes normalistas, ya que Othón fue líder de ellos en sus épocas de alumno.

Con esta fuerza, y consciente de que un año de elecciones tendría que matizar la naturaleza represiva del régimen, Othón Salazar organizó una gran manifestación en abril de 1958 que llegó al zócalo de la capital para exigir el aumento que habían pedido dos años antes y que naturalmente nunca se concedió. Eran 100 mil participantes entre maestros, estudiantes, ferrocarrileros, telegrafistas y petroleros. Ruiz Cortines, sin embargo, quiso escarmentar a los maestros y de paso a los ferrocarrileros y a los telegrafistas que también se habían rebelado, y ordenó a los granaderos que disolvieran la manifestación. El cuerpo de granaderos, como de costumbre, desplegó una brutalidad desproporcionada y atacó ferozmente a los manifestantes que huían aterrados.

Dolidos por el castigo, los del MRM ordenaron huelga en todas las primarias de la Ciudad de México hasta que se les concediese el aumento pedido. Mucha gente apoyó a los maestros y los estudiantes normalistas organizaron nuevas manifestaciones en abril que cada vez lograban conjuntar más gente del pueblo. Y, aunque la SEP y el SNTE declararon que el paro de maestros era un fracaso, la verdad es que la huelga había tenido un gran éxito. Las demás secciones del SNTE se apresuraron a condenar al MRM y la SEP, dirigida entonces por Ángel Ceniceros, se negó a entablar pláticas con Othón Salazar, ya que "no era representante legítimo". Ante eso, los maestros establecieron un plantón permanente en los patios de la SEP, que se convirtió en una verdadera fiesta popular. Había música, discursos a todas horas y colectas de solidaridad.

La prensa, también como era de esperarse, criticó duramente a los maestros, especialmente porque, como cita Olga Pellicer de Brody, "el edificio de la SEP es teatro de un lamentable y bochornoso espectáculo. . . mujeres y niños duermen allí, hacen café y toman sus alimentos". El secretario de

El regente Uruchurtu dotó de nuevos transportes, conocidos como julias, a la policía capitalina

Ruiz Cortines acabó con el henriquismo lo más pronto posible

Manifestación de estudiantes en 1958

la presidencia, Benito Coquet, inició las conversaciones con Othón Salazar, y el 12 de mayo el secretario de Educación informó que se pagarían los sueldos de los huelguistas correspondientes a mayo. Durante las fiestas del día del maestro, el viejo zorro Ruiz Cortines tomó la palabra y a su vez anunció que a partir del primero de julio (a unos días de las elecciones), se otorgaría un aumento de sueldo a los maestros. Con esto, Othón ordenó que se despejaran los patios de la SEP y que se levantase la huelga el 3 de julio. Era consciente de que habían obtenido una victoria sustancial gracias a la coyuntura de las elecciones presidenciales, pero también de que su situación aún era difícil, pues la secretaría del Trabajo no reconocía al MRM como representantes de la sección IX del sindicato; además, a pesar de que su popularidad se extendía, el movimiento magisterial sólo había abarcado a la Ciudad de México. Una vez pasadas las elecciones era muy probable que el gobierno ''se cobrara la afrenta'' y, para evitarlo, había que fortalecer al máximo al MRM.

Para esas mismas fechas el movimiento ferrocarrilero también sacudió al país. Desde 1948, cuando Miguel Alemán nos dio el charrismo e inauguró la moda de encarcelar a líderes rebeldes, los ferrocarrileros quedaron a merced de un sindicato absolutamente servil al gobierno que, como reflejo, le impuso condiciones rígidas y autoritarias. Ya durante la gestión ruiz-cortinista, Roberto Amorós fue nombrado gerente de Ferrocarriles y en el acto mostró su naturaleza despótica y trató a los ferrocarrileros con una mano verdaderamente dura, especialmente en 1954, cuando se dio un movimiento ''tortuguista'' y Amorós despidió a numerosos trabajadores para ''frenar la agitación''. Las condiciones de trabajo eran sumamente duras, y la posibilidad de obtener mejores condiciones salariales, de por sí remotas durante el desarrollismo, resultaron casi imposibles en Ferrocarriles, que, por otra parte, vertiginosamente se iba quedando atrás en la vida del país. A diferencia de la década anterior, cuando los trenes aún eran indispensables, a fines de los cincuenta, la industria y el comercio se habían inclinado por otros medios de transporte, y los ferrocarriles se fueron rezagando especialmente en cuanto a la renovación y modernización del equipo.

Las pésimas condiciones de trabajo amenazaban con volver explosiva la existencia de Ferrocarriles. En 1957, después de que por fin se concedió un aumento sustancial, aunque aún insuficiente, Jesús Ortega tomó posesión de la secretaría general del sindicato y en el acto soltó la amenaza de que cualquier ferrocarrilero que protestara sería ''reo de disolución social''. En 1958 un grupo de rieleros insistió en que sus salarios eran los más rezagados de toda la clase obrera y así se propuso la creación de una Gran Comisión Pro Aumento de Salarios que se formaría con representantes de cada sección del SNTFRM. Esta idea le desagradó al comité ejecutivo, pero ante la aceptación unánime de la propuesta no tuvo más remedio que apoyarla. La comisión se constituyó en mayo de 1958 y como representante de la sección 13 fue nombrado Demetrio Vallejo, quien poco después la presidiría. Jesús Ortega desde un principio intentó sabotear los trabajos de la gran comisión e incluso trató de disolverla, pero no pudo, y el 9 de mayo Vallejo y los demás representantes concluyeron que era necesario un aumento de 350 pesos mensuales para todos los ferrocarrileros de cualquier jerarquía. Tanto Amorós como Ortega exclamaron que la petición era desmesurada, pero Vallejo explicó que con ese aumento los ferrocarrileros apenas alcanzarían el nivel de salarios de 10 años atrás. Como todo el gremio apoyaba a la comisión, el sindicato no tuvo más remedio que acceder a solicitar el aumento, aunque lo redujo a 200 en vez de los 350 pesos acordados. Como en mayo las invasiones de tierra estaban en su apogeo, al igual que las acciones de Othón Salazar y el MRM, el gobierno decidió ser cauteloso ante la inminencia de las elecciones y el presidente Ruiz Cortines declaró que convocaría a los secretarios de Economía y Hacienda para estudiar la petición de los ferrocarrileros.

Ante eso, Ortega se reunió, cordialmente, con Amorós y le planteó la petición de los 200 pesos mensuales. El gerente pidió dos meses para estudiar la petición. La gran comisión al instante rechazó semejante lapso de tiempo y además planteó que los 200 pesos que había pedido el sindicato no bastaban, había que luchar por los 350, deponer a los líderes locales y presionar al comité ejecutivo para que reconociese a los nuevos dirigentes. Esto se conoció como el Plan del Sureste, porque lo propuso el delegado de Chiapas y fue apoyado por Demetrio Vallejo y la sección 13. Para mostrar que ellos no amagaban para "negociar" al estilo Fidel Velázquez, las bases depusieron al comité ejecutivo de la sección a la que pertenecía Vallejo. Se planteó que pedir 60 días para resolver el problema era dar largas al asunto, y por tanto se puso un plazo de diez días tanto a la empresa como al comité ejecutivo del sindicato. Este plazo se iniciaría el 16 de junio y terminaría el 25. Si para entonces la respuesta era negativa, o se les ignoraba, se realizaría un paro de dos horas. Si después de eso la negativa persistía los paros continuarían, sólo que se les aumentarían dos horas cada día que transcurriese.

Esta resolución se tomó el 11 de julio. Para entonces los maestros habían logrado que el gobierno cediera a sus primeras peticiones, pero otros gremios también habían requerido ya aumentos de salario, y los telegrafistas (que crearon la Alianza de Telegrafistas para contrarrestar al sindicato), los petroleros, telefonistas y electricistas se mostraban más exigentes. Mucha gente del pueblo simpatizaba con estos movimientos y había asistido a las manifestaciones del MRM. Los estudiantes de nivel superior también se solidarizaron con los obreros y no sólo eso: como los transportes urbanos de la ciudad habían elevado sus tarifas, los muchachos protestaron y secuestraron unidades, así es que Ruiz Cortines ordenó que el ejército ocupara las instalaciones del Instituto Politécnico Nacional. Todas estas muestras de inconformidad de tanta gente eran insólitas en el país, y las elecciones, ya muy próximas, se veían amenazadas por el clima de rebelión. Con frecuencia había mítines y manifestaciones, y mucha gente ajena a todo ello, especialmente jóvenes de la clase media, se acostumbraba a ir a la calle a protestar. Ante eso, el gobierno trató de implantar una especie de "equilibrio estabilizador" a través de la alternancia de represión y concesiones cuando no quedaba otro remedio.

1958 era un año explosivo (como lo fue, en mucho menor medida, 1948, y, en mayor magnitud, 1968 y 1988), pero aun así el gerente Amorós persistía en su política de desdén olímpico hacia los trabajadores de su empresa. Prácticamente no hizo nada para conjurar el plan del Sureste y la posibilidad de los paros escalonados y progresivos; se reunía con la gente del sindicato calmosamente y al parecer daba largas al asunto. En cambio, Vallejo y los del sureste recorrían las secciones del sindicato para consolidar la unión en caso de que los paros tuvieran que realizarse. El 25 de junio Jesús Ortega rechazó el plan del Sureste y la pretensión de obtener 350 pesos. Amorós, por su parte, dijo que sólo trataría con "los representantes legales del sindicato".

No quedó más remedio que suspender las labores. Para el pasmo de gobierno, Amorós y Ortega, el paro abarcó a la totalidad de los trabajadores de Ferrocarriles. No hubo el más mínimo desorden y, una vez concluidas las dos horas, las actividades se reanudaron tranquilamente. Esa vez nadie pudo urdir, como se dijo en el caso de los maestros, que "el paro había sido un fracaso". A partir de ese momento se empezó a decir que los comunistas trataban de desquiciar al país y que el autor intelectual de los sucesos no era otro sino el temible Valentín Campa. De cualquier manera al día siguiente el paro fue de exactas cuatro horas, y todo mundo se empezó a preocupar en serio.

La prensa ya estaba caliente en las condenas a los ferrocarrileros. El 28 de junio el paro empezó a las diez de la mañana y, en perfecto orden, concluyó a las cuatro de la tarde, exactamente seis horas después. A la una de la tarde se llevó a cabo una gran manifestación en el zócalo, "para entrevistarse con el presidente". Claro que Ruiz Cortines no se apareció ni los recibió, pero los manifestantes sí pudieron ver a los granaderos y al ejército, que les propinaron una paliza y los disolvieron. Al mismo tiempo, Amorós comprendió, hasta entonces, que las cosas iban en serio y se reunió con la gran comisión. Propuso un aumento de 180 pesos. La comisión había reducido la petición a 250. No hubo acuerdo, pero Amorós dijo que "el presidente estaba muy preocupado" y deseaba entrevistarse con los rebeldes. El paro de ese día ya había causado muchos problemas y las pérdidas de dinero eran cuantiosas. Las elecciones tendrían lugar en seis días, y el gobierno estaba muy preocupado.

El 29 de junio la suspensión de labores fue de ocho horas, y un día después, cuando el paro cubrió las diez horas, el presidente recibió a la gran comisión y propuso un aumento de 215 pesos. Al instante los ferrocarrileros aceptaron la propuesta y los paros se suspendieron. Para entonces los trabajadores "del riel" exigían ya la caída de Jesús Ortega y que se efectuaran elecciones para elegir un nuevo comité ejecutivo. Demetrio Vallejo, por su parte, ya era presidente de la gran comisión y sugirió que el mismo Ortega renunciase para evitar mayores problemas.

Las elecciones, que habían resultado providenciales para maestros y ferrocarrileros, pudieron celebrarse sin problemas y, conforme a los pasos del proceso electoral, días después se informó que el candidato del PRI, Adolfo López Mateos, había obtenido el triunfo absoluto sobre su adversario Luis H. Álvarez, del PAN. Una vez arregladas las cifras a conveniencia del gobierno, resultó que López Mateos había obtenido el 90.43 por ciento sobre el escaso 9.42 (705 mil votos de cerca de nueve millones y medio de votación). El PRI se consolidaba definitivamente como "aplanadora de carro completo".

La cuestión electoral había sido resuelta, pero seguían más vivos que nunca los conflictos obreros, con dos líderes populares que lograron sendos triunfos ante el pesado aparato oficial. Además, ya se había generado un movimiento independentista en el sindicato petrolero (un año después tomaría control del sindicato Joaquín Hernández Galicia, mejor conocido como La Quina, quien durante 20 años haría su real gana y obtendría cantidades demenciales de dinero) y muchos obreros más estaban encrespados, así es que el gobierno reprimió a los petroleros, negó el registro a la Alianza de Telegrafistas, allanó las oficinas del Partido Comunista y encarceló a partidarios del líder ferrocarrilero para tratar de contrarrestar los éxitos de Othón y de Vallejo, quienes, a mediados de agosto, eran vistos como virtuales ganadores de las elecciones en sendos congresos. Como Vallejo era un hueso más difícil de roer, la atención se desplazó hacia los maestros. Tuvo lugar el congreso que pedía el MRM, en el que triunfó Othón (con una ovación que duró 35 minutos), pero también el SNTE realizó el suyo, lo que implicó que las autoridades continuarían desconociendo legalmente al MRM, que, para presionar, organizó una manifestación el 8 de septiembre. Ésta fue apoyada por ferrocarrileros, obreros descontentos de todo tipo, estudiantes y pueblo en general de la Ciudad de México. Pero el gobierno venía decidido a acabar con el problema de los maestros. La manifestación fue reprimida con lujo de violencia por el ejército, granaderos y policías; los manifestantes respondieron con piedras y bombas molotov, pero fueron dispersos y hubo muchos heridos y arrestados. Entre éstos se hallaban, precisamente, Othón Salazar y Chon Pérez Rivero, quienes fueron a dar a la cárcel de Lecumberri y se convirtieron en presos políticos notorios que al instante ameritaron el apoyo de todas las débiles fuerzas de izquierda.

En tanto, Ángel Carvajal, secretario de Gobernación, entabló conversaciones con los líderes restantes del MRM y con el líder del SNTE Enrique W. Sánchez. Gobernación se negó rotundamente a liberar a Salazar y a Pérez Rivero pero accedió a que se llevara a cabo un nuevo congreso de la sección IX, en la que el MRM obtuvo la victoria. Sin embargo, Othón seguía en la cárcel y, sin él, la causa de los maestros de primaria del D.F. parecía, a la larga, condenada de antemano. En efecto, ya en 1960, el SNTE

Racha de manifestaciones en 1958

Represión a los ferrocarrileros y maestros en 1958

no tuvo problemas para desconocer y destituir a los líderes del MRM en la sección IX.

En cuanto a los ferrocarrileros, el gobierno ya había iniciado algunas acciones represivas en su contra; además de que el líder regiomontano Román Guerra Montemayor había sido torturado y asesinado en Monterrey, y de que se arrestaran a militantes cercanos a Vallejo, el gobierno confiaba en que estas intimidaciones suavizaran el comportamiento del líder principal; se apresuró la renuncia de Ortega a la secretaría general del SNTFRM, pero el nuevo líder, Salvador Quesada, también desconoció a Vallejo y anunció sanciones contra sus seguidores.

La gran comisión, por su parte, ignoró estos movimientos en el sindicato y realizó su convención, que eligió a Demetrio Vallejo. Por su parte, el nuevo comité ejecutivo encabezado por Salvador Quesada el mismo día también organizó su convención, en la que amenazó con mandar a la cárcel a los opositores y denunció que éstos estaban en manos del Partido Comunista, el Partido Obrero Campesino Mexicano (POCM) y el Popular (que como cambio espectacular añadió el irónico calificativo "Socialista" a su denominación y se convirtió en PPS). La verdad es que Vallejo sí consultaba a estos partidos, y él mismo militaba en el POCM. De nuevo se responsabilizó a Valentín Campa de instigar los paros. La CTM, naturalmente, apoyaba a Quesada, y Fidel Velázquez descalificó a Vallejo y a la gran comisión: "Se realizaron paros ilegales, huelgas locas", dijo, "manifestaciones tumultuosas, invasión de locales sindicales y de edificios públicos, atentados a las vías generales de comunicación, ataques e insultos al gobierno, agresiones contra los intereses y la vida de particulares y encuentros con la policía en la vía pública que crearon un clima de alarma e intranquilidad. Se trata de una verdadera conjura del comunismo internacional para provocar la desarticulación en el medio social de los pueblos que son un objetivo, para apoderarse primero de los puntos estratégicos de la dirección del movimiento obrero, del campesino, de la burocracia, de órganos de difusión como la prensa, la radio y el propio gobierno, para después extender su hegemonía hacia el control absoluto de las instituciones".

Por su parte, Vallejo convocó a una manifestación más, pero esta vez para agradecer al presidente por el alza. En ese contexto las fuerzas públicas se abstuvieron de atacarlos, pero se vigiló la manifestación con un abultadísimo número de policías. Vallejo decidió aprovechar el vuelo que traía y lograr que gobierno y empresa reconocieran al comité ejecutivo emanado de la convención. Si esto no ocurría, nuevamente se haría un paro de dos horas que, cada día que pasara, aumentaría en otras dos horas como la vez anterior. Como Ferrocarriles no respondió, el día 26 de julio tuvo lugar el paro, a pesar de la fuerte presión y de las intimidaciones contra los ferrocarrileros para que no siguieran secundando a los líderes rebeldes.

Esta vez el gobierno ya no dejó pasar más tiempo, pues sabía que Vallejo no iba a desistir. El secretario de Gobernación ese mismo día convocó a pláticas y puso como condición que se detuvieran los paros. Vallejo aceptó y durante varios días las negociaciones se estancaron, pues cada parte se mantuvo en lo suyo y no quiso ceder. Gobernación incluso ordenó que las fuerzas públicas disolviesen "cualquier mitin" y Vallejo avisó que se reiniciarían los paros: de dos horas el 31 de julio y se añadiría una hora más cada día que transcurriera sin respuesta favorable. El primer paro se llevó a cabo, y como los del ciclo anterior, fue ordenado y total en todo el país. Para entonces la prensa ya no sólo insultaba a los ferrocarrileros en rebeldía sino que exigía que se les reprimiera. La iniciativa privada igualmente pedía la represión, con franca beligerancia por parte de los comerciantes.

Ante eso, el gobierno, ya desesperado, se decidió por el uso de la fuerza. El 2 de agosto el ejército se posesionó de todas las instalaciones ferrocarrileras en el país, la policía efectuó arrestos en todo el país, pero, en ese momento, Demetrio Vallejo no fue molestado; los detenidos fueron consignados por daño en propiedad ajena y la empresa avisó que todos los paristas tenían que regresar a trabajar o de lo contrario también serían encarcelados y despedidos de sus puestos. Sin embargo, este despliegue de fuerza más bien fortaleció la unidad de los obreros, quienes continuaron el paro. Ante eso, el gobierno cedió: decidió liberar a los presos y aceptó la realización de nuevas elecciones en el SNTFRM. Las tropas empezaron a salir de Ferrocarriles y el paro concluyó el 7 de agosto. La situación estaba ardiente. A fines de ese mes los estudiantes llenaron el zócalo con camiones secuestrados y quemaron algunos. El 30 de agosto quemaron dos grandes muñecos de cartón que representaban al general Rosendo Topete, subjefe de Policía Preventiva, y a José Valdovinos, presidente de la Alianza de Camioneros. Los estudiantes ya habían "pintado" en los muros de Palacio "muera el mal gobierno", "Abajo el monopolio", "Municipalización del transporte", cuando los granaderos los expulsaron con gases lacrimógenos y chorros de agua.

El éxito de los ferrocarrileros fue definitivo, a causa de la firmeza de Vallejo y de la extraordinaria unidad de los trabajadores que lograron resistir presiones, amenazas, represión e incluso el amago del ejército. Por supuesto, como se ha hecho ver, también fue un factor decisivo la coyuntura histórica, pues el "interregno" sin duda favoreció al movimiento: ni Ruiz Cortines, que salía, ni López Mateos, entonces presidente electo, se hallaban en posesión de todo el poder. Por tanto, la prensa y la iniciativa privada tuvieron que tragarse el coraje de ver a los "inmorales, demagogos, comunistas, subversivos, agitadores, ferrocarrirrojos", etcétera, llevar a cabo sus elecciones generales. Demetrio Vallejo obtuvo la secretaría general avasalladoramente (el candidato de la empresa obtuvo nueve votos contra casi 60 mil a favor de Vallejo). La victoria de los ferrocarrileros, sin embargo, significó la ruina de Othón Salazar, pues el gobierno ya no quiso ceder ante el caso de los maestros, y a la larga el encarcelamiento de Salazar y de Pérez Rivero sólo fue un augurio ominoso para Vallejo.

167

Por supuesto, el gobierno no esperó a que López Mateos tomara posesión y desde septiembre de 1958 procedió a socavar la fuerza de Vallejo y a "propiciar las condiciones" para eliminarlo de la secretaría general del sindicato. La situación seguía explosiva entre petroleros, telefonistas y los estudiantes. Fidel Velázquez de nuevo tuvo que recurrir a la "retórica revolucionaria" y emplazó a huelga por un aumento de 25 por ciento para poder mediatizar a los trabajadores. Vallejo, por su parte, trató de desligarse de las prácticas "charras" y sacó al SNTFRM del Bloque de Unidad Obrera. Además, no perdió tiempo en corregir muchas situaciones de extrema injusticia entre los ferrocarrileros. Pero, también desde un principio, enfrentó la ofensiva que el gobierno y la empresa le tendían: varios de sus compañeros lo abandonaron, porque el nuevo secretario general procedió a quitarse de encima a mucha gente de la vieja guardia que claramente trataba de obstaculizarlo. Le presentaron demandas. Además, la prensa y los líderes de la sección 15 se escandalizaron porque Vallejo restituyó los derechos sindicales de Valentín Campa, quien, por su participación en el movimiento de 1948, fue satanizado más que nadie como "fenómeno rojo y agitador comunista". Desde septiembre el sindicato se convirtió en una olla de grillos, y en esas condiciones llegó el cambio de gobierno.

Alma del pueblo, de Nacho López

4. La izquierda "atinada"
(1958-1964)

La revolución en bicicleta

En diciembre de 1958, Adolfo Ruiz Cortines se deshizo de la banda presidencial y se fue muy contento a su casa. Como en el box, la campana lo había salvado y no tuvo que apretar la represión para que los trabajadores volvieran a dejarse explotar sumisa e incluso agradecidamente. El a partir de entonces ex presidente de cualquier manera cultivó su grupo político y no dejó de hacerse presente durante los gobiernos posteriores; a su casa de la avenida Revolución se le llegó a decir "Los Pinitos", pero en realidad no trató de manejar a López Mateos. Él solito pensaba que se debía continuar la política del "desarrollo económico dentro de la estabilidad monetaria", y así lo hizo saber inmediatamente a través de su secretario de Hacienda, Antonio Ortiz Mena, quien llegó a tener un peso muy fuerte en la administración lopezmateísta. El gabinete también incluía, en Economía, a Raúl Salinas Lozano, padre de Carlos Salinas de Gortari, que tomó el poder en 1988; Manuel Tello, en Relaciones Exteriores; Gustavo Díaz Ordaz, conocido como "duro" e incluso "violento", en Gobernación; Jaime Torres Bodet, el poeta contemporáneo, en Educación Pública; Ernesto Uruchurtu fue una herencia de Ruiz Cortines que López Mateos aceptó de buen agrado; y Donato Miranda Fonseca ocupó la recién creada secretaría de la Presidencia, encargada de coordinar programas y gastos de todas las dependencias para y estatales. Según los expertos, esta Secretaría era un aviso del gusto por los planes que caracterizó después al gobierno de López Mateos, y que fue una verdadera plaga durante los tiempos de la tecnocracia.

Este nuevo gobierno aparecía en medio de severos problemas; aún continuaban alterados los ánimos a causa de las protestas populares y la rebeldía belicosa de Demetrio Vallejo. Además, a mucha gente no le alcanzaba con lo que ganaba y con gusto se sumaba a las manifestaciones de trabajadores que pedían aumentos de salario o verdadera autonomía sindical. Por otra parte, la balanza de pagos fue negativa por segunda ocasión, las Imprescindibles Importaciones se llevaban las reservas monetarias y la Afamada Paridad de 12.50 se veía amenazada.

El presidente Adolfo López Mateos

El nuevo gobierno procuró limitar las importaciones, sustituirlas en lo posible y elevar los aranceles respectivos. Y bajó hasta donde pudo el gasto público. Al menos durante la primera mitad del año, López Mateos y su equipo se fueron despacio, con cautela. Pero como la iniciativa privada hacía exactamente lo mismo, el resultado fue la suerte de parálisis económica que tenía lugar con frecuencia a principios de cada sexenio.

También había problemas en el campo, y allí, en un principio, López Mateos quiso demostrar la endeble cercanía a las causas populares que había conservado de sus épocas vasconcelistas, cuando estuvo en contra del gobierno. Desde un principio hizo ver que para evitar la invasión de predios había que repartir tierra a los campesinos pobres. Esto no le gustó nada a los agricultores privados y a los empresarios en general, que se hallaban muy a gusto con los 18 años de anticomunismo. En menos de dos años, o sea, para fines de 1960, López Mateos ya había repartido más de tres millones de hectáreas (como de costumbre, en lo más mínimo de la mejor calidad), reorganizó muchos ejidos, especialmente ganaderos, y trató de contener la tendencia a que los agricultores privados rentaran tierras ejidales, con la correspondiente proletarización o emigración del campesino. Por supuesto, a través de la producción agrícola se esperaba apoyar a la industria. Sin embargo, este "nuevo aliento" de la reforma agraria ni remotamente logró sacar de la miseria a los campesinos ni calmar a las bases populares que, a principios de 1959, continuaban sumamente inquietas.

En la política no había problemas, o se solucionaban con facilidad. En diciembre de 1958, el diputado del PAN José Castillo Molina subió a la tribuna de la cámara de diputados e insultó con gusto a Miguel Alemán, a Ruiz Cortines y a López Mateos. Ningún priísta quería contestarle y José Ortiz Ávila tuvo que hacerlo, pero Castillo Molina, desde su curul, le mentaba la madre con señas y le sacaba la lengua. Exasperado, Ortiz Ávila le advirtió: "Lo que dije en la tribuna lo sostengo con el cañón de mi pistola." Y blandió su arma. Castillo Molina mejor se fue. Ortiz Ávila se emborrachó pensando que se había arruinado políticamente, pero, por el contrario, el secretario de Gobernación Díaz Ordaz y el presidente lo felicitaron. Casi un año después, se supo que Castillo Molina pensaba interpelar a López Mateos en el informe presidencial. El asunto se le encomendó a Ortiz Ávila, quien lo arregló al sentarse junto a Castillo con la pistola bien visible.

La propensión popular a protestar públicamente recibió un impulso justo al iniciarse el año de 1959, cuando, sorpresivamente, en Cuba huyó el dictador Fulgencio Batista y las fuerzas del Movimiento 26 de Julio de Fidel Castro Ruz dominaron toda la isla. Fidel Castro entró en La Habana y La Revolución Cubana fue la noticia más importante en todo el mundo.

En México, los izquierdistas proclamaron su entusiasmo, y el gobierno, que despues de todo venía de una revolución, vio con buenos ojos el triunfo indiscutible de Fidel Castro, el Che Guevara y Camilo Cienfuegos. No obs-

La revolución cubana
conmocionó al mundo y puso a
Latinoamérica en el mapa
internacional en los años
cincuenta

tante, buena parte de los trabajadores mexicanos continuaba en plan de lucha, y las ideas de revolución no eran muy gratas para el sistema. Ya se había expulsado a varios disidentes del sindicato petrolero que se solidarizaron activamente con los ferrocarrileros. Igualmente, por "indisciplina", se despidió a algunos telefonistas. Fidel Velázquez había tenido que ponerse "bravo"; pidió un 25 por ciento de aumento, amenazó con iniciar "miles de huelgas", organizó sus propias manifestaciones e incluso sorprendió a mucha gente cuando declaró que era un mito la justicia social en México, que nuestro país era campeón mundial en injusta distribución de la riqueza, que los controles de precio no servían para nada y que tan sólo las ganancias de 25 empresas eran "superiores a todo el presupuesto federal".

En cuanto a los ferrocarrileros, tan pronto como López Mateos tomó posesión de la presidencia, Demetrio Vallejo presentó un estudio sobre las condiciones existentes en Ferrocarriles Nacionales. Vallejo especialmente pedía que se aumentaran las tarifas, ya que éstas eran muy bajas, si no es que ridículas, a fin de favorecer a los grandes empresarios mineros, casi todos extranjeros, que utilizaban las vías ferroviarias para transportar sus minerales. Como ejemplo, en 1958 las empresas del fierro pagaron 27.35 pesos por tonelada cuando el transporte del maíz costaba 42.85. Además, como asienta José Luis Reyna en "El conflicto ferrocarrilero: de la inmovilidad a la acción", Ferrocarriles no subió sus tarifas después de la devaluación de 1954, "por lo que si una compañía minera pagaba antes 10 dólares, sólo pagaba después 6.92".

El nuevo secretario de Patrimonio, Eduardo Bustamante, y el recién nombrado director de Ferrocarriles, Benjamín Méndez, se negaron a elevar las tarifas porque "el alza perjudicaría a las pequeñas empresas mineras mexicanas" y, claro, implicaría suspender el jugoso subsidio para las grandes compañías extranjeras.

Para colmo de males, en enero de 1959 tuvo lugar la revisión del contrato colectivo y el sindicato ferrocarrilero pidió un aumento de 16.66 por ciento sobre los 215 pesos que se obtuvieron en julio de 1958, además de otro porcentaje como fondo de ahorro y la construcción de viviendas o un aumento de 10 pesos diarios para la renta. Con esto, el sindicato ferrocarrilero aspiraba a alcanzar los niveles de vida de telefonistas, electricistas y petroleros. Si se aumentaban las tarifas, razonaba Vallejo, la empresa trabajaría sin pérdidas, incluso con superávit, y podría acceder a las demandas de los ferrocarrileros. El nuevo gerente Benjamín Méndez dio a entender que la empresa estaba casi en bancarrota; esto era cierto, y también se debía a las fuertes cantidades que se iban en los pagos al "personal de confianza" y a la corrupción que cundió en la empresa durante la administración de Roberto Amorós; José Luis Reyna consigna que "tan sólo en 1958, se encontró un rubro de 'pequeñas obras' por 371 millones de pesos sin justificar".

A pesar de que el gobierno y la empresa se habían esforzado en "cañonear" con miles de pesos a varios dirigentes con el fin de debilitar el comité ejecutivo de Vallejo, en realidad los ferrocarrileros se hallaban bien unidos en torno a su líder (que era chaparrito, picoso, y "muy mujeriego", dice Elena Poniatowska). El sindicato emplazó a huelga, la empresa pidió una prórroga y el nuevo secretario del Trabajo, Salomón González Blanco, trató, o aparentó, conciliar.

Pero Vallejo quería cubrir mucho. Además del emplazamiento a huelga, presentó a López Mateos un plan para reestructurar Ferrocarriles: proponía un nuevo consejo de administración compuesto por gente que supiera de transportes y no sólo pensara en el lucro; de nuevo planteó el alza a las tarifas e incluso una política definida ante los préstamos del extranjero, cuyos intereses eran exorbitantes. Como, además de los problemas que presentaba Vallejo, había conflictos laborales con electricistas, tranviarios, telegrafistas, petroleros, mineros y telefonistas, surgió el pánico entre el gobierno y el sector privado, que se agravó cuando Vallejo envió un memorándum al presidente en contra de los aparentes planes del gobierno para privatizar algunas áreas de Pemex.

La prensa, a través de editoriales y declaraciones de todo tipo de gente, atacaba con saña a Vallejo, quien, decían, carecía "de todo principio moral". La prensa y la gerencia de Ferrocarriles criticaban especialmente a Vallejo porque éste había reincorporado al Notorio Comunista y Disolvente Social Valentín Campa, quien, se decía, manejaba a Vallejo. Además, la empresa avanzaba en su labor de desunión de los ferrocarrileros, y ya eran varios los dirigentes, debidamente programados, que atacaban agriamente al líder oaxaqueño. Éste, por su parte, se crecía ante el castigo y, en vez de ceder, pidió que se suprimieran los puestos de confianza (un verdadero surtidor de negocios y "aviadurías", esto es: gente contratada que sólo se presentaba a cobrar), e ignoró las protestas porque aceptó la asesoría de los partidos izquierdistas Comunista Mexicano, Obrero Campesino y Popular Socialista.

Para febrero de 1959 la campaña contra Vallejo era intensa y bien orquestada. En el PRI se dijo que el líder ferrocarrilero era "agente del comunismo internacional, al servicio de una embajada extranjera que pretendía derrocar al gobierno". La prensa también insultaba a Vallejo cada vez con mayor ferocidad y el gobierno declaró que no permitiría la gran manifestación que organizaban los ferrocarrileros y que ya había recibido la solidaridad de otros sindicatos, de campesinos, estudiantes y gente del pueblo. La prohibición resultó inamovible ("por contravenir a los reglamentos de tránsito") y los ferrocarrileros tuvieron que contentarse con un mitin en Buenavista, custodiado tensamente por la policía y los granaderos.

Dos días antes del 25 de febrero, día estipulado para iniciar la nueva huelga, Ferocarriles de plano se negó a conceder el aumento que pedía el sindicato, se soltó el rumor de que había orden de aprehensión contra Vallejo, y el comercio y la industria se rasgaban las vestiduras porque, de estallar, la huelga ferrocarrilera representaría "daños gravísimos al país".

Pero Vallejo y sus bases no flaquearon ante la presión y la huelga empezó el día acordado. A la media hora exacta, la Junta Federal de Conciliación y Arbitraje la declaró inexistente. Sin embargo, un día después se firmó un acuerdo que concedía el 16.66 por ciento de aumento; también se destinaron fuertes sumas a servicios médicos, se prometió intensificar la creación de viviendas, y la empresa prometió reestructurarse e implantar nuevas tarifas.

Se trataba de una victoria más, en ese momento insólita, de Vallejo y los ferrocarrileros. La huelga se levantó al instante y el servicio se normalizó. Todo parecía arreglado y, sin embargo, inexplicablemente el comité ejecutivo del SNTFRM no incluyó en el contrato del 26 de febrero los casos de los ferrocarriles Mexicano, del Pacífico y Terminal de Veracruz. El sindicato planteó las mismas demandas, y como Ferrocarril Mexicano no las aceptó se le emplazó a huelga. Durante el mes de marzo tuvieron lugar discusiones intensísimas entre el sindicato, la empresa y la secretaría del Trabajo, y a fin de cuentas Vallejo decidió ir a la huelga el 25 de marzo, miércoles de la semana santa, cuando incontables vacacionistas recurrían a todos los transportes posibles. No se avanzó nada en las conversaciones y el día fijado, en pleno movimiento de semana santa, estalló la nueva huelga en los ferrocarriles Mexicano y del Pacífico. Conciliación y Arbitraje de nuevo la declaró inexistente.

Esta vez hubo divergencias serias en la Coalición Sindical Política, compuesta por el comité ejecutivo del sindicato ferrocarrilero y los partidos Popular Socialista, Obrero Campesino y Comunista Mexicano. Este último y el comité ejecutivo se inclinaban por continuar la huelga. Los dos primeros estaban en contra. No se podían poner de acuerdo. Pero, de cualquier manera, ya no valía la pena. Un día después del inicio del paro, comenzó la represión: se despidió a 8 mil trabajadores del Ferrocarril del Pacífico y a 5 mil del Mexicano. Se procedió a contratar nuevo personal. Vallejo pidió a todas las secciones que se solidarizaran con la huelga, y el sábado de gloria el paro fue total en todo el sistema ferroviario. En la mañana de ese día Vallejo y Salomón González Blanco, titular de Trabajo, se encerraron para negociar la huelga. Ninguna de las partes quiso ceder y acordaron volver a reunirse esa misma noche, pero en la tarde Vallejo fue arrestado y el gobierno llevó a cabo un fulminante plan de aprehensiones y despidos en todo el país. El despliegue de fuerza fue inaudito, y en momentos parecía que cuando menos la Ciudad de México se hallaba en estado de sitio. Los "agentes secretos", los granaderos con sus macanas y los soldados, a bayoneta calada, llevaban a cabo arrestos en toda la ciudad, que naturalmente era patrullada por la policía y el ejército. En todo el país la presencia de las tropas y las fuerzas policiacas heló la sangre de la población, y en Guadalajara, Matías Romero y Piedra Blanca tuvieron lugar enfrentamientos entre el pueblo y los contingentes represores. La fuerza pública actuó con gélida efectividad y precisión (más la arbitrariedad y brutalidad usuales) y de esa manera casi en una jornada se aplastó a los ferro-

El arresto de Demetrio Vallejo

Valentín Campa también fue a dar, otra vez, a la cárcel

carrileros. Al día siguiente la prensa decía que "apoyados por la fuerza pública y elementos del ejército mexicano, agentes de la Policía Judicial Federal aprehendieron ayer a más de 300 agitadores encabezados por su secretario general, el comunista Demetrio Vallejo".

Vallejo fue a dar a Lecumberri, crujía I como era el caso, donde tuvo tiempo de reflexionar en su política de presionar a fondo. En relativamente muy poco tiempo, y ayudado por coyunturas muy peculiares, logró lo que nadie: que el gobierno cediera, al menos momentáneamente, ante luchas justas e importantísimas. Sin embargo, los acontecimientos se precipitaron, Vallejo no quiso o no pudo detener la marcha acelerada de los hechos y acabó aplastado por los golpes contundentes del nuevo presidente, quien titubeó un poco pero después decidió recurrir a la mano dura con la misma frialdad de Miguel Alemán.

En todo caso el movimiento ferrocarrilero fue decisivo para el México moderno: en un principio robusteció al régimen y determinó la línea represiva que privaría en los años sesenta; por otra, fue el inicio de protestas populares que, poco a poco, generaron el contexto en que se dio 1968. También fue una señal de alarma. Durante 18 años el crecimiento económico fue a expensas del pueblo, que, naturalmente, tuvo que rebelarse tarde o temprano. Mientras más se persistiera en esta situación, más se agudizaría la inconformidad popular, como se vio 30 años después, en 1988.

Con la derrota de Vallejo y de los maestros, el gobierno de López Mateos volvió a la "normalidad" y recuperó el control casi total sobre los obreros mexicanos. Vallejo fue consignado por los delitos de disolución social, ataques a las vías generales de comunicación, delitos contra la economía nacional, motín y asonada, coacción contra las autoridades y amenazas contra la empresa. Casi 20 mil ferrocarrileros quedaron cesantes y 40 acompañaron a su líder a Lecumberri. Se designaron nuevos representantes, "de tendencias sindicales no exaltadas", para sustituir a Vallejo, y ellos en el acto expulsaron a Valentín Campa del SNTFRM y corrieron a arrodillarse ante el presidente López Mateos.

Éste, por su parte, no ocultó su satisfacción por la "solución del conflicto", que fue muy aplaudida por las fuerzas vivas del país, y empezó a mostrar simpatías por la Confederación Nacional de Trabajadores (CNT), encabezada por el senador Rafael Galván y Agustín Sánchez Delint, líderes de los electricistas, y por el grupo Engrane de Ángel Olivo Solís. A Fidel Velázquez (quien no obtuvo nada de sus emplazamientos por el 52 por ciento de aumento) no le gustó que López Mateos asistiera a los congresos de la CNT y que nombrara a Rafael Galván como cabeza del sector obrero del PRI. López Mateos también apuntó sus armas contra Pedro Vivanco, líder de los petroleros, quien, al caer, permitió el ascenso de Joaquín Hernández Galicia, la Quina, amigo de Fidel Velázquez. Por otra parte, el presidente también se encargó de que Luis Gómez Z., cabeza con Valentín Campa del movimiento ferrocarrilero de 1948, pudiera regresar a dirigir Ferrocarriles. Por último, los pilotos aviadores, que entraron en huelga para que

Policía y manifestante en 1960

se reconociera su Asociación Sindical de Pilotos Aviadores (ASPA), finalmente triunfaron y pudieron establecer relaciones dignas con las empresas de aviación.

Con el panorama obrero ya tranquilo, López Mateos pudo concentrarse en las cuestiones económicas, que no iban muy bien. Modificó la Ley de Atribuciones del Ejecutivo en Materia Económica para obtener aún más poder: ahora podía determinar las mercancías y servicios que serían objeto de control, y tenía la capacidad de fijar precios máximos al mayoreo y al menudeo. En la segunda mitad de 1959 López Mateos abandonó paulatinamente la restricción de los gastos gubernamentales y procedió a hacer mayores inversiones, para que la economía recuperara su paso. Con su ministro Ortiz Mena reestructuró la secretaría de Hacienda y la dividió en las subsecretarías de Ingresos, Egresos y Créditos, que, como todas las dependencias, tenía que enviar sus programas de inversiones a Donato Miranda Fonseca, secretario de la Presidencia. Por cierto, esto no le gustaba a muchos ministros, que estaban acostumbrados a obedecer sólo al presidente y que se daban cuenta perfecta del poder inusitado que obtenía Miranda Fonseca al ser el centro de la distribución de los dineros.

A pesar de la prudente reactivación económica del gobierno, la iniciativa privada prefirió seguir conteniendo sus inversiones. A causa de los discursos agrarios y de las tendencias a una mínima planificación por parte de López Mateos, los empresarios preferían esperar a que el gobierno diera mayores muestras de que, como los anteriores, favorecería enteramente al sector privado. De cualquier manera, aunque a fin de año la administración lopezmateísta había caído en un déficit "moderado", López Mateos obtuvo créditos del extranjero, logró equilibrar precariamente la balanza de pagos, detuvo el alza del costo de la vida y pudo dedicarse a reforzar la infraestructura de la electricidad, la siderurgia y el petróleo. Comprendió la importancia de la industria petroquímica, y como la iniciativa privada no quiso invertir en esa área, el gobierno se encargó de hacerlo.

López Mateos también echó a andar un ambicioso plan para la industria automovilística, a fin de que pasara de mera ensambladora a verdadera fabricante, y abrió el campo para que empresas europeas compitieran en México con las estadunidenses que dominaban el mercado. Al poco tiempo otro tipo de vehículos se vieron en la Ciudad de México. Ya a mediados de los años cincuenta había llegado la Volkswagen de Alemania con su afamado "vocho", o sedán escarabajesco, que con el tiempo llegó a hacerse popularísimo en nuestro país (en 1960 el vocho costaba 18 mil pesos). También llegó para quedarse la japonesa Datsun, y los europeos Mercedes Benz (era fuerte el rumor de que López Mateos tenía intereses económicos en esta empresa), Volvo, Hansa, Austin, Hillman, Peugeot y el Citroën, que "respiraba" y subía y bajaba, como el chorrito de Cri Cri. A López Mateos le gustaban los coches, especialmente los deportivos, y

La Candelaria de los Patos, de Héctor García

según su biógrafo Justo Sierra Casasús, solía escapársele a los guaruras para darse sus vueltas por las calles de la Ciudad de México, especialmente por el Anillo Periférico que él mismo inauguró en 1961 (y al cual, modestamente, lo bautizó con su nombre).

A principios de 1960, el líder del PRI Alfonso Corona del Rosal empezó a hacerse notar. En vista de que las represiones a los obreros dieron una imagen de duro a López Mateos y de derechista a su gobierno, Del Rosal no titubeó en definir a la administración lopezmateísta: era "de atinada izquierda". Algunos pensaron que en efecto López Mateos tuvo muy buen tino al aplastar a la izquierda obrera, pero otros no sabían bien qué se quería decir. A la derecha estas declaraciones le parecieron alarmantes y desataron una oleada de declaraciones y protestas. Estaban en contra especialmente de que el gobierno utilizara el término "izquierda" para autocalificarse. En vista del escandalito que se armó, el presidente tuvo que intervenir públicamente y matizó: "Mi gobierno es de extrema izquierda dentro de la Constitución." A la iniciativa privada y fuerzas derechistas que la circundaban esto les pareció peor aún, y el resultado práctico fue que en 1960 los empresarios no sólo continuaron restringiendo sus inversiones sino que empezaron, calladamente, a sacar sus capitales.

Mientras tanto, empezaban a darse voces de advertencia por el crecimiento desaforado del país y muy especialmente de la Ciudad de México, que para entonces ya rebasaba los tres millones de habitantes, lucía ya los principios de una muy mona "zona rosa", pero también un evidente cinturón de la miseria que para entonces empezaba a infestar las zonas norte, oriente y poniente de la capital. Además, el regente Uruchurtu autorizó fraccionamientos en el Distrito Federal, y Ciudad Satélite ya se hacía notar con sus altas torres. En 1960 se llevó a cabo un gran censo nacional, y éste a su vez hizo ver que por primera vez en la historia de México la mayor parte de la población vivía en ciudades. El campo (tan vapuleado por los gobiernos de Ávila Camacho, Alemán, Ruiz Cortines y también por el de López Mateos, aunque éste pretendía dar otra imagen) cada vez era más abandonado por los campesinos, que preferían irse de braceros a Estados Unidos o a malvivir a las grandes ciudades, cuyo crecimiento no paraba. En la capital, ante la carencia de un adecuado sistema de transportes, aparecieron los "peseros", o taxis colectivos, que por un peso llevaban pasaje por las grandes avenidas, especialmente Reforma e Insurgentes (las "vías floridas" de Uruchurtu). A los peseros siguió la aparición de taxis loquísimos, como los "cocodrilos", llamados así porque eran verdes y tenían una franja de triángulos blancos invertidos como colmillos, y las "cotorras", que, claro, eran de subidos colores verde y amarillo.

A López Mateos le gustaba echarse sus arrancones con su auto deportivo en la Ciudad de México, pero más le gustaba viajar. Desde 1960 anunció que recorrería varios países de América Latina. Ningún presidente mexicano se había preocupado por estrechar relaciones personales con otros países fuera de Estados Unidos. La vida mexicana dependía tan notoria-

López Mateos fue un activo promotor de México en el mundo. Viajó a 16 países y recibió a numerosos jefes de estado. Aquí, con el de Estados Unidos

mente de la estadunidense que Ávila Camacho, Alemán y Ruiz Cortines sólo atendieron al país del norte. López Mateos, en cambio, comprendió que México debía ampliar sus perspectivas y por eso inició la costumbre de que los presidentes mexicanos se dieran sus buenos paseos por todo el mundo. A fin de cuentas circuló por Estados Unidos, América del Sur, el Caribe, Europa, la India, Japón, Indonesia, Filipinas, Yugoeslavia y Egipto. Esto le gustó mucho a López Mateos pero de entrada le costó dos cosas: una, la menos grave, que el pueblo le empezara a decir "López Paseos", lo cual, según Justo Sierra Casasús, le repateaba al presidente. "Mira, Justo", se queja el presidente en el libro *López Mateos*, "si no será indignante que me digan así, cuando todo lo que trato de hacer es ubicar el nombre de México en todo el mundo. . . Eso de López Paseos me enferma''. Por cierto, dado que el presidente era más agraciado físicamente que sus predecesores, y de que parecía simpático y de sonrisa fácil, la gente supo que era un gran aficionado a las mujeres y se hizo el chiste de que López Mateos, al llegar a trabajar en la mañana, preguntaba a su secretario particular: "¿Hoy qué me toca, viajes o viejas?" Otros decían que el presidente o usaba muy grandes las mangas del saco o tenía las manos muy chicas, por tanto le decían el Jefe Mangotas o el Jefe Manitas, o simplemente "Polcas", como se le llamaba a los jefes en algunas partes.

La otra desventaja, mucho más seria, de la primera serie de viajes de López Mateos consistió en que el aguerrido muralista David Alfaro Siqueiros lo antecedió y, especialmente en Caracas, lo criticó ferozmente e incluso lo acusó de traición a la patria. La indignación de Siqueiros brotó a partir de la brutalidad antiobrera y lo hizo declarar que el gobierno de López Mateos era "de extrema derecha y fuera de la constitución". También repitió, gustoso, la porra: "López Mateos, ¡güey, güey, güey!" Siqueiros regresó a México y el presidente inició su gira, sumamente molesto por las piedras que el pintor le había puesto en el camino. El 9 de septiembre de 1960 Siqueiros iba en su coche cuando lo alcanzaron agentes de la judicial federal. El muralista quiso quitárselos de encima y la persecución que tuvo lugar añadió nuevos laureles a la vida mítica de Siqueiros, quien finalmente fue arrestado en compañía de Filomeno Mata hijo, entonces director del boletín del Comité de Defensa de los Presos Políticos. Ambos fueron enviados a la crujía I del Palacio Negro de Lecumberri, acusados como era de esperarse, de disolución social. Casi cuatro años pasó Siqueiros en Lecumberri, con Othón, Vallejo, Mata y Campa.

Ejercitar irreflexivamente el autoritarismo cotidiano del sistema resultó contraproducente para López Mateos. Contener la ira y no enviar a la cárcel al muralista habría sido visto como un gesto magnánimo que, además, en cierta forma compensaba los abusos contra maestros y ferrocarrileros; en cambio, encarcelar a Siqueiros significó aguantar durante años campañas internacionales que pedían la liberación del pintor mexicano, especialmente cuando éste se puso en huelga de hambre. En 1961 Pablo Neruda viajó a Cuba y, después de publicar los poemas octasílabos de *Cantar de gesta*,

David Alfaro Siqueiros en la cárcel

pasó por México y escribió el célebre soneto "A Siqueiros, al partir" ("he visto tu pintura encarcelada, que es encarcelar la llamarada"), que aquí reprodujo en su portada la célebre revista *Política*. A Siqueiros, para contrarrestar la lluvia de apoyos solidarios del exterior, en México se le dijo "traidor a la patria, apátrida, renegado, farsante, provocador, calumniador, agente del extranjero, artero, desleal, perturbado, desequilibrado, estúpido, infantil, ignorante, exhibicionista, insolente, estafador, majadero, criminal de brocha gorda, paranoico, esquizofrénico, decrépito", pero nada de esto pareció impactarlo mucho, y Siqueiros se dedicó a pintar cuadros de caballete en su celda de la crujía I, visitado por muchísima gente y con aureola de estrella. El 11 de julio de 1964, López Mateos pensó que se vería mejor que él mismo liberara al pintor, si no, Díaz Ordaz, entonces en campaña, sin la menor de las dudas excarcelaría a Siqueiros tan pronto como tomara el poder. Así es que llamó a Luis Echeverría, entonces encargado de despacho en Gobernación, y juntos firmaron el decreto de indulto.

López Mateos, en 1960, trató de compensar su política antipopular con la nacionalización (o mexicanización, para no ofender oídos anticomunistas) de la luz. Este acto no estuvo bañado del dramatismo de la expropiación del petróleo, ya que en realidad se trató de una compra relativamente tranquila. Desde décadas atrás la Mexlight y la American Foreign Power querían subir tarifas con premeditación, alevosía y ventaja, y como por lo general ningún gobierno lo permitió, las compañías de luz se negaron a ampliar las redes de abastecimiento eléctrico. Esto motivó que el gobierno creara la Comisión Federal de Electricidad, que empezó a producir la energía que las empresas estodunidenses se negaban a generar, así es que éstas consideraron atractivos los 400 millones\de dólares que ofreció el gobierno y cerraron el trato. Un año después la energía eléctrica en su totalidad se hallaba en manos del estado mexicano. Naturalmente el gobierno exprimió al máximo la "mexicanización" y la festinó ruidosamente en todos los medios y en grandes letreros luminosos en las avenidas de la Ciudad de México. López Mateos se esforzaba por dar una imagen "revolucionaria", hablando de reparticiones y nacionalizaciones, para contrarrestar los efectos casi numinosos, mitopoyésicos, de la Revolución Cubana entre la juventud y cierta clase media, y para diluir un poco los sumamente notorios presos políticos y la línea antiobrera. Pero ni disminuyó la mitificación de la revolución cubana, ni cesaron las campañas por la libertad de los presos políticos, ni dejaron de aparecer distintas muestras culturales y contraculturales que manifestaban un disgusto creciente por las formas de vida de los gobiernos de la Revolución Mexicana.

Esto lo advertía el presidente, quien, además de los repartos agrarios, la nacionalización de la luz, el establecimiento de la industria petroquímica vía Pemex, buscó neutralizar las molestias de los trabajadores, y especialmente de los que servían al gobierno, y creó el, uf, Instituto de Seguridad y Servicios Sociales de los Trabajadores del Estado (ISSSTE) que sin duda benefició enormemente a la burocracia aunque también se convirtió en

Inauguración del Anillo Periférico en la ciudad de México

manantial de corrupción y en trampolín político. El Instituto Mexicano del Seguro Social (IMSS) se amplió y llevó a cabo un fomento de la cultura a través de las Casas de la Asegurada que fueron rebautizadas como Centros de Bienestar Social y que dieron clases de teatro, danza, pintura, además de cocina, tejido, costura y demás clases "para las señoras", según rezaba la usanza sexista de la época. Como respuesta a los disturbios sindicales, López Mateos también echó a andar grandes inversiones (y no pocos negociazos) en la urbanización del Distrito Federal y en la construcción de viviendas: él también levantó multifamiliares, como el conjunto de Nonoalco-Tlatelolco, que resultó dañadísimo tras el terremoto de 1985 (esto reveló que los edificios habían sido construidos con los peores materiales).

También creó el "apartado B" del artículo 123 de la Constitución, que convirtió a los burócratas en "trabajadores de excepción".

Por último, López Mateos también transformó a la vieja Ceimsa (Compañía Exportadora e Importadora Mexicana, S.A.) en la Conasupo (Compañía Nacional de Subsistencias Populares) con el fin de comercializar productos de primera necesidad sin pasar por las prácticas viciadas del comercio particular. Por supuesto, como antes la Ceimsa, la Conasupo fue blanco preferido de los ataques del sector privado y la derecha, y en ese momento representó una razón más para manifestar a López Mateos el profundo desprecio que le merecían sus políticas de "atinada izquierda" (después se diría: estatizantes y populistas).

Por supuesto, todo esto le costó mucho dinero al gobierno, y como recaudaba poco y producía sin brío, recurrió afanosamente al endeudamiento externo. La iniciativa privada seguía sin querer invertir, y continuaba enviando, discretamente, sus capitales al extranjero, en especial a Estados Unidos.

En marzo de 1961 el presidente del PRI, Alfonso Corona del Rosal, volvió a lucirse: "La revolución mexicana hace mucho que se bajó del caballo y se quitó las chaparreras", dijo. El general Corona respondía así a unas supuestas declaraciones de Lázaro Cárdenas: "Una nueva revolución será el único remedio." Cárdenas por su parte mandó informar que él nunca había dicho nada de eso, y el líder del PRI cosechó carcajadas y críticas.

En ese año López Mateos se metió en otra controversia con la iniciativa privada a causa de la creación de los libros de texto gratuito para educación primaria que la secretaría de Educación Pública empezó a distribuir. La derecha se molestó terriblemente, le pareció un ultraje al derecho de los padres a educar a sus hijos libremente y una especie de indoctrinación sui generis. Las protestas fueron ruidosas y a través de espurias asociaciones de padres, de desplegados periodísticos, editoriales, volantes y declaraciones a los medios.

Los libros, por otra parte, reforzaban la concepción priísta de la vida, machacaban la ritualización de los mitos patrios, veneraban a

López Mateos, Jaime Torres Bodet y Martín Luis Guzmán en el inicio del libro gratuito

Hidalgo, Morelos y Juárez, y remachaban la canonización de Carranza, Obregón, Calles, Cárdenas *et al.*, sin dejar de darle sitio a Zapata y, con más regañadientes fariseicios, a Villa. Por lo demás el texto gratuito trataba de estar al día en los conocimientos y disciplinas más contemporáneas y de ser un producto accesible, relativamente objetivo en partes e idílico en otras, para propiciar en el niño la identificación de patria y gobierno, y de subordinación acrítica de los niños al sistema político-social que para entonces se hallaba ya en claro proceso de rigidización. En realidad, un proyecto como el de los libros de texto gratuito era perfectamente consecuente con la naturaleza del régimen mexicano, y si despertó tanta oposición por parte de los conservadores (a fines de los ochenta la oposición continuaba) fue porque esto representaba una excelente arma de presión.

Para reforzar la campaña derechista contra el libro de texto gratuito, la oligarquía pronto se apropió de las campañas anticomunistas estadunidenses, más intensas a partir de la revolución cubana, y desató una verdadera campaña de paranoia antimarxista. Uno de los primeros escalones tuvo lugar en Puebla, donde la oligarquía regional vio con muy malos ojos a las nuevas autoridades "comunistas" de la universidad poblana. Una manifestación de más de 100 mil gentes gritó su rechazo al ateísmo. Los ataques contra la Universidad Autónoma de Puebla se intensificaron y el ejército sitió el Carolino. En julio de 1961, las tropas patrullaban las calles poblanas. La iniciativa privada decretó un boicot comercial y la suspensión de pagos de impuestos hasta que se derogara la ley orgánica que abrió el paso a los académicos "comunistas". Toda esta ofensiva contra la UAP generó el reforzamiento del fanatismo religioso y anticomunista. A escala nacional se inició la campaña "Cristianismo sí, comunismo no", "Éste es un hogar decente, no se acepta propaganda protestante o comunista", que fue sumamente intensa especialmente en ese año. En las escuelas privadas, púlpitos de los templos, páginas editoriales, declaraciones y muchos volantes, la derecha mexicana (con todas sus abismales diferencias y matices) trató de contrarrestar los aires que venían de Cuba y procuró también pintarle la raya al gobierno para que éste no siguiera incurriendo en políticas que "sólo propiciaban la desconfianza". Ya estaba bueno de declaraciones de izquierdas, atinadas o no, y de "mexicanizaciones".

Como parte de esta estrategia, la iniciativa privada decidió continuar restringiendo sus inversiones y llevando sus capitales a Estados Unidos y a otros países. A su vez, López Mateos continuó compensando esta política de presión a través del gasto público, apoyado en los empréstitos del extranjero. No era difícil obtenerlos: el gobierno mexicano no sólo había demostrado ser buen y puntual pagador, sino que, a raíz de la revolución en Cuba, Estados Unidos no titubeaba en soltar dinero a los países latinoamericanos ("amenazados por la lepra del comunismo"): en 1963 el presidente de Estados Unidos John F. Kennedy puso en práctica su "alianza para el progreso", que entre otras cosas significaba créditos relativamente fáciles para los gobiernos de Latinoamérica.

Manifestación de apoyo a la revolución
cubana en 1960

El Che Guevara

La preocupación por los acontecimientos en Cuba aumentó a mediados de 1961, cuando fracasó la invasión de Bahía de Cochinos y el gobierno revolucionario de Fidel logró no sólo contener a los invasores sino propinar la primera derrota histórica a Estados Unidos. Tras la invasión de mayo, en México tuvieron lugar grandes movilizaciones en apoyo a la revolución cubana. La primera de ellas fue sumamente concurrida, y el gobierno la permitió, a pesar de las insistencias derechistas para que la reprimiera; un factor decisivo para que la gran manifestación fuera respetada consistió en que el general Lázaro Cárdenas la encabezó y llegó con ella hasta el zócalo. Allí, los jóvenes más aguerridos preguntaron a Cárdenas cuándo se iniciaría la nueva revolución; el ex presidente, como era de esperarse, de plano respondió que ése no era el momento. Pocos días después la izquierda organizó una nueva manifestación de apoyo a Cuba, pero en esa ocasión Cárdenas ya no la encabezaría y el gobierno la disolvió brutalmente, pues, explicó, "no toleraría ningún intento de agitación". Con esto se desató una atmósfera de intimidación a los izquierdistas; además de la satanización del comunismo se incrementó el espionaje político, los arrestos y otras "medidas preventorias" para evitar que los jóvenes y los izquierdistas continuaran manifestándose.

Esta nueva reiteración de fe autoritaria y conservadora por parte del "izquierdista" López Mateos acabó de convencer a los empresarios de que el gobierno merecía su confianza. Por tanto, éstos reanudaron sus inversiones para tratar de alcanzar a las compañías extranjeras (léase estadunidenses) que prácticamente no tenían competencia en la producción de bienes de consumo, pues disponían del capital y los métodos de distribución, además de la tecnología cada vez más compleja que requerían muchos productos: las grandes maquinarias y por supuesto todas las partes y numerosas pequeñas máquinas que las componían. A principios de los años sesenta la inversión extranjera era aplastante en México y muchas voces, aun dentro del gobierno, daban señales de alarma.

Los empresarios nacionales, por su parte, continuaban obteniendo dividendos magníficos y se distinguían ya claros oligopolios. El dinero se concentraba en menos manos, y el capital financiero se robustecía. Aunque el estado se había visto en la necesidad de ampliar sus actividades a través de las empresas paraestatales, que crecían y crecían, en realidad los capitalistas mexicanos siguieron obteniendo todo tipo de apoyos y, a su vez, trataban de imitar los modos de operación de los grandes capitalistas extranjeros, pero en ningún momento intentaron asimilar también la inventiva, la creatividad y el rigor en las normas de calidad de sus productos. Simplemente se conformaban con ir por detrás y jamás tuvieron la energía, o la grandeza, de crear sus propias patentes, de desarrollar a fondo las capacidades de sus complejos industriales y comerciales.

De hecho, la empresa privada, por más que presumía de eficacia y de que criticaba al estado como pésimo administrador, en realidad era una muestra patética de subdesarrollo. Consentida por los gobiernos, e incapaz de competir con las grandes transnacionales dueñas de los secretos tecnológicos, la iniciativa privada se conformó con explotar al máximo su radio de acción, rigidizando (como ocurría en toda la sociedad) sus jerarquías y modos de operación con formas de paternalismo autoritario; además, estrechó el ascenso a las cúpulas para beneficiar a sus cuadros juveniles provenientes de las familias más poderosas y de las escuelas confesionales. Y por si fuera poco, consintió sus propias formas de corrupción, que cada vez se apartaban más de los criterios "cristianos" y de la "decencia". Salvaguardada por una feroz hipocresía, la iniciativa privada se deshumanizaba progresivamente por el excesivo culto al dinero y el estatus.

De cualquier manera, el sector privado no estaba dispuesto ni a autocriticarse ni a ceder un centímetro de espacios conquistados, y sólo hasta que consideraron que el presidente López Mateos daba suficientes garantías de que su "estilo personal de gobernar" no implicaba "peligrosas regresiones cardenistas" o peor aún, "experimentos tendientes al comunismo", optaron por regresar los capitales fugados y por reanudar sus inversiones tan bien remuneradas. Ya en 1962 aumentó el producto interno bruto y en 1963 de nuevo estaba en marcha el "exitoso" desarrollo estabilizador. La moneda no se devaluó, los precios no llegaron a la inflación y el producto nacional no sólo recuperó sus tasas de los años cincuenta sino que dio motivo a que se hablara del "milagro mexicano".

Para festejar la reanudación de la armonía con los patrones y el absoluto control político del sistema, López Mateos en 1962, tal como había hecho Ávila Camacho veinte años antes, reunió a todos los ex presidentes vivos, y junto a él aparecieron Pascual Ortiz Rubio, Emilio Portes Gil, Abelardo L. Rodríguez, Lázaro Cárdenas, Miguel Alemán y el hombre de las pasitas Adolfo Ruiz Cortines. Sin embargo, López Mateos no se contentó con reunir disciplinadamente a quienes por lo general se daban de patadas en las espinillas, sino que a todos les encargó la dirección de una empresa paraestatal. Los nombramientos más célebres fueron los de Cárdenas (la Cuenca del río Balsas) y de Alemán (el Consejo Nacional de Turismo), ya que ambos ex presidentes de una forma u otra representaban la "izquierda" y la "derecha" dentro de la revolución.

Cárdenas dio todo su apoyo a la creación del Movimiento de Liberación Nacional (MLN), que reunió a los principales militantes de la izquierda no comunista y a los llamados "intelectuales fifí": Enrique González Pedrero, Francisco López Cámara, Víctor Flores Olea, Carlos Fuentes, Pablo González Casanova, entre ellos (casi todos colaboradores de la revista *Política*). Estaban también los cardenistas y algunos marxistas teóricos. El MLN en realidad formaba parte de una ola colectiva (en otras partes de Latinoamérica también se habían formado "movimientos de liberación nacional") y constituía una propuesta de izquierda sumamente moderada: era un "frente amplio" que pretendía unificar las eternamente atomizadas fuerzas progresistas del país. El Partido Comunista (PCM), a su vez, aprovechó el vuelo para crear el Movimiento América Latina (MAL), que sirvió como punto de convergencia y centro de reclutamiento de muchos jóvenes, especialmente universitarios, que participaron en los movimientos magisterial y ferrocarrilero, y que después de la revolución cubana se negaban a integrarse dócilmente al sistema. Muchos pasaban del MAL al PCM o al MLN, según la radicalidad de su izquierdismo.

El gobierno de López Mateos condescendió con las actividades del MLN, entre otras cosas por el peso específico de sus participantes y por la moderación de su planteamientos. De cualquier manera les dedicó un trato duro; fuerte espionaje policiaco, arrestos y arbitrariedades cuando se daba el caso y cooptación de los miembros principales, lo cual, con el tiempo, rindió frutos, pues González Pedrero, Flores Olea, López Cámara y Fuentes después se incorporaron al gobierno (aunque Fuentes y López Cámara, más tarde aún, se apearon del carro del estado). La vida del MLN, a fin de cuentas, no duró mucho ni llegó a tener efectos directos importantes, pero en un momento animó la vida política de México, y contribuyó a crear conciencia ante cuestiones, que parecían utópicas, como la unificación de la izquierda en frentes amplios, y de presentar resistencia organizada al dominio total del sistema en la vida del país. El MLN, además, generó automáticamente la creación de su contraparte, el Mr. Hyde de este Dr. Jekyll: el Frente Cívico Mexicano de Afirmación Revolucionaria, con Miguel Alemán a la cabeza de un equipo de políticos conservadores ligados al PRI y a la derecha. El Frente Cívico hizo ruido durante un tiempo, acarreó a algunos campesinos y desapareció cuando el MLN se diluyó en la casi nada.

En tanto, López Mateos lidiaba con Estados Unidos y logró que se reintegraran al país los terrenos llamados El Chamizal, a un lado de Ciudad Juárez. El gobierno lopezmateísta invirtió mucha energía en esto, y Estados Unidos condescendió porque era algo más bien simbólico que se podía ceder para no tener problemas irrelevantes con México. Justo Sierra Casasús, el biógrafo de López Mateos, cuenta que había 20 volúmenes de documentación sobre el caso, y que a Kennedy le dio mucha pereza hojear siquiera los papeles. Pidió al intérprete: '"Señor embajador, pregúntele usted al presidente López Mateos cuánto vale en millones el caso de El Chamizal.' La respuesta del presidente mexicano fue inmediata: 'Dile al señor presidente Kennedy que yo no soy agente de bienes raíces.'"' Kennedy debió molestarse, pues las conversaciones se suspendieron, aunque, después todo se arregló.

En 1962 Kennedy visitó la Ciudad de México, lo cual motivó que la izquierda intentara protestar de alguna forma; se hicieron volantes y pintas, se convocó a una manifestación, pero no se llegó a más. La secretaría de Gobernación del afanoso Gustavo Díaz Ordaz procedió a arrestar miembros del Partido Comunista y simpatizantes de izquierda que pudieran causar problemas. Cuando Kennedy llegó, finalmente, no hubo visibles manifestaciones de repudio (como las que, a mediados de los años cincuenta, sufrió el vicepresidente Richard Nixon al viajar por Sudamérica). López Mateos también recibió con gran despliegue de acarreados al presidente francés

Charles de Gaulle y al emperador etíope Haile Selassie, que inauguró la glorieta Etiopía en el cruce de las avenidas Cuauhtémoc, Xola y San Antonio del sur de la Ciudad de México (por cierto, años después esa glorieta se hizo célebre por un ingenioso robo: un maniquí armado con un rifle se colocó en una ventana frente a un banco, y el ladrón, mediante una llamada telefónica, se llevó una fuerte suma de dinero).

En tanto, en el campo se agotaba ya el vuelo de la "nueva etapa de la reforma agraria". Una vez que hizo sus repartos, el presidente López Mateos debió sentir que podía respirar en paz, "la revolución cumplía a los nobles campesinos", y después en gran medida se desinteresó por las cuestiones agrarias. Dejó manos libres a los agricultores privados y a los nuevos latifundistas y procuró que la "reforma agraria" industrializara los productos agropecuarios. Pero se importaban alimentos y la miseria de los campesinos desprotegidos, especialmente los indios, se iba ahondando. Muchos buscaban tierras, y las invadían, como a fines del ruizcortinismo.

En Morelos y los estados vecinos Rubén Jaramillo tenía fama de ser un auténtico defensor de las causas de los campesinos, en la más pura tradición zapatista. En 1962 Jaramillo dirigió la invasión de los predios michoacanos Michapa y El Guarín, pero los soldados desalojaron a los invasores y el gobierno decidió cobrar cuentas a Jaramillo, quien ya había sido guerrillero en la sierra y después luchó por la candidatura de Miguel Henríquez Guzmán. Se le consideró agitador comunista y un día de 1962 la tropa lo secuestró con su esposa y sus hijos; a todos los llevaron a Xochicalco. Allí los acribillaron sin piedad. A la esposa de Jaramillo le encontraron doce balas y se decía que incluso le dispararon al hijo que llevaba en el vientre. Fue un crimen violento, brutal, despiadado. La noticia del asesinato se minimizó en la prensa, y sólo la revista *Política* se ocupó con amplitud del asunto. Carlos Fuentes después narró la muerte de Jaramillo en *Tiempo mexicano*.

En el estado de Guerrero la situación era difícil. Ante la dura explotación de los campesinos, en 1960 Genaro Vázquez Rojas formó el Comité Cívico Guerrerense (CCG), a cuyos miembros se les conoció como "los cívicos". El CCG trabajó duro para tirar al gobernador Raúl Caballero Aburto y organizó una huelga cívica popular, en la que se dejó de pagar impuestos y de acatar disposiciones; todo el estado se agitó y el 30 de diciembre el ejército abrió fuego contra los "cívicos" y hubo 18 muertos, decenas de heridos y numerosos presos. Fue la Matanza de Chilpancingo. Ante esto, el CCG exigió la renuncia del gobernador, lo cual fue satisfecho por López Mateos a principios de 1961. El CCG ya había tomado 13 ayuntamientos. Sin embargo, la caída del gobernador poco a poco restituyó "el orden normal". Genaro Vázquez entonces reestructuró su grupo y lo llamó Asociación Cívica Guerrerense (ACG), que participó activamente en las elecciones de diciembre de 1962. No se les reconoció ningún triunfo, y la ACG volvió a movilizarse, hasta que en Iguala se les reprimió y se contaron 7 muertos, 23 heridos y 280 presos. La ACG quedó en la ilegalidad y en

Antonio Ortiz Mena, artífice del desarrollismo

todo el estado la represión se agudizó notablemente. El gobernador interino Arturo Martínez Adame ordenó la aprehensión de Genaro Vázquez, quien huyó de Guerrero. A fines de la década reaparecería como guerrillero.

En 1963 los empresarios habían reestablecido la "confianza" en el gobierno, es decir, se les habían hecho todas las concesiones que pedían, y el desarrollismo seguía adelante. López Mateos continuó sus inversiones, especialmente en la industria paraestatal: el petróleo, la petroquímica, la electricidad y la minería recibieron fuertes impulsos. Por otra parte, dejó manos libres a la iniciativa privada extranjera y nacional en el vastísimo campo de las industrias manufactureras, a las que se dio créditos, impuestos bajos, tarifas también bajas en servicios y bienes. Esto generó que los empresarios privados, nacionales y extranjeros, deformaran la estructura económica del país, o al menos eso asientan Esteban Mancilla y Olga Pellicer de Brody en el último tomo de la *Historia de la revolución mexicana*; ellos señalan que los empresarios mantuvieron bajos los niveles de productividad, se concentraron en pocas zonas geográficas del país e ignoraron otras por completo, produjeron para un "raquítico mercado interno", dependieron a ciegas "de la tecnología extranjera sin preocuparse por desarrollar una propia", y permitieron que los extranjeros dominaran los sectores más dinámicos de la economía.

En ese mismo año, ante la proximidad de la sucesión presidencial, el panorama político se intensificó. Es posible que la creación del Movimiento de Liberación Nacional haya estimulado a otros izquierdistas a organizarse mejor para contrarrestar las rígidas políticas de López Mateos, que, para lograr la estabilidad, como dice José Luis Reyna, "o se negociaba o se reprimía, pero no se toleraba". Así apareció la Central Campesina Independiente (CCI), formada por Ramón Danzós Palomino, Arturo Orona y Alfonso Garzón. La CCI representaba un intento por crear organizaciones políticas independientes que rebasaran la manipulación de la Confederación Nacional Campesina. El gobierno, por supuesto, puso atención a la nueva central, y aunque posiblemente consideró que no representaba ningún gran peligro de cualquier manera empezó a trabajar a los dirigentes, con el resultado de que un año después éstos ya se habían dividido y había dos CCI: la de Danzós Palomino y la que dirigieron Alfonso Garzón y Humberto Serrano, alias el Invasor, que bien pronto se alinearon con el PRI y el gobierno. De esa manera, si alguna vez la CCI representó una posibilidad de verdadera defensa de los campesinos, esta esperanza se diluyó en octubre de 1964 cuando la existencia de dos centrales con el mismo nombre cuando menos creaba la confusión y representaba una puerta para mediatizar cualquier intento serio que se hiciera en favor de los campesinos.

Por su parte, el presidente López Mateos decidió llevar a cabo una enésima reforma a la Ley Electoral. El gobierno se preocupaba por la escasa legitimidad que le confería funcionar como omniaplanadora mientras los demás partidos mostraban una existencia raquítica y apenas si lograban ganar algunos escaños en el congreso. Para dar una mayor ilusión de pluralidad y democracia vía la oposición, pero sin perder ni uno solo de los resortes fundamentales del poder, la nueva ley electoral de 1963 se sacó de la manga la invención de los diputados de partido, o plurinominales. Con esta nueva modalidad, la oposición con registro podía obtener diputaciones aunque no hubiese ganado por mayoría en algún distrito. Según la cantidad de votos obtenidos, un partido podía llegar a tener hasta 20 diputados plurinominales, y de esa forma todos los partidos registrados (PAN, PPS y PARM) lograron obtener curules y dar una mínima ilusión de juego democrático. Esta reforma fortaleció el régimen, que conservó todo el poder pero a la vez pudo argüir que en México las minorías tenían espacios para expresarse. También expidió la Ley Federal de los Trabajadores al Servicio del Estado, que prohibía a los burócratas adherirse a centrales u organizaciones ajenas al PRI, y que restringió el derecho de huelga.

En ese mismo año tuvo lugar la reunión de la OEA en Punta del Este, Uruguay, en la cual Estados Unidos ejerció toda su fuerza para lograr que los países del continente rompieran relaciones diplomáticas con Cuba y se sumaran al boicot económico que el imperio había orquestado contra la isla. En efecto, todos los países latinoamericanos acordaron, y cumplieron después, romper relaciones con el régimen de Fidel Castro Ruz, que desde 1961 había declarado que trataría de construir el socialismo. México fue el único país que no rompió con Cuba, aunque, en Punta del Este, el canciller Tello sirvió en bandeja el argumento que permitió a los demás la ruptura con Fidel Castro: según el canciller mexicano, las democracias representativas de América eran incompatibles con el marxismo-leninismo. Esta fórmula gustó mucho a los estadunidenses, quienes la aplicaron al instante y, a la larga, les facilitó condescender con la insólita postura de López Mateos. A lo largo de la década, aunque México enfrió su relación con Cuba y sometió a maltratos, vigilancia e incomodidades a los que viajaban a la isla, nuestro país fue el único en América que conservó abiertas las líneas de comunicación con la revolución cubana, lo cual, con el tiempo, resultó importantísimo.

Pero en México el gran tema era la sucesión presidencial. En marzo, el PRI rompió el letargo y su líder Alfonso Corona del Rosal anunció que el partido oficial se reestructuraría y elaboraría un programa para su próximo candidato a la presidencia. Se llevó a cabo una Junta de Programación, en la que el entonces diputado Jesús Reyes Heroles declaró que el PRI no era un partido de clase, sino de clases. La idea de una reestructuración hizo pensar a muchos que se implantarían formas democráticas en el PRI. Pero los intentos reestructuradores de ese año finalmente acabaron en mucho ruido y nada concreto. Sin embargo, la idea de democratizar el partido de la revolución penetró en algunos de sus militantes, y poco después Carlos Madrazo se vería en numerosos conflictos por este motivo cuando le tocó presidir el PRI a partir de diciembre de 1964.

Por su parte, la CTM también trató de reactivarse para evitar que la Confederación Nacional de los Trabajadores (CNT) de Rafael Galván, o líderes cada vez más fuertes como Luis Gómez Z., a la cabeza ya del sindicato de ferrocarrileros, no le restaran poder e influencia. Fidel Velázquez no había dejado de reelegirse puntualmente en la secretaría general de la CTM, y en 1963 incrementó las reuniones de la central en toda la república y sacó a la luz nuevas banderas: la lucha por un reparto de utilidades, que con el tiempo se otorgó, y por la semana laboral de 40 horas, que se postergó.

Todos estaban pendientes para saber quién sería "el tapado". Según Luis Echeverría, este término viene de los palenques, en los que a veces se presenta un gallo cubierto con una tela para que los apostadores no sepan de qué animal se trata (de allí también que a los aspirantes a la grande se les llame "mi gallo", informó doctamente don Luis). El mismo López Mateos fue un "tapado" perfecto, pues, hasta antes de su "destape", Ruiz Cortines logró que todos los políticos se fueran con la finta de otros suspirantes. López Mateos, que prácticamente no formó equipo y que se mantuvo quietecito sin decir gran cosa, fue una sorpresa mayúscula para los "expertos".

En 1963, como siempre, varios secretarios de estado llegaron a la "recta final". Eran Antonio Ortiz Mena, de Hacienda, quien había logrado que el gobierno sorteara los problemas económicos y continuara el desarrollo y la estabilidad; también se mencionaba mucho a Donato Miranda Fonseca, pues éste había logrado tejer una intrincada red de relaciones políticas a través de su oficina privilegiada, la secretaría de la Presidencia; también se hallaba Javier Barros Sierra, que después sería rector de la UNAM durante 1968, y, por último pero de ninguna manera al final, a Gustavo Díaz Ordaz, "Gustavito", como le decía el presidente, quien, al parecer, siempre pensó en él. El líder del senado, Manuel Moreno Sánchez, a su vez era amigo muy cercano del presidente y tenía esperanzas de que López Mateos lo escogiera.

Ya en 1964 Gustavo Díaz Ordaz había orquestado muy bien su campaña para que López Mateos se fijara en él. Gonzalo N. Santos, al final de sus *Memorias*, cuenta que organizó una comida en su quinta de Cuernavaca e invitó al presidente y a casi todo el gabinete, menos a Donato Miranda Fonseca, pues éste era el más serio rival de Díaz Ordaz, a quien Santos apoyaba. En esa fiesta hubo peleas de gallos. Santos tomó a su favorito y lo colocó frente a Gustavo Díaz Ordaz. "Damas y caballeros", dijo Santos, "este gallo que dentro de breves minutos voy a soltar es el tapado." Invitó entonces a Díaz Ordaz a que sujetara al gallo, lo cual hizo, sin empachos, el aún secretario de Gobernación. La mayoría de los asistentes apostaron en contra del gallo de Santos y López Mateos, discretamente, se abstuvo. El gallo tapado fue el que ganó y Santos sirvió copas de un "antiquísimo" coñac Napoleón. "Vamos a brindar", dijo a López Mateos, y éste respondió: "Sí, pero no solos; sírvale una copa a Gustavito para brindar por los tres."

Ya a mediados de año, Corona del Rosal visitó al líder del senado, Moreno Sánchez, y le pidió que apoyara a Díaz Ordaz. Moreno Sánchez no sólo se sentía presidenciable sino que era enemigo acérrimo de Díaz Ordaz, así es que, molesto, fue a ver a López Mateos para reclamarle. El presidente respondió que él no sabía nada de eso, que seguramente Corona del Rosal "llevaba agua a su molino". Sin embargo, le encargó a su amigo Moreno Sánchez que averiguara entre los políticos por qué se decía que Díaz Ordaz era violento y reaccionario. "Cuando tome la determinación", concluyó López Mateos, "tú serás el primero en saberlo."

Más tarde, el presidente invitó a Moreno Sánchez a conversar. El líder del senado llegó puntual al jardín del presidente, quien le dijo: "¿Sabes? Anoche no pude dormir." "Entonces ya te decidiste", comentó Moreno Sánchez. "Sí." "Bueno." ". . . Es Díaz Ordaz", reveló el presidente. Moreno Sánchez al instante manifestó su inconformidad. Pero López Mateos sólo le explicó que también había pensado en Barros Sierra, pero éste "no tenía cualidades de político"; y en Donato Miranda Fonseca, "que tenía muchos aspectos favorables pero no los suficientes". Y en Antonio Ortiz Mena, a quien descartó tan pronto como supo que todos los ex presidentes lo apoyaban. "Por esa razón no podía ser Ortiz Mena", explicó López Mateos.

Se cuenta igualmente que López Mateos mandó llamar al secretario de Gobernación y después de los saludos de rigor, le dijo: "Compañero, a usted le toca chingarse. Usted será el candidato del PRI a la presidencia."

En octubre de 1963 la convención del PRI nombró, "por unanimidad", candidato presidencial a Gustavo Díaz Ordaz, quien dejó la secretaría de Gobernación a Luis Echeverría y procedió a preparar su campaña presidencial. Por su parte, para evitar indisciplinas entre los priístas, López Mateos dio empleo a varios políticos que estaban en la banca y que podían causar problemas. Reubicó a Gilberto Flores Muñoz, a Francisco Galindo Ochoa y a Alfonso Martínez Domínguez, por ejemplo. Además, sorprendió a muchos por su elección de asesores de última hora. Al presidente le gustaba mucho el box y los toros, y se dice que en ocasiones le gustaba ir a la Plaza México. Uno de sus toreros favoritos era Joaquín Rodríguez, Cagancho, y como éste se hallaba en dificultades económicas, pidió una audiencia a López Mateos. Al salir, Cagancho sonreía, feliz. Cuando se enteró, Donato Miranda Fonseca casi se cayó del sillón: no podía concebir que un torero fuera nombrado asesor del presidente de la República.

A fines de año, Vicente Lombardo Toledano hizo prodigiosos equilibrismos ideológicos para convencer a los participantes a la III Asamblea nacional del Partido Popular Socialista de las bondades de lo que él llamó "alianza con el PRI". Los trabajó tan bien que al día siguiente todos estuvieron de acuerdo en que el PPS no lanzara candidato, sino que se adhiriera al del PRI. El PAN, por su parte, postuló a Pedro González Torres.

En 1964 se llevaron a cabo las campañas presidenciales. En esa ocasión todo parecía estar en perfecto orden: no había incómodos disidentes del sistema luchando por la presidencia; la oposición del PAN no presentaba el menor de los problemas, por más que, tibiamente, González Torres criticara al gobierno. La izquierda no hacía ruido: no había estrepitosos conflictos sindicales como seis años antes, y el Partido Comunista Mexicano, fuera de la ley, contribuía a la candidatura de Ramón Danzós Palomino a través del Frente Electoral del Pueblo (FEP), cuya inexistencia histórica fue indiscutible.

En las elecciones de julio de 1964, pues, no hubo ningún problema. Se trataba del momento de máxima fortaleza del régimen "revolucionario", cuando, incluso en el momento más difícil y debilitante, la sucesión presidencial, todo estaba bajo control: la situación económica se había estabilizado, la iniciativa privada no sacaba sus capitales y de hecho se mostraba satisfecha ante la perspectiva de que el secretario de Gobernación, que-tan-bien-lo-había-hecho, gobernara el país. Y la situación política era tranquila. Aunque reconoció un considerable margen de abstención, la Comisión Federal Electoral y después el Colegio Electoral dieron el triunfo a Díaz Ordaz con el 88 por ciento de los votos; el PAN obtuvo el 10.97 por ciento y, gracias a las reformas a la ley electoral, disponía de 20 diputados en el congreso. El PPS y el PARM también tuvieron sus plurinominales.

Por cierto, en las sesiones del colegio electoral de la cámara de diputados tuvo lugar la primera "interpelación" de la época reciente y que preludió las de 1988. El ex presidente municipal de Ciudad Camargo, Tamaulipas, Luis G. Olloqui, era diputado presunto por el PARM y se debatía su caso. Olloqui se la pasaba comiendo palomitas ("sin inflar", precisa la información del periódico *La Jornada*) y oía a Advento Guerra, del PRI, que lo ponía del asco. "Se le acusa de mala administración y uso indebido de recursos financieros. Además se robó el reloj de la presidencia de Camargo", decía Guerra. "Ahorita te contesto lo del reloj", lo interrumpió Olloqui, "ya verás". Pero Advento Guerra continuó fustigándolo. "¡Mientes, Advento, mientes, mil veces mientes!", gritaba Olloqui y seguía comiendo palomitas. "No llegó a diputado", concluye *La Jornada*.

Adolfo López Mateos se sentía bien seguro de su sucesor. Tal como ocurrió cuando él recibió el poder de Ruiz Cortines, el tránsito de López Mateos a Díaz Ordaz estaría enmarcado por la disciplina y ortodoxia priísta. Después, los dos terminaron detestándose.

Al final de su sexenio, Justo Sierra Casasús cuenta que López Mateos tenía dolores de cabeza que lo hacían encerrarse en un cuarto oscuro de palacio, Julio Scherer García refirió a su vez lo que le contó Humberto Romero, el secretario particular del presidente, quien ahuyentaba a los que hacían antesala; Romero llevaba al presidente a un cuarto de paredes acolchonadas. "Pasaban horas hasta que el hierro se enfriaba en el cráneo y con el fin del sufrimiento volvía el presidente a la vida", escribe Scherer. "'Ya pasó, Humberto.' 'Descansa, Adolfo.' 'Estoy bien. Vamos.' Y otra vez a los saludos, las audiencias, a la risa franca que cautivaba a las señoras sobre todo."

Los dolores de cabeza ("migraña", consideró siempre el presidente) eran anuncios del fin terrible de Adolfo López Mateos. A fin de cuentas se le inmovilizó el ojo izquierdo, la pierna izquierda, la mano izquierda, el pie derecho, la mano derecha. "Usaba unos aparatos ortopédicos para poder dar algunos pasos", cuenta Sierra Casasús. Después, quedó absolutamente paralizado, sólo con las funciones vegetativas (y muy probablemente con plena conciencia e incapaz de expresarse), hasta que murió, en 1969.

La cultura en México

A fines de 1958, cuando Adolfo Ruiz Cortines entregó el poder presidencial a su tocayo López Mateos, en México causaban furor el rocanrol y las rumbeadas. Aunque el rock era accesible para cualquiera, no todos se sintonizaban en la frecuencia de onda necesaria y había mucha gente, incluyendo jóvenes por supuesto, que ni entendían ni les interesaba el rocanrol. En cambio, la música tropical "era tan mexicana como las canciones rancheras", y por eso las rumbeadas estaban de moda. En las fiestas de sábado por la noche no faltaban Lobo y Melón con su "Amalia Batista" ("le tiro y le tiro la palangana y se va con el guapachá") para que los briosos bailarines le sacaran punta al piso. Cuando se requería de menor vigor, se pasaba a los danzones chachachá de Carlos Campos y de Mariano Mercerón. Ya se oía, pero aún no llegaba al techo del éxito, a la Sonora Santanera de Carlos Colorado, para muchos simplemente la Santa, que, con Sonia López, alcanzó ventas millonarias de "El ladrón". Para bailar "de cachetito" (o "de cartón de cerveza") también se oía, oh paradoja, a Ray Coniff, único gringo no rocanrolero con éxito fulminante en México.

En 1959 asombró el caso de *Rififí entre los hombres*, película francesa sobre un robo por horadación que tuvo un éxito inusitado; "ya lleva más de *un año* en el cine Prado", decía la gente. El gobierno a fin de cuentas prohibió la película porque tuvo lugar un robo exactamente igual al de *Rififí*.

Ya en 1959 en México se leía (además de a Carlos Fuentes, que acabó con el cuadro vía *La región más transparente*, y de Jorge López Páez, que debutó espléndidamente con *El solitario Atlántico*) a Jean-Paul Sartre, Albert Camus, Par Lagervist, y se oía hablar de los existencialistas. Lo que se entendía por existencialismo en términos más o menos populares (ciertos sectores de los jóvenes de clase media) era decir: "La vida no tiene sentido pero vale la pena vivirse", vestirse con pantalón y suéter de cuello de tortuga rigurosamente negros y tener la cara de aburrido o de estar deprimidísimo. Los cafés "existencialistas" llamaron la atención en la Ciudad de México. Lugares como El Gato Rojo, La Rana Sabia, Acuario, El Sótano, solían ser pequeños, oscuros, abundantes en café exprés y con espontáneos del público que leían poemas cuando la música, por supuesto jazz, descansaba un momento. Los mexicanos no tuvieron su Juliette Greco, pero muchos interesados por los beatniks (en realidad "existencia-

Juan García Ponce vino a formar parte del grupo que se adueñó del medio intelectual en los sesenta

Elena Poniatowska con Juan Rulfo en los sesenta

lismo" y "beatniks" era casi lo mismo para muchos) sí tuvimos la fabulosa revista *El Corno Emplumado*, en la que Sergio Mondragón y Margaret Randall se encargaron de traducir a Allen Ginsberg, Lawrence Ferlinghetti, Gregory Corso, Gary Snyder y Jack Kerouac. Realmente no hubo muchos beatniks en México, pero los cafés "existencialistas" sí llegaron a cierta popularidad, como un indicio de que cierta clase media urbana tendía a contraculturizarse.

La difusión de la alta cultura, como el dinero, cada vez más se concentraba en menor gente. El grupo de intelectuales que colaboraba en el suplemento cultural *México en la Cultura*, se solidarizó con Fernando Benítez cuando la directiva del periódico lo corrió por razones francamente reaccionarias. Sin embargo, José Pagés Llergo, director de *Siempre* les ofreció el espacio central de su revista y pronto surgió a la luz *La Cultura en México*, con Benítez, Fuentes, Emmanuel Carballo, Elena Poniatowska, y los jóvenes José Emilio Pacheco y Carlos Monsiváis. El primero ya había publicado poesía con Juan José Arreola; era serio, polígrafo, lector empedernido y con un fuerte sentido de la justicia; Monsiváis, por su parte, ostentaba su influencia salvadornovesca: alta inteligencia, ironía devastadora, dotes desmitificadoras e interés por la cultura popular. Ambos venían de la revista *Estaciones*, del poeta Elías Nandino, que dio amplias oportunidades a los jóvenes.

Con Benítez y Fuentes también se hallaban varios escritores, que a la larga vinieron a componer el sector conservador-intelectualista del grupo: Juan García Ponce, Juan Vicente Melo, Tomás Segovia, Salvador Elizondo, José de la Colina, Sergio Pitol. Por su parte, Poniatowska, Monsiváis, Pacheco, Carballo, Luis Guillermo Piazza y María Luisa Mendoza formaron el "sector popular". Las dos corrientes eran la planta baja, pues en la alta (o planos himaváticos) moraban Paz, Benítez, Fuentes, Jaime García Terrés y el filósofo poeta Ramón Xirau. El grupo de *La Cultura en México* también disponía de la *Revista de la Universidad* y de la *Revista Mexicana de Literatura*, y pronto se adueñaron del medio intelectual y ganaron muchos adeptos leales porque representaban la vanguardia intelectual y artística, lo-más-avanzado-en-el-país. Cerca de ellos se encontraban los editorialistas de la revista *Política*: González Pedrero, López Cámara y Flores Olea. Y también escritores exiliados como Tito Monterroso, Luis Cardoza y Aragón, y Gabriel García Márquez. Pronto se sumaron los críticos de cine (*Nuevo Cine*, *La Semana en el Cine*) Emilio García Riera, Jomi García Ascot, José de la Colina, Salvador Elizondo (que después hizo la revista *S. Nob*), y los directores de teatro Juan José Gurrola, Juan Ibáñez y José Luis Ibáñez (y con ellos sus grupos de actores). Y los pintores: José Luis Cuevas, que a los 15 años de edad montó su primera exposición y que había adquirido notoriedad por sus críticas desaforadas hacia Diego Rivera, David Alfaro Siqueiros y José Clemente Orozco y el muralismo en general. Por esas fechas Cuevas colaboró también en *Nueva Presencia*, donde se promovía la pintura figurativa y abs-

Carlos Fuentes dominó el México de los sesenta

tracta. Con Cuevas también circularon por el grupo los pintores Alberto Gironella, Vicente Rojo y Manuel Felguérez.

Como puede verse, el grupo era un verdadero bulldozer. A fines de los cincuenta y principios de los sesenta aún no funcionaban como mafia, incluso eran, hasta cierto punto, disidentes críticos del sistema, al que encontraban, y con razón, excesivamente subdesarrollado y de mentalidad anacrónica. Sin embargo, a mediados de los sesenta los de *La Cultura en México* se convirtieron cada vez más en Establishment y los criterios de descalificación tajante ante manifestaciones artísticas que ellos no favorecían se volvieron represivos, dado el poder que llegaron a amasar. En 1959 el grupo en pleno lloró la muerte de Alfonso Reyes, quien, sin duda, era su tata espiritual y modelo intelectual. En ese año también murió Samuel Ramos, pero el grupo no lo lamentó tanto; sin dejar de reconocer las aportaciones de Ramos, él era un ejemplo intelectual que no les interesaba; lo mexicano estaba "out", lo que correspondía era lo cosmopolita, estar al día, seguros de que se estaba al nivel intelectual de lo mejor del mundo y de ninguna manera en calidad de infanterías huarachudas de la vanguardia internacional.

Por esas fechas, Huberto Batis, otro conspicuo miembro del grupo, fue corrido junto con Tito Monterroso de El Colegio de México por Daniel Cosío Villegas ya que se tardaba mucho en sacar fichas. Batis se unió al escritor Carlos Valdés y formaron *Cuadernos del Viento*: páginas que sí se abrieron, como antes *Estaciones*, a los jóvenes entusiastas que se interesaban por la cultura y que, comparativamente, cada vez eran más y tendían a escaparse de las categorizaciones sociológicas. En 1959 Tito Monterroso publicó su primer, excelente, libro: *Obras completas* (*y otros cuentos*), en el que se halla el famosísimo texto "El dinosaurio", que aún estaba allí, en 1960, cuando Sergio Galindo ofreció su excelente novela *El bordo*. Carlos Fuentes, después del gran esfuerzo de *La región más transparente*, publicó una novela corta, lineal y espléndida, *Las buenas conciencias*, que, como todos los libros importantes de la época, apareció en el Fondo de Cultura Económica de Orfila Reynal bajo la sabia producción de Joaquín Díez-Canedo.

En realidad, Carlos Fuentes fue la máxima figura de la década de los sesenta. No sólo consolidó el éxito internacional de *La región* con libros decisivos como *La muerte de Artemio Cruz* y *Aura* (ambos de 1962), *Cantar de ciegos* (1964) y *Cambio de piel* (1967), sino que su presencia rebasó con mucho los estrechos márgenes que la sociedad imponía a artistas e intelectuales. Su crítica política fue oportuna y lúcida, y con sus libros y su magnetismo personal se convirtió en el personaje más popular de la gente culta y de muchos jóvenes que veían en él un casi perfecto héroe intelectual. Cuando, a mediados de la década, se organizó el I Concurso de Cine Experimental, él fue el autor que todos los cineastas querían adaptar. La cúspide de esta popularidad tuvo lugar en diciembre de 1969 cuando Fuentes festejó su novela *Cumpleaños* con un coctel legendario en la cantina La Ópera,

Rosario Castellanos

donde la nueva intelectualidad se sintió muy a gusto en esa atmósfera porfiriana. Candice Bergen y William Styron, estrellas invitadas, acapararon las cámaras; buen whisky y mejor coñac se distribuyeron sin coderías y las borracheras de fin de jornada fueron comentadísimas.

En las antípodas se hallaba José Revueltas, quien, en 1960, publicó su libro de cuentos *Dormir en tierra*, que contiene varias obras maestras del género. Pero en realidad lo primordial para Revueltas seguía siendo el pensamiento comunista y también en 1960 publicó su *Ensayo sobre un proletariado sin cabeza*, en el que criticó a los partidos Comunista Mexicano, Popular Socialista y Obrero Campesino porque no estuvieron a la altura de la trascendencia del movimiento ferrocarrilero. Eso le corroboraba a Revueltas su idea de que el proletariado mexicano carecía de una verdadera cabeza revolucionaria y de que el Partido Comunista, por su desligamiento del pueblo, era inexistente históricamente. Poco antes, José Revueltas había presentado *México: democracia bárbara*, en el que observó penetrantemente la sucesión presidencial de 1958 y donde concluyó que las prácticas democráticas mexicanas eran, en el mejor de los casos, "bárbaras". Éste fue uno de los primeros textos en México que de lleno enfrentaron lo que para entonces era el Gran Enigma de los Modos de Sucesión Presidencial, que para Revueltas bien podían considerarse "a la mexicana". En aquella época el pueblo sabía muy poco de lo que ocurría en las cúpulas gubernamentales, que guardaban un hermetismo casi total.

En poesía aparecieron *Luz de aquí*, de Tomás Segovia; *Delante de la luz cantan los pájaros* y *Lívida luz*, de Rosario Castellanos. Y apareció *La espiga amotinada*, con materiales de cinco poetas izquierdistas: Óscar Oliva, Juan Bañuelos, Eraclio Zepeda, Jaime Augusto Shelley y Jaime Labastida, que en 1965 se volvieron a reunir en el libro *Ocupación de la palabra*. En 1961 salió *Fuego de pobres*, de Rubén Bonifaz Nuño y el Fondo de Cultura publicó el *Material poético*, de Carlos Pellicer, enorme como lápida, que contenía la obra escrita entre 1918 y 1961.

En 1961 México estaba ávido de mundo. Las noticias de los viajes orbitales de los soviéticos Gagarin y Titov impresionaron profundamente, y en el medio cultural entusiasmaban las obras teatrales de vanguardia, especialmente el teatro del absurdo de Ionesco. En tanto, la dramaturgia mexicana seguía regida por Emilio Carballido, quien presentó *Te juro Juana que tengo ganas* con un gran éxito, el cual repitió con *Yo también hablo de la rosa*. Magaña escribía poco, y el nuevo autor que llamó la atención fue Hugo Argüelles, que llegó al estrellato instantáneo con sus obras *Los cuervos están de luto* y *Los prodigiosos*, donde se explayó en el humor negro.

La nueva ola francesa causaba sensación en el cine. Muchos jóvenes vieron casi religiosamente las primeras películas de Godard, Truffaut y Resnais. También se admiró a los italianos Visconti (*Rocco y sus hermanos*), Fellini (*La dulce vida*) y Antonioni (*La noche*). Empezaban las reseñas cinematográficas en Acapulco, que atraían a grandes celebridades del cine. Pero la producción cinematográfica en México era alarmantemente pobre. Luis Buñuel, por supuesto, seguía en la cúspide, pero en 1961 se fue a filmar a España, después de varias décadas de exilio, y con el dinero del mexicano Gustavo Alatriste (dueño de las revistas *Sucesos* y *La Familia*, en las que trabajaba Gabriel García Márquez) y con la actuación de Silvia Pinal (esposa entonces de Alatriste) produjo *Viridiana*, una de sus obras cumbres, que en lo más mínimo se quedaba atrás ante la portentosa *Nazarín*, que filmó en 1958. Buñuel regresó a México, pero ya filmaría poco aquí. Con el binomio Alatriste-Pinal, el aragonés realizó *El ángel exterminador*, una alucinante historia que claramente viene de un sueño, y *Simón del desierto*, obra mucho menor que tiene la torpeza de presentar al infierno como un antro donde no sólo se oye rocanrol sino que éste es interpretado por el grupo Los Monjes, que capitaneaba uno de los hijos de Julio Bracho.

Este maestro, por cierto, en 1962 filmó *La sombra del caudillo* en una horrenda adaptación de la gran novela de Martín Luis Guzmán. Si la novela causó un escándalo cuando se publicó, más de 30 años antes, a principios de los sesentas seguía perturbando al régimen, que, de plano, optó por censurar la película y enlatarla por muchos años: en 1989, por cierto, continuaba sin estrenarse públicamente, aunque ya alguna gente la había podido ver en videocaset. La censura había hecho el mismo numerito en 1959, cuando Roberto Gavaldón adaptó al cine la obra de B. Traven, *La rosa blanca*; la exhibición comercial de esta película también fue prohibida sin dar una mínima explicación e igualmente acabó enlatada. Eran pocos los cineastas aptos en México y a éstos el deprimente panorama comercial les cerraba las puertas. Sólo Luis Alcoriza encontró apoyo en la compañía de Antonio Matouk (Angélica Ortiz, gerente de producción) y demostró que los años que pasó como asistente de Buñuel fructificaban con dos películas notables: *Tlayucan* y *Tiburoneros*. Pero fuera de eso, el cine nacional era desolador, dominado por productores acostumbrados a lucrar a partir de los empréstitos que les daba el Banco Cinematográfico y que jineteaban con gran gusto. La corrupción de estos productores (Wallerstein, Ripstein, Calderón, Rosas Priego) los condujo a favorecer un cine absolutamente inane, tan malo que apenas llegaba a enajenar al respetable. Una magnífica muestra de estos "criterios" lo constituyó la avalancha de películas "juveniles" de la época. Conscientes del éxito tremendo de los rocanroleros y del auge de los jóvenes en general, los productores filmaron "comedias musicales" cuyo único chiste consistía en presentar a los ídolos del rock, pues la moralina, la evidente ansia de manipular y la pereza creativa campeaban en casi todas las películas que hicieron (y que ya eran llamadas "bodrios" por el público). Todo esto daba arsenal a los críticos de *La Semana en el Cine* y de *Nuevo Cine* que se pitorreaban de los bodrios y denunciaban la censura y los criterios atrasadísimos del cine nacional.

En cambio, aún no surgía la crítica de televisión. Telesistema Mexicano se perfilaba como gran monopolio (el estado ni siquiera presentaba competencia, mucho menos resistencia) y progresivamente asentó en la población del país los modelos más desafortunados del "american way of life" y la enajenación en todas sus formas. Las telenovelas eran ya una institución nacional y el público se había acostumbrado a ver los lacrimógenos, pésimamente realizados, melodramones que duraban meses en su programación vespertina. Por escribir telenovelas, Vicente Leñero, que en 1961 publicó su novela *La voz adolorida* (años después ésta se transformó en *A fuerza de palabras*), tuvo que sufrir el escarnio de los intelectuales del Establishment. Además de las telenovelas, Telesistema presentaba viejas series de televisión estadunidense ("Los intocables", "Combate", "Yo quiero a Lucy"), caricaturas pésimamente dobladas y programas "de entretenimiento". Entre éstos, lo mejor consistió en la aparición de Manuel Valdés, el Loco (hermano del para entonces gordo Tin Tan), quien en "Variedades de mediodía", primero, y "de medianoche", después, se hizo célebre con su comicidad incontrolable y su gran capacidad para improvisar payasada tras payasada. El humor del Loco era definitivamente nuevo, y en momentos podía ser incluso subversivo, o eso juzgó la Temible Censura de Televisión, que se puso furiosa cuando el buen Loco se refirió al buen Benemérito de las Américas como "Bomberito Juárez". Por desgracia, esas locuras sanamente desmitificadoras e ingeniosas no abundaban en la televisión, que paso a paso se convertía en una influencia devastadora, al grado de que después se consideró que Telesistema era la verdadera secretaría de Educación Pública, pues llegaba hasta lo más profundo de la sociedad mexicana (o eso parecía).

Para colmo de males, en 1963, Walter Buchanan, secretario de Comunicaciones, lanzó una convocatoria para concesionar un nuevo canal televisivo: el 13. La Universidad Nacional Autónoma de México desde principios de los años cincuenta había peleado por tener su propio canal, pero no obtuvo nada. A principios del sexenio, en cambio, el Instituto Politécnico Nacional logró la concesión del canal 11, cultural, de muy bajo presupuesto; en un principio nadie podía verlo, pues así de débil era su señal; por tanto, lo correcto era que la UNAM obtuviera el suyo. Varios funcionarios parecían interesados en esto, pero a fin de cuentas Comunicaciones acabó ignorando a la Universidad y concesionó el canal 13 a un señor Salas que nadie conocía. Numerosos magnates de la comunicación querían también el nuevo canal y en el acto presentaron amparos ante la Suprema Corte de Justicia alegando prioridad. Por esta razón, la concesión del nuevo canal quedó en suspenso y sólo hasta 1968 acabó resolviéndose (pero en esa ocasión tampoco lo pudo obtener la UNAM, a pesar de los esfuerzos que en ese sentido realizó el rector Barros Sierra).

En la prensa, el gran acontecimiento fue el surgimiento de *El Día*, que en 1961 el atinado López Mateos proporcionó a Enrique Ramírez y Ramírez, viejo militante de la izquierda, quien después se dejó cooptar por el sistema ("hay que hacer la revolución desde adentro") y como premio obtuvo su periódico. Gracias al buen subsidio oficial, este diario no se preocupó por la publicidad y quitó importancia a las páginas de sociales. Abundaba en información internacional con un discreto tinte "de izquierda". Además, después tuvo el tino de establecer una página cultural diaria que, cuando fue encomendada a Arturo Cantú, alcanzó niveles magníficos. Los demás periódicos grandes (*Excelsior*, *Novedades*, *El Universal*) continuaban con líneas francamente conservadoras, generadas por la inercia y el intrincado juego de los "embutes" o "chayotes" ("sin mi chayo no me hallo", bromeaban cínicamente los periodistas), o sea: los sobornos que en sobres cerrados repartían los jefes de prensa de las dependencias para asegurar la complicidad de los reporteros. El periódico más popular (después del notorio amarillismo de *Zócalo* en los años cincuenta) era *La Prensa*, con sus criterios provincianos (el peor insulto de la época) de echar por delante la nota roja, la cual más tarde sería explotada repugnantemente por *Magazine de Policía* o *Alarma*. Los deportivos principales ya eran *Esto*, *Ovaciones* y *La Afición* (este último daba más énfasis al beisbol, mientras los dos primeros se ocupaban del fut). Los domingos se leía *El Fígaro*, con sus páginas moradas, en donde abundaban fotos de las bellas; Efraín Huerta se encargaba de la crítica de cine. Las revistas clave eran *Siempre!*, de Pagés Llergo, con las caricaturas de Carreño y de los estrellas de los cincuenta el Chango García Cabral y Manuel Freyre. Los principales pensadores políticos colaboraban en las páginas sepia del semanario, que tenía un éxito absoluto entre el medio político y el público; también se leía muchísimo la revista *Política*, de Manuel Marcué Pardiñas, quien llegaba en un flamante auto Jaguar a sus oficinas de Bucareli. *Política* era más combativa que *Siempre!* y pronto se convirtió en la publicación preferida de la izquierda, que leía con avidez los artículos y los reportajes sobre acontecimientos que el resto de la prensa prácticamente ignoraba, como la muerte de Jaramillo o los avatares de la revolución cubana.

Entre las historietas seguía brillando *La Familia Burrón*, pero las grandes ventas iban para *Lágrimas, risas y amor*. Por esas fechas apareció *Chanoc*, que después tuvo una gran importancia, al igual que *Kalimán* y, más tarde, *El Payo*. Pero el dominio total del mercado lo tenía la Editorial Novaro, que llenaba los puestos con sus traducciones de historietas estadunidenses: las viejas *Pequeña Lulú*, *Lorenzo y Pepita*, más los *Cuentos de Walt Disney*, las historietas del Conejo de la Suerte, el Pájaro Loco, además de las de Supermán, Batman y otros "superhéroes" que, por supuesto, compensaban al ciudadano endeble con el sueño de los "superpoderes". Tenían mucho éxito también historietas sentimentales (y debidamente "gordas") como *La Novela Semanal* o la *Novela de Amor*, que competían *in extenso* con las publicaciones de Yolanda Vargas Dulché. Y ya existían las fotonovelas, que en los años setenta alcanzaron un gran auge: se trataba de historias igualmente sentimentales que se fotografiaban con actores incipientes. En un principio las fotonovelas penetraron con lentitud, pero después llenaron de dinero a mucha gente. Y estaban las revistas "femeninas" y "masculinas". *La Familia*, de Gustavo Alatriste (y que después dirigió Cristina Pacheco) era muy popular, pero ya a fines de López Mateos y a principios del diazordacismo aparecieron *Kena*, *Claudia de Mé-*

A principio de los sesenta apareció Rius, creador de *Los supermachos, Los agachados* y *La garrapata*

xico, *Rutas de Pasión* y otros engendros que confinaban a la mujer (como hacía aún la sociedad entera) a la cocina, la costura y confección, a los chismes sobre artistas, a la apología de las modas y de la vida de los ricos, especialmente si eran aristócratas. Por el lado masculino, desde fines de los cincuenta, James R. Fortson trató de emular al estadunidense Hugh Hefner y nos recetó la revista *D'Etiqueta*, que seguía el modelo *Playboy* en cuanto a los reportajes "culturales", el culto a la moda y los automóviles, los chistes y las caricaturas, pero aún sin que las "féminas" (horror de término) mostraran los senos, pues el gobierno continuaba en la línea férrea de la censura paternalista. Poco después Fortson emprendió *Caballero*.

También se dieron publicaciones humorísticas al principio de los años sesenta. Rius, que ya empezaba a cobrar celebridad, se unió con Almada y con el español Gila (que causó sensación en México con su humor "por teléfono") y los tres echaron a andar *La Gallina*, cuyo primer número aclaraba que la revista se podía leer con confianza pues en ella no publicaba Roberto Blanco Moheno. El humor de *La Gallina* tendía fuertemente a lo político, y por eso fue vista con suspicacia por las autoridades. El penúltimo número, de lejos, parecía la revista *Life en español*, y sólo al acercarse se leían las letras menudísimas que decían: "Esto no es *Life en Español*, es *La Gallina en Mexicano*." El siguiente, y último número, tardó mucho en aparecer, y cuando salió, el público devoto de la revista vio que, en el más puro estilo *Mad*, se informaba: "Esta vez no pusimos nada en la portada para no meternos en otra bronca." Rius después creó *Los Supermachos*, que tuvo un gran éxito, y después se embarcó en libros didáctico-políticos con el lenguaje de la historieta (*Cuba para principiantes, Marx para principiantes*) y logró penetrar en públicos cada vez más amplios. Poco después aparecieron unos cuantos números de la revista *Mano*, más directamente influida por la estadunidense *Mad*, que crearon los entonces muy jóvenes Gustavo Sainz, Nacho Méndez y Sergio Aragonés; este último después se fue del país y encontró trabajo precisamente en *Mad*, donde, hasta la fecha, se encarga de los "dramas marginales".

En 1962, el año en que apareció *Mano*, el teatro obtuvo un impulso decisivo con la aparición de Juan José Gurrola, quien dirigió y actuó (con Enrique Rocha) la excelente puesta en escena de *Bajo el bosque blanco*, del poeta Dylan Thomas, que entre sus grandes méritos se halla el haber facilitado su nombre a Bob Dylan. De allí en adelante Gurrola llevaría a cabo representaciones teatrales de excelente calidad, y con autores como Pierre Klossowski o e. e. cummings se colocó a la cabeza de la experimentación teatral en México. Por esas fechas Juan Ibáñez hizo su legendaria escenificación de *Divinas palabras*, que lo llevó a triunfar en el Festival de Teatro de Nancy, Francia. Ibáñez después pasaría a la dirección de cine. En 1962 llegó a México el chileno Alexandro Jodorowsky, discípulo del mismo francés Marcel Marceau y del orate español Arrabal, de quien Jodorowsky aprendió las "suertes pánicas". En México, Alexando rindió

Elena Garro (*Los recuerdos del porvenir*), autora de la por entonces recién creada
Editorial Joaquín Mortiz

homenaje a su maestro con la puesta en escena de *Fando y Lis*, que causó sensación en el Teatro de la Esfera. Las buenas conciencias también se escandalizaron con los espectáculos "efímeros", que eran bien divertidos si se tenía presencia de ánimo para ver cuasirrituales de gallinas degolladas o actores defecando en escena. Jodorowsky nos puso al día en cuanto a representaciones de Eugene Ionesco, y con el excelente actor Carlos Ancira montó *La lección*, *Rinocerontes*, *Las sillas* y otras obras del jefe rumano (Gurrola, en la Casa del Lago, se encargó de la célebre *Cantante calva*, que aún sigue peinándose de la misma manera). Por cierto, a fin de sexenio Carlos Ancira estrenó su monólogo *El diario de un loco*, de Gogol, que montó miles de veces en México y en el extranjero prácticamente hasta su muerte a fines de los ochenta.

En 1962, la literatura obtuvo un avance de importancia con la aparición de la Editorial ERA, llamada así por las iniciales de sus socios principales: Neus Espresate, el pintor Vicente Rojo y el dueño de la Imprenta Madero, Azorín. Era puso en circulación la soberbia traducción de Raúl Ortiz y Ortiz de *Bajo el volcán*, de Malcolm Lowry, editó a Gabriel García Márquez y a autores nacionales como Carlos Fuentes y Fernando Benítez. Reforzó también la hasta entonces escasa red de ediciones de literatura nacional. En los años cincuenta el Fondo de Cultura Económica, a través de la colección Letras Mexicanas, abrió el camino; le siguió Juan José Arreola a mitad de la década con sus ediciones Los Presentes, y a fines de los cincuenta la Universidad Veracruzana lanzó su serie Ficción, que dio cabida a numerosos escritores jóvenes. El panorama mejoró más aún en 1963, cuando Joaquín Díez-Canedo dejó la gerencia general del Fondo de Cultura Económica y abrió la Editorial Joaquín Mortiz, que en un principio nos dio obras de Gunther Grass, Agustín Yáñez, Elena Garro (*Los recuerdos del porvenir*) y Juan José Arreola, quien volvió a la literatura después de diez años para abrir la popular Serie del Volador con su novela "de voces" *La feria*. Arreola, además, reemplazó a Ramón Xirau en la conducción del Centro Mexicano de Escritores, y con Juan Rulfo se encargó de coordinar las sesiones de becarios (Rulfo, por cierto, anunciaba todos los años la "inminente" aparición de su novela *La cordillera*). Arreola merecidamente adquiría el prestigio de ser el que más ayudaba a los jóvenes, pues no sólo atendía a los becarios del Centro de Escritores sino que en su departamento de Río de la Plata en la colonia Cuauhtémoc inició "el último de los grandes talleres literarios de la vieja época" que se llamó *Mester*. Arreola no tenía criterios tan excluyentes como el grupo de *La Cultura en México* y a su taller acudía gente de todas las edades y de todo tipo de intereses literarios, pero predominaban los muy jóvenes, como José Carlos Becerra, Elsa Cross, Alejandro Aura, Víctor Villela y Raúl Garduño (en la poesía), y Gerardo de la Torre, René Avilés Fabila, Federico Campbell, Jorge Arturo Ojeda, Eduardo Rodríguez Solís, Rafael Rodríguez Castañeda y Álex Olhovich (en la prosa). Este grupo trabajó durante 1963 y en 1964 procedió a publicar la revista *Mester* y el primer libro: *La tumba*, novela

Juan **José** Arreola inició, en 1949, su carrera literaria y su presencia pública

corta de José Agustín, que presentó el fenómeno de los jóvenes vistos desde la juventud misma (casi todas las obras juveniles eran escritas por gente de edad, lo cual determinaba en gran medida el estilo y la concepción de la juventud misma). Este tipo de novela utilizaba un lenguaje que rescataba artísticamente las hablas de los muchachos, además de que venía cargado de una vitalidad, irreverencia y frescura que difícilmente se pueden dar cuando se es más adulto. A fin de cuentas, este fenómeno también era una manifestación cada vez más clara del papel protagónico que los jóvenes empezaban a tener en México.

Para entonces ya era una realidad entusiasmante lo que se conocía como el boom de la literatura latinoamericana y que, a fin de cuentas, consistía en que el público internacional (léase Europa y Estados Unidos) al fin reconocía la formidable literatura que los latinoamericanos hacían desde los años cuarenta. En 1960 ya habían aparecido, con gran éxito, las traducciones de *La región más transparente*; en 1961 Jorge Luis Borges obtuvo el Premio Internacional de Literatura, que otorgaban más de diez editores de varios países; en 1962 Fuentes regresó a los grandes niveles con *Aura* y *La muerte de Artemio Cruz*, que se volvieron fuertes éxitos internacionales. También obtuvo gran resonancia el premio Biblioteca Breve, de la editorial española Seix Barral, que premió la primera novela del joven peruano Mario Vargas Llosa *La ciudad y los perros*. Ésta apareció ya en 1963 y coincidió con la publicación de *Rayuela*, la intrincada, gozosa, humanísima, obra maestra del argentino Julio Cortázar. Poco después aparecerían *Tres tristes tigres*, de Guillermo Cabrera Infante, alias G. Caín; *Paradiso*, de José Lezama Lima y *Cien años de soledad*, de Gabriel García Márquez, con lo que se completó el cuadro de honor del horriblemente llamado "boom". Todos estos autores no ocultaban sus simpatías por la revolución cubana (hasta que ésta expulsó a Cabrera Infante), lo cual contribuyó a que existiese una fuerte conciencia latinoamericana y la necesidad de mayores lazos de unión entre los pueblos subdesarrollados del continente. En México, Colombia, Venezuela, Perú y Argentina los autores del boom fueron leidísimos, propiciaron una nueva sensibilidad y tomas de conciencia de orden político y social. Su nivel cualitativo fue excelente, y por eso los autores del boom (que a la larga se redujeron a cuatro: García Márquez, Fuentes, Vargas Llosa y Cortázar) siempre obtuvieron una atención inusitada.

En 1963 el escritor Vicente Leñero sorpresivamente ganó el famoso premio Biblioteca Breve con su novela *Los albañiles*, que apenas un año antes había rechazado el Fondo de Cultura Económica en México. El espaldarazo a la obra de Leñero era impresionante, y sin embargo el Establishment literario se indignó. Se dijo que a partir de ese momento el premio Biblioteca Breve perdía toda su seriedad. Carlos Barral viajó a la Ciudad de México a entregar el premio y, para su sorpresa, el coctel de premiación fue ignorado por los altos intelectuales mexicanos, y, después, Leñero padeció una campaña en forma para tratar de minimizarlo; especialmente se le acusaba de escribir telenovelas y de ser católico practicante, lo cual dejó ver que la religión en la cultura se hallaba en su nadir, y sólo Jorge Portilla, el fenomenólogo del relajo, se las podía arreglar para echar por delante su religiosidad sin padecer el escarnio de sus compañeros. *Los albañiles* fue un libro muy importante en México, en parte porque no se adhería a la corriente que desdeñaba la temática social y el uso de un lenguaje que elaboraba artísticamente las hablas coloquiales. Para entonces era ya muy fuerte la tendencia a enfatizar la forma y a rehuir todo "provincianismo". Sin embargo, la novela de Leñero lograba cubrir las cuestiones sociales a través de una forma artística complejísima que indicaba cuán profundamente el autor había asimilado los experimentos literarios del *nouveau roman* francés y sus prohombres Robbe-Grillet, Claude Simon, Nathalie Sarraute et al.

Malentender, rechazar y después ningunear a Vicente Leñero significó uno de los puntos más débiles de la para entonces llamada mafia literaria. Otro de estos errores graves fue el ninguneo vil que se le infligió a José Revueltas. Éste, en 1964, publicó una de sus obras maestras, el "thriller político" *Los errores*, que condensaba sus experiencias en el movimiento comunista y criticaba a fondo los autoritarismos estalinistas. En *Los errores* Revueltas equilibró las andanzas de los militantes comunistas con el submundo sórdido de putas, padrotes, enanos, rateros y alcohólicos, y produjo páginas imperecederas impregnadas de sabiduría, riqueza de conocimientos, inspiración genuina y alturas poéticas y perturbadoras.

Atajar a Leñero y ningunear a Revueltas dejó ver que lo que en un principio fue un grupo dinámico, inquietante y enriquecedor, llevaba consigo la semilla del autoritarismo aristocrático intelectual. Por eso Daniel Cosío Villegas les había dicho: "¿No podría yo pedirles un poco de modestia, o si se quiere, de templanza? Hace poco tiempo que ustedes creen que son los depositarios de la cultura mexicana, y que sólo ustedes pueden hablar en nombre de ella." Para 1964 ya se le conocía como "la mafia" porque a ellos mismos les gustaba el término y jugaban con él con un ingenio que no lograba rebasar el cinismo. Para entonces el grupo controlaba directa o indirectamente el suplemento de *Siempre!*, la *Revista Mexicana de Literatura*, la *Revista de la Universidad*, la *Revista de Bellas Artes*, *Cuadernos del Viento*, *Diálogos* (que un año antes iniciara Ramón Xirau con el apoyo de El Colegio de México), Radio UNAM, la Casa del Lago y varias oficinas de difusión cultural con todo y sus nóminas. El gobierno poco a poco fue reconociendo su fuerza intelectual y de hecho procedió a aglutinar a muchos de ellos. Por tanto, los de la mafia lo pasaron muy bien en los años sesenta porque tuvieron todo lo que quisieron: aprecio de las altas esferas y admiración de muchos jóvenes. Sin duda llevaron a cabo obras importantes para la cultura, además de la calidad de la producción en lo individual, que significó magníficos libros de cuentos de José de la Colina (*La lucha con la pantera*), de Sergio Pitol (*Tiempo cercado, Infierno de todos*), de Inés Arredondo (*La señal*), de Juan García Ponce

Jorge Ibargüengoitia de la mejor narrativa en los sesenta

(*Imagen primera*, *La noche*), de Juan Vicente Melo (*Los muros enemigos*, *Fin de semana*), Jorge Ibargüengoita (*Los relámpagos de agosto*), José Emilio Pacheco (*El viento distante*), Elena Poniatowska (*Los cuentos de Lilus Kikus*), Fernando Benítez (*El rey viejo*, *El agua envenenada*), para sólo hablar de los narradores. Sin embargo, su rechazo al chovinismo y al provincianismo (los cargos más terribles que solían pronunciar) los llevó a apoyar entusiasta pero acríticamente la cultura europea y a subestimar muchos aspectos importantes de la cultura nacional. Era común, por ejemplo, oír que México jamás había producido una sola obra maestra (ni Sor Juana se salvaba). El mayor desdén lo mostraron hacia la narrativa con aire "social" y hacia el muralismo (que por supuesto para entonces estaba liquidado, pero no sin antes producir obras extraordinarias). La mafia era ruidosamente cosmopolita y vanguardista e izó como banderas a Alfonso Reyes, los Contemporáneos, Octavio Paz y Rufino Tamayo, lo cual no estaba mal si a esos nombres hubieran añadido los de Vasconcelos, Mariano Azuela, Diego Rivera, José Clemente Orozco, David Alfaro Siqueiros, Samuel Ramos y José Revueltas, por ejemplo. La mafia llevó a cabo incesantes campañas de autoexaltación y homenajes mutuos, pues sólo admitían a sus amigos o a quienes compartiesen sus premisas sectarias e ignoraban o criticaban amargamente a quienes consideraban "indecentes" o "muy menores". Acabaron creyéndose los amos al punto de convocar tributos y alabanzas de todo aquel que quería tener respetabilidad en la cultura y de paso alguna chamba.

En realidad, la mafia de los sesenta mostró hasta qué punto había llegado el país mismo en su desligamiento de las raíces populares y en la consiguiente admiración acrítica a lo nuevo que venía del extranjero. Siempre estaban puestos para bailar las coreografías puestas por otros, desde los juegos del in/out, camp y trivia (provenientes de Nueva York) o los dictados teóricos de apreciación artística (que llegaban de Europa). Al igual que la flamante clase media, los jerarcas del sistema y los magnates de la economía, la mafia no quería mezclarse con la "cultura de la pobreza", de la que hablaba Oscar Lewis. Gran parte del país, en su proceso de crecimiento, tendía a rechazar al Viejo México pero, como no disponía de otra cosa, abría los ojos pasmada hacia lo que ocurría en Europa o en Nueva York, tal como había ocurrido durante el porfirismo, y es que, en realidad, los gobiernos de la revolución cada vez se parecían más al de Porfirio Díaz. La mafia, pues, reflejaba todo esto con su debida sofistificación. Eran lo moderno en México, de allí que se sintieran tan a gusto en la zona rosa (a falta de Greenwich Village o Quartier Latin), donde instalaron sus "headquarters": Cuevas pintó murales efímeros en la zona y todos se congregaban en el café Tirol (por eso se decía: ay mafia no te rajes, aún te queda tu último Tirol).

En el paisaje de la zona rosa no cabían poetas como Jaime Sabines, que calladamente produjo libros excelentes (*Horal*, *La señal*, *Tarumba*) y que en los sesenta ya era un autor maduro (*Diario semanario*, *Yuria*). Este

Angélica María, la Novia de la Juventud, y
Enrique Guzmán, el Coco de los Petaqueros

Julissa se salió de los Spitfires, pegó como
solista y después como actriz

gran poeta obviamente no podía incluirse en la vieja idea del "nacionalismo cultural" (al cual se ligaba el muralismo y la novela de la revolución). Sabines compartía con ésta una hondísima percepción de las raíces, pero su espíritu renovador, que incluyó una fuerte cercanía con el pueblo y su lenguaje (la vigorosa integración de las "malas palabras" en "La muerte del coronel Sabines"), una voluntad severa de tocar fondo de sí mismo y una inmensa capacidad de amor y de comprensión de las mujeres; todo esto marca a Sabines (al igual que a Revueltas y Leñero) como un importantísimo precedente del "espíritu del 68", que dejó atrás, por superada, la polémica nacionalismo (provincianismo) vs. cosmopolitismo (vanguardia), ya que sin complejos ni titubeos admitía ambas polaridades y se resolvía en la síntesis de una nueva sensibilidad que implicaba una distinta apreciación de México. En la poesía, además de Sabines, destacó Jaime García Terrés (*Los reinos combatientes*), José Emilio Pacheco (*Los elementos de la noche*), Gabriel Zaíd (*Seguimiento*) y Homero Aridjis (*Mirándola dormir*). Efraín Huerta publicó su gran poema *El Tajín* y Octavio Paz llegó al techo de su obra poética con *Salamandra*.

En la música popular el gran éxito correspondió a Javier Solís (que en mínima medida llenó el hueco dejado por la muerte de Pedro Infante) y destacó Lucha Villa. También se oía jazz, con Mario Patrón, Juan José Calatayud y Tino Contreras. En el rock, después del arranque de 1958 y 59, al sistema le urgía mediatizar esa música que, a juzgar por la virulencia con que se le atacó, era considerada subversiva y disolvente. La vía para lograrlo fue "cooptar", vía la promoción comercial, a los rocanroleros más destacados, lo cual hizo que los conjuntos se desvanecieran temporalmente. En su lugar aparecieron los "solistas": Enrique Guzmán (dejó a los Teen Tops), César Costa (defeccionó de los Black Jeans), Johnny Laboriel (se fue de los Rebeldes del Rock), Manolo Muñoz y las guapas Angélica María y Julissa. Todos ellos, más Manolo Muñoz, tuvieron un éxito extraordinario e, inconscientes como eran, pronto olvidaron la rebeldía rocanrolera y se convirtieron en dóciles instrumentos de los "directores artísticos" y de los productores de cine. Sin embargo, cuando parecía que la mediatización fidelvelazquiana se había logrado del todo, hacia 1964 llegó la sangre nueva, que ahora venía de la frontera: Javier Bátiz, de Tijuana, fue uno de los primeros (y uno de los grandes personajes que ha dado el rock nacional); tras él comenzaron a llegar chavos de Ciudad Juárez, Reynosa y Matamoros, e incluso de Durango, como los Dug Dugs de Armando Nava. El grupo chilango los Sinners, con el escritor Federico Arana, llamaba la atención en el café Ruser, de la colonia Roma; esto es, cuando los granaderos no habían clausurado el local, lo cual ocurría con frecuencia. Lo mismo sucedía con otros antros rocanroleros como el Harlem, el Schiaffarello (o Chafarelo), el Hullaballoo y, a fin de la década, A Plein Soleil. La policía llegaba, arrestaba a los muchachos que bailoteaban en los asientos y bebían cocacolas o limonadas, los maltrataba y los llevaba a las delegaciones policiacas, donde sus padres tenían que rescatarlos no sin dejar la dignidad de por medio (al soportar discursos moralistas) y también buenas sumas de dinero (para facilitar las cosas). La represión al rock fue intensa durante el gobierno de López Mateos, pero aún faltaba el "estilo personal" de Gustavo Díaz Ordaz en el siguiente sexenio.

Todo cambiaba en México, que a principios de la década contaba ya con casi 35 millones de habitantes (la mayoría, por primera vez en la historia, en ciudades). La vida rural al viejo estilo se evaporaba rápidamente y en los centros urbanos avanzaba la influencia de Estados Unidos, concentrada en la clase media que empezaba a tener atisbos de algunos refinamientos, aunque aún no podía presumir de saber de buenos vinos y de viajar a Europa y a Estados Unidos como llegó a ocurrir a fines de los años setenta. Las modas habían cambiado: en la década anterior las faldas de las mujeres fueron subiendo gradualmente y en 1960 se hallaban en la estratégica altura de las rodillas, por consiguiente, eran más entalladas. Las mujeres calzaban zapatos de tacones altos y afilados; las medias ya no tenían raya y circulaban las primeras pantimedias. Los sostenes eran más bien grandes y duros y casi toda la ropa interior tendía a ser conservadora, aunque ya habían aparecido los brasieres sin tirantes y los calzones bikini para hombres y mujeres. En las playas los bikinis "llegaron para quedarse", aunque aún no eran demasiado reveladores sino, más bien, podían considerarse trajes de dos piezas ("¿Usted no nada nada?" "Es que no traje traje"). El maquillaje se imponía, aunque variaban los tonos y el arquetípico rojo ya no tenía el monopolio del lápiz labial. En los sesenta apareció la moda increíble con los vestidos "globo", que en verdad lo parecían pues se inflaban en todo el cuerpo y se cerraban drásticamente a la altura de las rodillas; con ello vinieron los esperpénticos "peinados piramidales", que amenazaban crecer a proporciones desmesuradas mediante lacas, rociadores-fijadores o de plano elaboradas estructuras que formaban elevadas y rígidas chimeneas o amplias boludeces; el cuello, eso sí, quedaba al descubierto, lo cual estaba muy bien, pero acariciar semejante cabello significaba apreciar la textura del concreto.

Los hombres abandonaron los sombreros en algún momento de los años cincuenta; los pantalones se angostaron, perdiendo los pliegues y bajaron del talle; los sacos ya no eran cruzados sino abiertos, de uno o dos botones (pero después se volvieron de tres y hasta de cuatro); las corbatas se angostaron hasta convertirse en tiras raquíticas, al igual que las solapas, y las hombreras desaparecieron, ya ni Tin Tan las lucía. Disminuyó también el brillo del pelo y se usaba mucho menos brillantina (adiós Glostora y Wildroot, con todo y dibujos de Abel Quezada). Los desodorantes ya eran de barra y no en pomo, como el viejo Mum, y el rastrillo de rasurar de navajas de dos filos se vio desplazado por el de un solo filo y pico de buitre. Ya nadie usaba sostenes para los calcetines (que algunas atrevidas, como Antonia Mora, la autora de *Del oficio*, consideraban "muy sexis").

La capital ya era una ciudad con todo, o casi, pero la vida nocturna se-

Los enamorados, de Nacho López

Boda de Yolanda, de Nacho López, 1960

Jugadores de billar, de Nacho López, 1961

guía constreñida al "dead line" uruchurtiano de la una de la mañana; eso sí, había restoranes con todo tipo de comida (aunque aún no llegaban los japoneses, los comederos chinos de la calle de Dolores eran de lo mejor). Hablando de comida, entre los embates de la "ola gringa" se hallaba la naturalización total, en las ciudades, de hotdogs, hamburguesas, sándwiches, hotcakes, etcétera. Además, proliferaban ya los "supermercados" al estilo estadunidense: asépticos y deshumanizados, que llegaron desde mediados de los años cincuenta. Y, sin embargo, en medio de todo eso, el taco seguía en pie, cada vez más poderoso y omnipresente, más allá de las clases sociales. En los sesenta se pondría de moda el taco al carbón, usualmente con cebollas asadas, ya fuese de bistec, costilla o chuleta. Costaban un peso (los tacos "al pastor" costaban cincuenta centavos durante el lopezmateísmo). El pulque, en cambio, iba de retirada, despretigiándose cada vez más entre la clase media y con persistencia únicamente en las páginas de *La Familia Burrón*. Entre la gente con recursos el whisky de plano había desplazado al coñac. Los que no llegaban a los cien pesos que costaba un buen whisky, por 25 podía comprar una botella de ron Castillo, mucho más popular entonces que el Bacardí. Si no, allí estaba el vodka Oso Negro o la ginebra Gilbey's. Casi nadie bebía brandy, y la cubalibre entraba en su apogeo. Los cigarros más populares eran los Raleigh, con filtro o sin él; el tabaco rubio había acabado de consolidarse en el gusto popular (todavía se encontraban los Belmont). Entre los cigarros oscuros reinaban los Delicados (o Delincuentes), pero también había los Del Prado (o Del Pasto), los Alas (o Alacranes), Casinos, Elegantes y Negritos, todos ellos "flores de andamio", aunque los Faros, Carmencitas, Tigres y demás se iban convirtiendo en leyenda. Ya casi nadie hacía sus cigarros de hoja. Por cierto, López Mateos fumaba Elegantes.

Los estudiantes crearon problemas porque, a principios de los sesenta, las escuelas de enseñanza media ya no eran suficientes, y cada año era mayor el número de estudiantes rechazados en las preparatorias, que casi todas estaban en el primer cuadro. Seguían sus nefastas actividades los jóvenes derechistas del Movimiento Universitario de Renovada Orientación (MURO) y además ya se habían consolidado los porros en las escuelas, los que ya no sólo se dedicaban a vitorear a los equipos de futbol americano sino que recibían dinero de funcionarios universitarios o de políticos gubernamentales para romper auténticos movimientos estudiantiles mediante la brutalidad y la barbarie. Los porros y los jóvenes fornidos del Pentatlón con el paso de unos cuantos años dieron origen a uno de los peores vicios del sistema: los "halcones" o grupos de jóvenes fríamente preparados para constituir grupos de choque paramilitares.

5. El final del sueño
(1964-1970)

El ring sin cuerdas

A fines de 1964 ya había aparecido *La semana de colores*, de Elena Garro (que contiene el cuento ya clásico "La culpa es de los tlaxcaltecas"), y Gustavo Díaz Ordaz tomó posesión de la presidencia mexicana mientras López Mateos se retiraba a casa a cultivar sus devastadoras jaquecas.

Díaz Ordaz encontró, al parecer, condiciones favorables. Los problemas económicos no parecían tan apremiantes y el nuevo presidente continuó ortodoxamente el "desarrollo estabilizador" de los dos regímenes anteriores; por tanto, ya no hubo problemas con los empresarios, pues éstos sabían que el mandatario estaba hecho a su medida. Tampoco se dio el clima de insurgencia obrera que alarmó al sistema durante el fin del ruizcortinismo y el principio del gobierno de López Mateos; el control obrero era férreo y, salvo algunos revoltosos inveterados, la estabilidad del régimen era una realidad indiscutible. Los problemas con Estados Unidos resultaban mínimos, salvo la cuestión de los derechos de pesca en los litorales, pero esto tardó en agudizarse. Además, nuestro país ya se había asomado al mundo y empezaba a hacerse notar. La balanza de pagos indefectiblemente causaba problemas, pero los créditos del exterior fluían puntualmente pues "había confianza en México", lo cual llenaba de orgullo al régimen. La clase media crecía en las ciudades. Se decía que había democracia, pues los gobiernos emanaban de elecciones y allí estaban, además, los partidos de oposición PAN, PARM y PPS, que, después de las reformas lopezmateístas a la ley electoral, tenían ya representación en el congreso. Se decía que había plenas libertades y respeto a los derechos humanos ("menos la libertad para atentar contra las libertades") y no se prestaba demasiada atención a la guerrilla en el estado de Guerrero, ni a cuestiones como el autoritarismo, el paternalismo y la censura, pues todo eso, al parecer, formaba parte de la idiosincrasia y forma de ser. En México se había encontrado un sistema único, "mixto", con su propia ruta y sus soluciones propias. Las cuestiones ecológicas y la sobrepoblación no parecían alarmantes. Incluso se hablaba del "milagro mexicano, orgullo de la nación ante los ojos del mundo".

Sin embargo, aunque la estabilidad y la paz social mediante macanazos eran hechos indiscutibles, el modelo de desarrollo para entonces se deterioraba rápidamente, aunque esto sólo lo podía percibir poca gente, aquellos que durante todo el lopezmateísmo hablaron de cambios sociales inaplazables. Esta gente no se tragaba, por ejemplo, la cuestión del sistema "mixto", que pretendía ser un justo medio entre capitalismo y socialismo; en realidad se trataba de una coexistencia concertada entre capitalismo privado y capitalismo estatal. Poco a poco la gente se daba cuenta de que la democracia en México era más formal que otra cosa, y que el sistema político resultaba todo menos democrático: el presidente, a través del partido oficial, tenía el control absoluto de todos los mecanismos del poder, y sólo el sector empresarial tenía recursos para hacerlo modificar sus criterios. Pero en diciembre de 1964 el entendimiento de iniciativa privada y gobierno era casi total. Infinidad de problemas crecían sin que nadie hiciese un intento por contenerlos: miseria en el campo, emigración a las grandes ciudades y a Estados Unidos, devastación ecológica, sobrepoblación galopante, dependencia cada vez mayor a Estados Unidos y a la empresa privada mexicana, adicción a la deuda externa, industrialización distorsionada y, por supuesto, injustísima distribución de la riqueza. Por si fuera poco, las metas vitales y la concepción del mundo se iban agotando, se rigidizaban, y cada vez generaban mayores descontentos entre algunos sectores de la sociedad, especialmente los jóvenes de clase media.

Sin embargo, Gustavo Díaz Ordaz no parecía preocupado. Sin titubear consideró que el modelo de desarrollo era el correcto así es que no buscó modificaciones de ningún tipo. Su gabinete lo reflejaba: Antonio Ortiz Mena, estrella de las finanzas en el sexenio anterior, repitió en la secretaría de Hacienda; Luis Echeverría, que tan bien había servido a su jefe y ahora presidente, se encargó de Gobernación; Agustín Yáñez, novelista, ocupó la cartera de Educación Pública y José Gorostiza, el poeta contemporáneo autor de la magistral *Muerte sin fin*, la de Relaciones Exteriores; Antonio Padilla Segura fue a dar a Comunicaciones, y Ernesto Uruchurtu repitió en la "regencia" de la Ciudad de México. Por último, la estratégica secretaría de la Presidencia fue ocupada por Emilio Martínez Manautou. En la dirección del PRI quedó Carlos A. Madrazo, quien desde un principio planteó que él sí llevaría a cabo una democratización en el partido oficial, especialmente en cuanto a la selección de candidatos. Madrazo era un "orador vehemente", dice Elías Chávez de la revista *Proceso*, y dio a entender que el "dedazo" se terminaba. "Nosotros no vamos a designar candidatos", planteaba, "lo harán los militantes del partido; trabajaremos a la luz del día; nos concretaremos a acatar la voluntad popular". También quería sacar del PRI a los que denigraban a la revolución con su conducta y que "no viven del sudor de su frente, sino del sudor del de enfrente". Prometió que lucharía porque los funcionarios se concretaran a sus deberes inmediatos, pues "el mejor negocio de la política es no hacer de ella un negocio".

Madrazo no vio con agrado un proyecto que presentaron el revolucionador-

El presidente Díaz Ordaz

Carlos Madrazo trató de
democratizar al PRI

desde-el-interior Enrique Ramírez y Ramírez, Miguel Covián Pérez y otros. Se trataba de obtener la reelección por una vez, consecutiva, de los diputados; los senadores, eso sí, tendrían que seguir fieles al dogma de la no-reelección. El 27 de diciembre de 1964 el congreso, lidereado por Alfonso Martínez Domínguez, y con el visto bueno del presidente, claro, aprobó el proyecto, después de una intensa discusión. Madrazo, y muchos más, creyeron que ése era el primer paso para permitir la reelección del presidente y procedieron a trabajar para echar abajo la ya aprobada modificación al artículo 59 constitucional. En la IV asamblea nacional ordinaria, a fines de abril de 1965, Madrazo combatió de frente la reelección de los diputados y poco después logró que el proyecto fuera rechazado, lo cual le acarreó la animadversión de muchos políticos. Los problemas de Madrazo continuaron: poco después el gobernador de Sinaloa, Leopoldo Sánchez Celis quiso imponer a varios amigos suyos en las alcaldías de Culiacán y Rosario. Esto iba directamente en contra de los afanes democratizadores de Madrazo, quien, al instante, anuló las "elecciones internas" para evitar que los cuates del gobernador fueran nombrados candidatos. Sin embargo, Sánchez Celis, seguramente con aprobación de Díaz Ordaz, presentó la batalla y habilitó a sus favoritos como candidatos independientes y después arregló las elecciones para que éstos ¡le ganaran a su propio partido!

Madrazo se vio muy mal después de esto. Era evidente que el apoyo que recibía de arriba se le desmoronaba, a pesar de que para entonces muchos militantes jóvenes se entusiasmaban con los aires democratizadores, como fue el caso de Gonzalo Martínez Corbalá, presidente del PRI del D.F., y de varios miembros del PRI juvenil, como Carlos Reta Martínez. A Madrazo tampoco le agradó que el Club de Leones de la Ciudad de México se adhiriera en masa al PRI, ante el beneplácito del líder del senado Manuel Moreno Moreno, quien, como también escribe Elías Chávez, no aclaró si los leones "formarían parte del sector campesino, del popular o del obrero, o si se crearía el sector leonino o felino". El líder del senado, eso sí, planteó que los Clubes de Leones eran "una institución pública tan arraigada en los sentimientos y en el corazón del pueblo como lo es el senado de la república".

En la segunda mitad de 1965 Madrazo ya tenía en contra a muchos gobernadores, caciques, líderes, diputados y senadores, quienes se movían para tirarlo del PRI. En noviembre, Madrazo tuvo que tragarse sus intentos democratizadores y el presidente Díaz Ordaz le pidió la renuncia. Madrazo la presentó y quedó fuera de circulación en la vida nacional. Durante los disturbios de 1968 se rumoró que él financiaba la "subversión de los estudiantes" y después, cuando murió en un accidente, los rumores fueron en el sentido de que lo habían mandado asesinar.

El nuevo presidente del PRI fue Lauro Ortega, quien llegó con instrucciones de descabezar toda esperanza democratizadora. Por tanto, cesó sin previo aviso a Gonzalo Martínez Corbalá del PRI del D.F. Esto motivó la renuncia del PRI juvenil de Rodolfo Echeverría Ruiz, sobrino de Luis

En septiembre de 1969 los presidentes Díaz Ordaz y Richard Nixon se reunieron para inaugurar la Presa de la Amistad

El presidente Díaz Ordaz y Alfonso Corona del Rosal en la inauguración de la primera línea del metro en 1969

Echeverría, y de Manuel Camacho Solís y Patricio Chirinos, que llegarían a la cúpula en 1988 con Carlos Salinas de Gortari.

En 1965 el presidente Díaz Ordaz finalmente se fastidió de que Uruchurtu gobernara la capital desde 1952 y lo destituyó; en su lugar nombró a Alfonso Corona del Rosal, también ex líder del partido oficial. El conocido revolucionario sin chaparreras se llevó a Rodolfo González Guevara, su brazo derecho y, años después, también "democratizador" del PRI. Para entonces, el presidente disponía de la absoluta disciplina de la gente del sistema. Eliminado el ruidoso Carlos A. Madrazo, Díaz Ordaz disfrutaba del inmenso poder presidencial y otorgaba generosos regalos a quien le caía bien. En su libro *Los presidentes*, Julio Scherer García cuenta que, en vísperas de un largo viaje por Sudámerica, pidió al presidente que intercediera para poder entrevistarse con varios jefes de estado. "Con el mayor gusto", respondió Díaz Ordaz, y no sólo cumplió el ofrecimiento sino que a través de Emilio Martínez Manautou envió a Scherer un sobre que "después podía serle útil" y que debía abrir cuando el avión hubiera despegado. "Rasgué el sobre", narra Scherer García, "calentaba billetes de cien dólares". Scherer se negó a recibirlo y el secretario de la Presidencia le advirtió: "Ofenderás al presidente, tu amigo."

Julio Scherer García también refiere que Díaz Ordaz ("rara vez bebía. Nunca lo vi fumar. Era esquelético y filoso") le confió que la diferencia entre la secretaría de Gobernación y la presidencia de la República consistía en "las cuerdas", y aclaró que "el secretario de Gobernación pelea en un ring protegido por cuerdas"; en cambio, el presidente "pelea en un ring sin cuerdas; si cae, cae al vacío". Díaz Ordaz también le ofreció a Scherer una docena de camisas, "bordadas a mano, trabajadas con primor", hechas a la medida y con seda de Pekín por Sulka, de Londres, y con las iniciales del feliz poseedor. Scherer también añade que el presidente Díaz Ordaz ocasionalmente bromeaba acerca de su fealdad, pero que "si alguien le seguía el juego, estallaba su ira".

El pueblo, que de la alta política no podía saber nada debido al impenetrable hermetismo del sistema, lo único que advirtió de Díaz Ordaz fue su inocultable fealdad. Le decían el Mandril, el Chango, el Trompudo, el Hocicón, el Monstruo de la Laguna Prieta y así por el estilo.

Pero la personalidad de Díaz Ordaz se reveló con claridad en ese año cuando 8 mil médicos residentes de 5 hospitales de la ciudad de México y de 48 estados iniciaron un movimiento de huelga en busca de mejorías en sus condiciones de trabajo. La huelga afectó a los centros de salud oficiales del IMSS, SSA e ISSSTE. Los jóvenes médicos descubrían aterrados que trabajar para el gobierno (o la iniciativa privada) significaba caer en explotación o incomodidades sin límite, y por tanto se pusieron en huelga y llevaron a cabo manifestaciones para que el presidente los oyera y el pueblo se enterara de sus demandas. Díaz Ordaz los oyó tan bien que en el acto procedió a reprimir y aplastar al movimiento, con el autoritarismo y el gusto por la violencia que mostró

Genaro Vázquez, maestro guerrerense, se lanzó a la guerrilla en los años sesenta

como secretario de Gobernación. Pronto los médicos tuvieron que replegarse y el pueblo supo desde entonces cuáles serían los métodos de disuasión del nuevo ejecutivo. Un año después, ante los problemas estudiantiles que surgieron en la universidad nicolaíta de Morelia, el presidente ordenó al ejército que invadiera el campus y sometiera por la fuerza y con la cárcel a los quejosos, entre los que se encontraba el rector Elí de Gortari. Lo mismo ocurrió en 1967, cuando los conflictos estudiantiles se dieron en la Universidad de Sonora.

Mucha gente seguía hablando de revolución, como en el periodo de López Mateos, y Genaro Vázquez Rojas lo hacía con las armas en la mano en la Costa Grande de Guerrero mientras eludía al ejército y recibía el apoyo de los campesinos. En 1967, además del de Lucio Cabañas, surgió un grupo guerrillero en Chihuahua, que, al estilo Fidel Castro, el 23 de septiembre asaltó el cuartel militar de Ciudad Madera; el asalto fracasó, pero con el tiempo generó la aparición de la Liga Comunista 23 de Septiembre, célebre en los años setenta. Todas estas manifestaciones de descontento, unidas a la inconformidad contracultural, culminaron en el verano de 1968.

Pero en 1965 otras cosas eran preocupantes. La participación del capital extranjero, por ejemplo, que a través de las grandes transnacionales dominaba ya sectores estratégicos de la actividad industrial: el 48 por ciento de las 50 empresas que obtenían la mayor producción bruta del país eran controladas total o parcialmente por el capital externo. Y seguía concentrándose la riqueza en pocas manos: el 1.5 por ciento de los 136 mil establecimientos industriales controlaba el 77 por ciento de la inversión, y las 407 empresas mayores (apenas el 0.3 por ciento) poseía el 46 por ciento del capital total invertido.

Para paliar este panorama, Díaz Ordaz se apoyó, como todos los gobiernos de la revolución, en la política exterior. Ese año Estados Unidos impunemente envió a sus *marines* a República Dominicana para eliminar al gobierno recién elegido, y Díaz Ordaz sin demora condenó la invasión. Al menos en lo personal, el presidente no era un fanático de Estados Unidos; a Julio Scherer García le dijo: "No hay mexicano verdadero que no quisiera cobrarse las cuentas pendientes con los Estados Unidos. Los gringos aceptan nuestras mentadas de madre. No les gustan, pero no pasan de allí." Sin embargo, durante su mandato Díaz Ordaz permitió que el capital estadunidense continuara apropiándose de las áreas clave de la economía nacional.

En abril de 1965 el gran chisme corrió a cargo del viejo lobo de Marx Vicente Lombardo Toledano, quien, a los 71 años de edad, se casó lleno de entusiasmo con María Teresa Puente, mucho más joven que él. Lombardo falleció un poco después, en 1969, y la clase política se conmocionó, pues el fundador del PPS fue un personaje determinante de toda una época de México. Otro que daba prioridad a la pasión muy madurita era el mismísimo presidente Díaz Ordaz, quien para entonces sostenía un aguerrido amasiato con la cantante Irma Serrano, célebre por su desinhibición para mostrar los pechos y por sus aficiones a la brujería y demás "artes negras". Por cierto, también se rumoraba que Díaz Ordaz era adicto a los brujos, pero, al parecer, ninguno de ellos le pronosticó las amarguras que más adelante se le vendrían encima.

De esto no hablaban las columnas sociales. Pero en 1965 México estrenó dos nuevos periódicos: el magnate del cine Gabriel Alarcón arrancó con *El Heraldo de México*, cuya gran innovación eran las fotografías a colores y la impresión en offset. Las páginas de sociales de *El Heraldo*, con Nicolás Sánchez Osorio, se pusieron de moda entre los riquillos mexicanos que despreocupadamente admitían ser llamados "los cuic". *El Heraldo* también dio amplias tribunas a Raúl Velasco, que manejaba la sección de espectáculos con Guillermo Vázquez Villalobos. Curiosamente, este periódico, que desde un principio se caracterizó por un derechismo no precisamente muy refinado, en los espectáculos dio un fuerte apoyo al rock, que por lo general era vetado en todos los medios. Los escritores Juan Tovar y Parménides García Saldaña abrieron el camino a la difusión rocanrolera a partir de 1967.

Por su parte, el coronel García Valseca, dueño de una enorme cadena de "Soles" en toda la república, inició, también con impresión a color, *El Sol de México* con los mismos criterios provincianos con que trabajaba en el interior, por lo que el nuevo *Sol* nunca penetró en el mundo ya muy cosmopolita de la Ciudad de México. El periodista Carlos Loret de Mola, por cierto, daba a entender que García Valseca no sabía leer; al menos, él nunca lo vio hacerlo, pues siempre alguien le leía en voz alta lo que publicaban sus periódicos.

En 1965 aparecieron las escuelas "activas". La primera fue la Manuel Bartolomé de Cosío, que estableció una nueva sensibilidad con las asambleas democráticas, el tuteo a los maestros y un sentido de la libertad más amplio.

A mediados de año, Gustavo Sainz pasó al superestrellato con la publicación de *Gazapo*, que mostró el proceso de maduración de un joven que rompe con el paternalismo y la convencionalidad para avanzar por sí mismo. Por supuesto, pero entonces nadie lo advertía, algo semejante ocurría en el país, cuya población joven se liberaba con rapidez de viejos moldes y formaba una nueva nación. Además de *Gazapo*, otro éxito libresco indiscutible lo dio Salvador Elizondo con su alucinante y perturbadora novela *Farabeuf*, que, inmersa en la más definitiva intelectualidad, a la vez significaba una ruptura-continuidad en la literatura "culta" a través de su temática místico-perversa. Vicente Leñero siguió los experimentos intrincadísimos con su espléndida novela *Estudio Q*, y Ricardo Garibay trató muy bien el tema de la muerte del padre en *Beber un cáliz*. Todos estos libros los publicó Joaquín Mortiz. La editorial Era, a su vez, presentó el extraordinario estudio de Pablo González Casanova *La democracia en México*, y *La fenomenología del relajo*, de Jorge Portilla. En poesía lo mejor fue *Vendimia del juglar*, de Marco Antonio Montes de Oca, y *Yo soy el otro*, de Sergio Mondragón.

En el mundo de los libros el escándalo mayor lo constituyó *Los hijos de Sánchez*, del antropólogo estadunidense Oscar Lewis. Este estudioso ya había reportado la vida de una familia pobre de Tepoztlán, Morelos, en *Antropología de la pobreza*. Lewis siguió a la familia, que como muchas otras emigró a la capital, y con un sabio empleo de la grabadora nos dejó estupefactos al darnos a conocer los modos de vida, o "cultura de la pobreza", en Tepito. La Sociedad Mexicana de Geografía y Estadística se indignó ante lo que consideraba "distorsiones de la realidad nacional", e inició un juicio en la Suprema Corte contra el libro, publicado por el Fondo de Cultura Económica. El presidente Díaz Ordaz despidió entonces a Arnaldo Orfila Reynal, que había dirigido el Fondo desde fines de los años cuarenta. La comunidad intelectual, y muy en concreto los dos pisos de la mafia, se manifestó en contra del despido de Orfila, y entonces tuvo lugar un hecho muy importante para la vida del país. Orfila y los intelectuales que lo apoyaban no se resignaron ante la decisión presidencial sino que presentaron resistencia a través de un llamado al público para que comprara las acciones de una nueva empresa editorial. La gente apoyó sin reservas el proyecto, Elena Poniatowska regaló su casa de Gabriel Mancera y así nació la Editorial Siglo XXI, que presentó sus primeros títulos en 1966. En tanto, el juicio contra *Los hijos de Sánchez* se llevó a cabo y finalmente la Suprema Corte dictó una resolución a favor del libro y de su circulación abierta en el territorio nacional. Como el "nuevo" Fondo de Cultura, dirigido por Salvador Azuela, ya no quiso seguir editándolo, Joaquín Mortiz lo hizo y ciertamente ganó mucho dinero con la obra de Lewis.

La vida artística también se animó con el I Concurso de Cine Experimental que organizó el Sindicato de Trabajadores de la Producción Cinematográfica (STPC). El concurso dejó ver que el cine mexicano había llegado a un nadir pestilente, y también que pululaban nuevos conceptos sobre la realización cinematográfica. La idea de las "películas de aliento" (algunos decían que eran "de halitosis") como *Viento negro*, de Servando González, no servía para nada; este tipo de producciones constituía el "proyecto" del estado para dignificar la cinematografía, pues con los productores privados no había nada qué hacer. Por tanto, el concurso del STPC fue concurrido y estimulante. El primer lugar lo obtuvo una película notabilísima, *La fórmula secreta*, que el fotógrafo Rubén Gámez dirigió apoyado en un guión de Juan Rulfo. En el concurso destacaron también Juan José Gurrola, Juan Ibáñez, José Luis Ibáñez, Salomón Láiter y Héctor Mendoza.

Este último, por su parte, contribuyó a la renovación de las puestas en escena con su refrescante e imaginativo tratamiento de *Don Gil de las calzas verdes*, montada en Ciudad Universitaria con actores que hasta en patines circulaban por el escenario. Héctor Mendoza había debutado a fines de los años cincuenta con una pieza exitosísima, *Las cosas simples*, una de las obras más populares de la época junto con *Cada quien su vida*, de Luis G. Basurto. Pero en los años sesenta, Mendoza pasó a la dirección teatral y pronto se volvería legendario como maestro de teatro, junto a

Luisa Josefina Hernández y Emilio Carballido. Con Héctor Mendoza, Gurrola, Jodorowsky, los Ibáñez y Héctor Azar (que después puso la espléndida *Juego de escarnios*) el teatro mexicano contaba ya con una sólida y brillante planta de directores.

Ante el éxito del concurso de cine del STPC, en 1966 el Banco Cinematográfico llevó a cabo uno de guiones y argumentos, que también consteló el interés y el entusiasmo de mucha gente. En esa ocasión los ganadores fueron Carlos Fuentes y Juan Ibáñez con *Los caifanes*, que en 1967 se filmó y estrenó con un éxito rotundo de público y crítica. *Los caifanes*, además, presentó un estupendo grupo de actores que destacaría en la década de los setenta: Sergio Jiménez, Ernesto Gómez Cruz, Eduardo López Rojas y el cantante folclórico Óscar Chávez. La protagonista de la película, Julissa, hija de Rita Macedo, demostró también que podía pasar del comercialismo vil a un trabajo más apreciable. Por su parte, Angélica María, ídolo juvenil como pocos, también inició un viraje del facilismo comercial a un trabajo menos convencional, como en la exitosa película *Cinco de chocolate y uno de fresa*, que igualmente tuvo un gran éxito de taquilla. El director de esta película fue Carlos Velo, quien también realizó una versión de *Pedro Páramo*, de Juan Rulfo. El guión, de Carlos Fuentes y el mismo Velo, resultó tan claro que le quitó el misterio poético a la historia, pero el peor error del film fue llevar ¡como Pedro Páramo!, al anodino actor gringo John Gavin, quien años después se haría notar en México a través de comerciales siniestros y finalmente como embajador molestísimo de Estados Unidos.

Para entonces la conmoción en los espectáculos era la presencia del cantante español Raphael, quien logró conjuntar hordas de fanáticos, compuestas por algunas adolescentes, muchas mujeres de aire torvo y numerosos señores de edad, que se entusiasmaban con el amaneramiento de este cantante sumamente mediocre pero dueño de un innegable carisma. Otro español que por esas fechas atrajo enormemente la atención fue el torero El Cordobés, que escandalizó a los aficionados a los toros con sus suertes poco ortodoxas y su personalidad ruidosa. Paco Camino también estaba en el candelero, junto con Manolo Martínez.

Lauro Ortega, presidente del PRI y ya con prestigio de "descabezador de democratizadores", en abril de 1966 salió con la idea de que el PRI debería de añadir un "sector patronal". Dada la indigencia del sector popular y del campesino, y el control rígido del sector obrero (Fidel Velázquez seguía reeligiéndose, puntualmente, cada cuatro años), mucha gente consideraba que los empresarios eran los verdaderos amos y señores del partido oficial, ¿para qué entonces la formalidad de otorgarles un "sector"? Pero Lauro Ortega iba en serio, y, por tanto, en Morelia, Toluca y Tepic, siguió hablando de la necesidad del nuevo sector priísta; "los hombres de la iniciativa privada", decía con su aterrorizante uso del idioma, "ya no se puede decir que son reaccionarios. Ahora están presentes en las filas del partido

Represión a un mitin en 1966

de la revolución y suman su esfuerzo al que realizan campesinos, obreros y gente del sector popular''. Las bromas se sucedían y los militantes de la vieja guardia se escandalizaban, así es que Lauro Ortega, y el presidente Díaz Ordaz tras él, tuvieron que dar marcha atrás. Todo eso a fin de cuentas reflejaba la época de oro de la concordia empresarios-gobierno, que en esos años pre-68 llegaba a su cenit. Los líderes obreros, que tan bien servían a los intereses del capital, de cualquier manera, a nivel declarativo, no podían aceptar nada de eso. Fidel Velázquez declaró entonces que la sola idea de incorporar a los empresarios al PRI implicaba ''desvirtuar su doctrina y su misión''.

Los líderes obreros, por otra parte, en 1966 desmantelaron el viejo Bloque de Unidad Obrera (BUO) y, en su lugar, urdieron un nuevo centro de acarreo y de apoyos masivos para el gobierno: el Congreso del Trabajo, que incorporó, ''ahora sí'', a todas las confederaciones, federaciones y sindicatos de industria más importantes, salvo a aquellos despistados que seguían hablando de ''libertad a los presos políticos'' o, peor aún, de revolución. El Congreso del Trabajo trató de dar una imagen más limpia a los líderes obreros, pero en la práctica no representó gran cosa de lo que ya era el tristísimo BUO.

En mayo de 1966 se inauguró el estadio Azteca con un juego entre el América y el Torino de Italia. Más de 100 mil gentes estaban allí. El presidente Díaz Ordaz llegó tarde y la multitud lo recibió con una fuerte y prolongada rechifla. Pero eso no fue nada comparado con los abucheos y repudios que se dedicaron al presidente De la Madrid 20 años después.

En el congreso, en tanto, los diputados se entretuvieron discutiendo si se debía inscribir, con sus debidas Letras De Oro, el nombre de Francisco Villa en las columnas que agrupan los nombres de las grandes estrellas de la patria. Los discursos a favor y en contra recurrieron a todo tipo de argumentos, y tras ellos se parapetaban los intereses más diversos. Vicente Salgado Páez, del PRI, por ejemplo, decía: ''Así tenemos que junto al nombre glorioso de Emiliano Zapata aparece el de Venustiano Carranza, cuando sabemos que gentes de Carranza mataron a Zapata; después tenemos a Obregón, que sacrificó a Carranza. Ahora pondremos a Villa también.'' En efecto, los regímenes de la revolución habían logrado el milagro (no menos espectacular que el del desarrollismo) de que cualquier persona, símbolo o idea importante en la historia de México a la larga era capitalizada por el PRI, aunque se tratara de contradicciones aberrantes, como las que señalaba Salgado Páez. El PRI tenía ya al águila y la serpiente, la Virgen de Guadalupe, los colores de la bandera, a Cuauhtémoc y Cortés, a Hidalgo-Morelos-Guerrero-Iturbide-Juárez-Díaz-Madero-Carranza-Obregón-Zapata y Anexas, ¿por qué no, también, al buen Pancho Villa? El enamorado Lombardo Toledano se encargó de conciliar las cosas y después tuvo lugar la votación: por 168 votos a favor y 16 en contra, Pancho Villa dejó atrás su condición de bandolero asustagringos y pasó a ser un adusto padre de la patria.

Fernando del Paso. Su novela *José Trigo*, el libro más esperado del año en 1966

En 1966 el rector Ignacio Chávez no pudo concluir su segundo periodo a la cabeza de la UNAM por una huelga que le hicieron a causa de los cursos y exámenes de regularización. Lo sucedió Javier Barros Sierra y se creó entonces el Consejo Estudiantil Universitario, compuesto por jóvenes del Partido Comunista (PCM) y del PRI, que con una huelga general obtuvieron el pase automático y la desaparición del cuerpo de vigilancia. Un año después, Barros Sierra se lució al expulsar a los consejeros del MURO y a los funcionarios de la UNAM que los solapaban. El sobrecupo de la Universidad Nacional ya era crónico y reflejaba la poquísima estima que el gobierno priísta concedía a la educación. Poco a poco México iba colocándose en la lista de los países que menos invertían en cuestiones educativas, y los jóvenes lo resentían y se manifestaban en contra. Antes, los muchachos con "inquietudes políticas" solían asaltar autobuses usualmente como protesta a los aumentos de precios en los transportes, pero a mediados de los sesenta los estudiantes se preocupaban porque el sistema sólo permitía desarrollarse a los ricos que podían pagar educación superior privada (ya existían las universidades Iberoamericana y La Salle, estaba por abrirse la Anáhuac, ultraelitista, y los tecnológicos del grupo Monterrey se expandían y robustecían) o a la clase media con influencias para obtener ingreso en las escuelas oficiales. Esto echaba por abajo el elaborado mito del joven pobre que estudia de día, trabaja de noche, se recibe con grandes-sacrificios y conquista el mundo.

El mundo de los jóvenes volvió a aparecer en la literatura, y *De perfil*, de José Agustín, amplió el espacio abierto por *La tumba* y *Gazapo*. Eduardo Lizalde publicó *Cada cosa es Babel*, y José Emilio Pacheco, *El reposo del fuego*. Pero el libro más esperado de 1966 fue *José Trigo*, de Fernando del Paso. Desde varios años antes se comentaba que Del Paso escribía una novela excepcional, una especie de "Ulises mexicano", y pronto la esperadísima novela de Del Paso abrió la colección de literatura de la recién creada Editorial Siglo XXI. Juan Rulfo y Juan José Arreola avalaron entusiastamente este libro, que acumuló elogios, el premio Villaurrutia y buenas ventas. Por su parte, las novelas de jóvenes (a las que pronto se añadió *Pasto verde*, de Parménides García Saldaña) también daban una enorme importancia al lenguaje, pero con un ludismo ameno y juvenil. Se les consideró como parte de una corriente antisolemne en la cultura. Estas novelas podían verse como una especie de rocanrol verbal en cuanto establecieron un puente entre alta cultura y cultura popular. Significaron un cambio sustancial en la narrativa a causa de su carga contracultural, que, para el crítico Emmanuel Carballo, "entre risas y bromas pone cargas explosivas a las instituciones nacionales: la iglesia, la familia, el gobierno". Para los jóvenes representaron una "educación sentimental", una seña de identidad, expresión de sí mismos y la conciencia de que debían ser protagonistas y no meros espectadores; los jóvenes empezaban a darse cuenta de que la vida en México les quedaba chica: era demasiado formalista, paternalista-autoritaria, prejuiciosa e hipócrita, con criterios morales dignos del

A la derecha, Carlos Fuentes y Parménides García Saldaña en 1969

medioevo que desgastaban precipitadamente al culto católico, con metas demasiado materialistas y envueltas en corrupción. La llamada "brecha generacional" había abierto una distancia terrible entre jóvenes y adultos, lo cual, a su vez, trajo fenómenos nuevos que alteraron el paisaje social.

Curiosamente, en parte una de estas nuevas muestras de la realidad había brotado por el mundo de los indios. En los años cincuenta el millonario micólogo R. Gordon Wasson "descubrió" los alucinógenos mexicanos y viajó a Oaxaca para que María Sabina lo pusiera a platicar con Dios a través de "un evento que despedaza el alma", como describió Wasson su experiencia con la *psylocibe mexicana*. Wasson llevó muestras de los hongos oaxaqueños a Albert Hoffmann, el químico que descubrió la LSD, y éste los analizó y sentó las bases para que pudieran sintetizarse. En tanto, en Estados Unidos el gobierno y el ejército llevaron a cabo experimentos con drogas alucinogénicas con fines militares, y varios académicos estaban también interesados en los efectos síquicos que proporcionaban las plantas alucinógenas y los productos sintetizados que desencadenaban los mismos efectos ("enteogénicos", les llamó Wasson). Por esas vías llegaron a la sicodelia el escritor Ken Kesey y los sicólogos Timothy Leary, Richard Alpert y Ralph Metzner, que fueron despedidos de la Universidad de Harvard por experimentar con alucinógenos. Entre antropólogos y etnobotánicos como Wasson, Roger Heim, Albert Hoffmann, Peter T. Furst, Weston La Barre, Gutierre Tibón; escritores como Ken Kesey y Aldous Huxley, y sicólogos "drop-out" como Leary y compañía, las tierras mexicanas fueron sumamente visitadas pero ahora para consumir la flora sicodélica: hongos alucinantes de diversos tipos, ololiuqui o semillas de la virgen y peyote, para sólo mencionar los más conocidos. La revista *Life* dedicó un extenso reportaje a Huautla y María Sabina.

Leary y Kesey en gran medida generaron a los jipis, que, como sus sico-pompos, empezaron a invadir México callada pero persistentemente. Con el tiempo, los jipis fueron considerados como una importantísima manifestación de la contracultura característica de la segunda mitad de los sesenta. El rock era su vehículo de expresión natural, especialmente desde que a partir de 1966 se modificaron sustancialmente las formas y los temas de esta música que dejó de ser mera liberación emocional para convertirse en surtidor de tomas de conciencia y complejo contracultural. La *weltanschauung* de los jipis implicaba una profunda religiosidad místico-esotérica, cristiana y orientalista, visionaria y sicológica. La mariguana se convirtió en la droga común y el jipi tendía a circular por muchas partes, en el "rol". Los jipis estadunidenses recorrían México en busca de sitios de espectacular belleza natural y lejos de la llamada civilización (aunque, eso sí, iban pertrechados de la alta tecnología en la que se finca el rock). Así llegaron a Cabo San Lucas, Puerto Vallarta, Acapulco, Oaxaca y sus playas, Tepoztlán, Palenque, San Cristóbal de las Casas, y se establecieron allí. Al poquísimo rato empezó a formarse una contraparte mexicana, "la primera generación de estadunidenses nacidos en México", la llamó Carlos

Los jipis escandalizaron e
irritaron a la sociedad

Monsiváis, que también usaba el cabello largo, el desaliño al vestir y la comunión alucinogénica con la naturaleza; sin embargo, los jipis mexicanos se identificaron con los indios, pues ellos, desde siglos antes, poseían una cultura muy sofisticada en cuanto a las plantas alucinógenas y la cartografía de los espacios interiores que apenas se empezaban a explorar masivamente. Por tanto, los jipis se pusieron huaraches, cotones, camisas de manta, collares y colgandijos, brazaletes coloridos y demás. Repudiaban conscientemente los frutos negativos de la civilización occidental y lo mostraban a través de su apariencia y en la expresión de ideas y "doctrinas". En México el jipi se volvió, como asienta Enrique Marroquín en *La contracultura como protesta*, en jipiteca, y además del aprecio por la cultura indígena (que no ocurría desde los tiempos de Diego Rivera), pronto conformó un lenguaje propio, que se alimentaba fuertemente del argot carcelario, de expresiones populares y que lanzó numerosos términos (el llamado, después, lenguaje de la onda), a veces sólo por jugar con las palabras, pero en otras ocasiones, las más, para hacer referencia a fenómenos, percepciones, modos de comunicación o estados de ánimo que no tenían equivalente en el lenguaje común castellano-mexicano.

En su vuelta epicúrea a la naturaleza, los jipis sostuvieron criterios morales muy abiertos; sabían que estaban "fuera de la ley", al margen de la sociedad, y propugnaban la libertad en todas sus formas: "haz lo que quieras", decían; otros lemas muy célebres fueron "Paz y amor", "Préndete, sintonízate y libérate". Se buscaba el cambio de la sociedad a través de la expansión de la conciencia y la ampliación de la percepción; el cambio era por dentro, individual, pero también social porque el jipiteca buscaba "prender" otras individualidades, lo que daría el cambio social. Naturalmente se trató de una corriente que nunca llegó a articularse con claridad y que más bien compartió una diversidad de estímulos sin reflexionar demasiado en ellos, ya que la otra cara del jipi era la hedonista, la conquista del placer, del juego y de una hueva razonable. Estaban demasiado ocupados en las aventuras de la mente para ordenar sus ideas. Al aspirar a una transformación de la sociedad bajo un complejo de naturaleza cultural los jipis se colocaron en terrenos utópicos, pero las utopías los entusiasmaban, lo cual denotaba la ingenuidad romántica propia de un movimiento juvenil. Sin embargo, se expresaron ruidosamente a pesar de la creciente hostilidad y sin duda dejaron huellas y temas de reflexión que durante un tiempo quedaron pendientes, quizá por lo prematuro de su planteamiento.

Desde un principio los jipitecas emprendieron peregrinajes a Huautla o a las regiones peyoteras acompañados por fuertes dosis de rock. Desde un principio también se les rechazó. La sociedad mexicana, al igual que en Estados Unidos, se escandalizó ante el horror de los greñudos-sin-rasurar y trató de pararlos como pudo. Se inyectaron dosis masivas de repudio a través de los medios de comunicación y las autoridades emprendieron una auténtica cacería que con el tiempo fue poblando las cárceles del país, especialmente el Palais Noir de Lecumberri, que además de sus célebres presos políticos ahora tenía los presos macizos, también políticos aunque no lo pareciera. El rock, por su parte, también fue atajado al máximo (salvo el de mascar, que no ofendía las buenas conciencias, y ese año tuvo mucho éxito el programa de televisión "Orfeón a Go Go", en el canal 5), pero aun así había buenos grupos como el de Bátiz, el Love Army, los Dug Dugs, Peace and love, Sinners, los Tequila y el Three Souls in my Mind.

En 1967 empezó a crecer la epidemia jipi entre jóvenes de clase media y de estratos populares de las ciudades. Pero el gran acontecimiento era que México había obtenido la sede de la olimpiada de 1968, y el gobierno de Díaz Ordaz se pavoneaba por lo que se consideraba un aval del extranjero al régimen de la revolución mexicana y al presidente en lo particular. Naturalmente, Díaz Ordaz echaría la casa por la ventana y las olimpiadas serían "inolvidables", "se tenderán alfombras de flores hasta el zócalo para recibir a los visitantes", se decía. Paternalistamente, se pedía "buen comportamiento" al pueblo en general, para que "los ojos de todo el mundo vieran la paz y estabilidad del pueblo mexicano". Los preparativos incluirían una "olimpiada cultural"; numerosos artistas internacionales, como Claudio Arrau o Leonard Bernstein, visitaron nuestro país, además, escultores de distintos países entregaron obras (nada excepcional por otra parte, por lo general de una abstracción sin imaginación) que se colocaron a lo largo de la "ruta olímpica", en la parte sur del Periférico de la Ciudad de México. La olimpiada cultural después se extendió a las ruinas de Teotihuacán, donde se llevaba a cabo un espectáculo de luz y sonido con texto de Salvador Novo (quien, por cierto, en 1967 ganó el premio nacional de literatura y en 1968 se bautizó con su nombre la calle coyoacanense donde vivía). También se llevó a cabo un festival de pinturas murales hechas por niños (mil veces mejor que las esculturas del Periférico). Por último, se lanzó el lema "Todo es posible en la paz" con lo cual el régimen acababa de autoenaltecerse sin el menor asomo de conciencia de sí mismo. El lema, por otra parte, se volvió un inmenso sarcasmo después de la matanza de Tlatelolco. Pero antes de ese 2 de octubre que no se podía olvidar, Tlatelolco fue célebre porque en la Moderna Torre de Relaciones Exteriores de la plaza de las Tres Culturas, el presidente Díaz Ordaz culminó un mínimo intento por obtener cierto prestigio internacional a través del Tratado de Proscripción de Armas Nucleares en Latinoamérica, que más bien fue conocido como Tratado de Tlatelolco. 14 pránganas países latinoamericanos, incapaces de cualquier sueño atómico, firmaron sin titubeos ese acuerdo, pero otros países importantes del continente como Estados Unidos, Argentina, Cuba y Brasil, se negaron a suscribirlo, por lo que la eficacia pacifista del Tratado de Tlatelolco más bien fue retórica.

Por esas fechas el padre Gregorio Lemercier escandalizó al mundo católico porque en su monasterio de Cuernavaca él y sus monjes se sometieron al sicoanálisis. Tanto la curia mexicana como la cúpula del Vaticano se ofendieron terriblemente pues para ellos el precedente de Lemercier im-

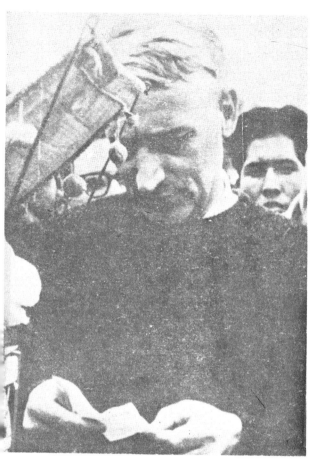

El padre Lemercier

Sergio Méndez Arceo

plicaba dejar la iglesia en manos de Freud. Por supuesto le prohibieron sus aviesas prácticas sicoanalíticas, y Lemercier tuvo que renunciar a los hábitos. El mundo católico supo de golpe que las cosas cambiaban irreversiblemente, si es que no lo advirtió en marzo de 1965, cuando los católicos practicantes que iban a misa por primera vez en su vida vieron que el sacerdote oficiaba de frente, ya no de espaldas, y que además la misa era en español, pues el latín finalmente era lengua muerta después de más de dos mil años. El pueblo mexicano era católico en su gran mayoría, pero cada vez era más visible el avance del protestantismo, que durante décadas había sido combatido viciosa y fanáticamente por la curia católica y que a principios de la década se había equiparado con, horror, el comunismo ("éste es un hogar decente, no se admite propaganda comunista o protestante", se leía en los engomados que había en muchas casas). Los viejos cultos, como el bautista, evangelista, anglicano, adventista y demás, se habían consolidado como legítimas minorías religiosas, pero también era notable el avance de sectas fanatizantes como los testigos de Jehová, los mormones u otras belicosas variantes que avanzaban sin obstáculos entre los campesinos de Morelos, Puebla y Oaxaca. El camino había sido abierto y abonado por el Instituto Lingüístico de Verano (ILV), que llegó a México a fines de los años treinta, admitido por el gobierno de Cárdenas, para traducir la biblia protestante a las distintas lenguas indias. Por cierto, una misionera-traductora del ILV fue la que avisó a R. Gordon Wasson de la existencia de hongos alucinantes en la sierra de Oaxaca. Se iniciaba la nefasta dianética entre la clase media urbana. Y, estimulados por el jipismo, surgían numerosos grupos esotéricos o teosóficos. Todo esto representaba vías alternas para la religiosidad de la gente, y eran muestras contundentes de la pérdida de eficacia de la iglesia católica como salvaguarda del equilibrio sicológico del pueblo.

Cuernavaca estaba de moda. Además del monasterio del padre Lemercier allí atraía la atención el obispo Sergio Méndez Arceo, que corporeizaba la otra cara de la crisis de la iglesia: la teología de la liberación; la participación de los sacerdotes en los movimientos populares y la vuelta a la identificación con las carencias de los más pobres. El Obispón Rojo, como llamó Margarita Michelena a Méndez Arceo, cada vez se constituía como una fuerza auténtica en la vida política del país, en oposición a los viejos grupos ultrarreaccionarios que controlaban la iglesia. Además de los sacerdotes rebeldes Lemercier y Méndez Arceo, en Cuernavaca estaba también Iván Illich, religioso sabio, educador, de mente extraordinaria; Erich Fromm, muy popular entonces, y Merle Oberon, la actriz de *Cumbres borrascosas* y rutilante estrella del jet-set, que era denso en Cuernavaca. David Alfaro Siqueiros puso allí su estudio, listo para recibir presidentes. Crecía la leyenda de Malcolm Lowry y *Bajo el volcán*.

En 1967 llamaban la atención las antologías de Empresas Editoriales: la de *Poesía mexicana del siglo XIX*, de José Emilio Pacheco, y la de *Poesía mexicana del siglo XX*, de Carlos Monsiváis; la de *Cuento mexicano del siglo XX* y los *19 Protagonistas de la literatura mexicana* de Emmanuel Carballo, así como la recopilación de artículos de Salvador Novo publicados como *La vida en México* (durante los periodos presidenciales de Lázaro Cárdenas, Manuel Ávila Camacho y Miguel Alemán). Octavio Paz publicó *Blanco*; José Carlos Becerra, *Relación de los hechos*; Rubén Bonifaz Nuño, *Siete de espadas*, y Homero Aridjis, *Perséfone*. En la prosa, Carlos Fuentes publicó *Cambio de piel*, una de sus obras más ambiciosas y de momentos geniales. *La mafia*, de Luis Guillermo Piazza, trató de cimentar la mitificación del grupo literario del mismo nombre, pero en vez de eso significó su epitafio, pues a partir de allí la mafia perdió el control de la vida cultural del país, ya que ésta empezaba a diversificarse al grado de que ya no era posible que un solo grupo la abarcase en su totalidad. Menos errado en ese aspecto se mostró René Avilés Fabila, que en *Los juegos* llevó a cabo una sátira virulenta contra la mafia y la vida cultural en general. Vicente Leñero concluyó sus fascinantes experimentos literarios con *El garabato*, y José Emilio Pacheco escribió *Morirás lejos*, una sobria y compleja novela sobre la cuestión de los judíos y el mal absoluto. Todos estos libros manifestaban una verdadera efervescencia en la narrativa mexicana. Los jóvenes ahora eran tema de moda. Los editores de Diógenes, Rafael Giménez Siles y Emmanuel Carballo, abrieron un elaborado concurso de primeras novelas: ganaría la que juntara más críticas, más ventas y más votos de los lectores que tuvieran la paciencia de llenar y enviar por correo la página desprendible del libro. *Pasto verde*, de Parménides García Saldaña, fue sin duda la novela más importante de todo el grupo; era un texto catártico, anárquico, la lucidez de la locura, además de una disección meticulosa de la clase media urbana y de lo que ya se conocía como la onda: el bien visible movimiento de los jipis mexicanos. En *El rey criollo* y en *Pasto verde*, Parménides (que significativamente bautizó a su personaje central como Epicuro o "Epicrudo") dejó constancia de su condición de campo minado y de la agudización de los tiempos. Después se convirtió en la eminencia gris de la onda (el grupo Three Souls in my Mind, después el Tri, devino el portavoz musical de esos jóvenes). En 1967, por supuesto, apareció *Cien años de soledad*, la portentosa obra maestra de Gabriel García Márquez, que llevó al boom a su máxima cima y se convirtió en motivo de regocijo en toda Latinoamérica y en el resto del mundo un poco después. El éxito de esta novela fue instantáneo, fulminante, contundente y creó verdaderos "fans" que la podían recitar de memoria. Para triunfar, no necesitó ni publicidad ni promoción de ningún tipo, sino sólo el peso específico de su grandeza.

En la música popular, además del éxito de Raphael, seguían los de la Sonora Santanera, ya sin Sonia López. Se desvanecía la prominencia de Eulalio González, Piporro, que a mediados de la década llenó la radio con sus polcas norteñas y sus divertidísimos comentarios o minidiálogos que incluía en ellas. El Piporro tenía la virtud de ubicar muy bien a Estados Unidos ("con los güeros ganen lana pero aquí la han de gastar, vénganse

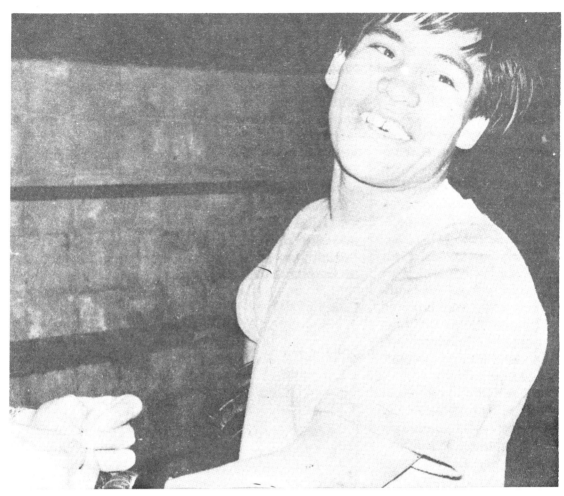

En 1969 apareció Rubén
Olivares, el Púas

Vicente Saldívar, campeón
mundial de peso pluma

Armando Manzanero renovó la canción
romántica

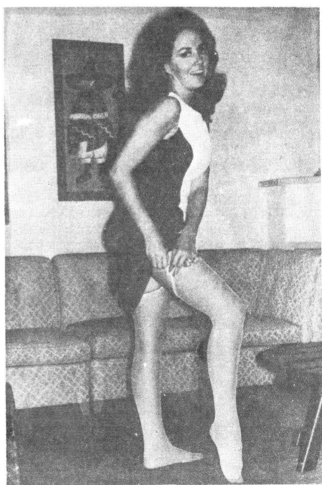

sela Vega llegó al estrellato en la segunda
nitad de los sesenta

pa la frontera donde sí van a gozar''). Su lugar fue ocupado por el muy distinto, nada jocoso, Cornelio Reyna, que, como el Piporro, no sólo gustó en México, sino también entre los chicanos del sur estadunidense. Chava Flores, en la capital, continuaba con sus espléndidas canciones humorísticas. En la música ranchera apareció Vicente Fernández y Lucha Villa se consolidó como gran intérprete. Pero la gran aparición fue la de Armando Manzanero, compositor yucateco de bellas canciones románticas (''Esta tarde vi llover'') que se expandieron con rapidez por todo México.

En los deportes, los atletas se preparaban para la olimpiada mexicana, aunque nadie tenía esperanzas de que la selección nacional obtuviera grandes triunfos. En el futbol, después de la racha de campeonatos del Guadalajara a principios y mediados de los sesenta, a fines de la década el Cruz Azul adquirió rango de gran equipo popular. El Toluca también entró duro en la competencia. En el box aún se recordaban los triunfos de José Becerra, quien a fines de los cincuenta vengó al Ratón Macías y conquistó el campeonato mundial de peso gallo. A fines de los sesenta la afición se entusiasmaba con José Medel y el cubano Mantequilla Nápoles, quien, como Pérez Prado, decidió mexicanizarse por completo. Además, de Tepito surgió Rubén Olivares, el Púas, quien en los setenta, con su compadre el Famoso Gómez, dio mucho que hablar por su belicosidad de fajador, por su ingenio verbal insuperable y por su inquietud social que incluso después lo llevó a buscar una diputación por el Partido Socialista de los Trabajadores.

Bajo el impacto de la contracultura las modas cambiaban vertiginosamente y lindaban ya con la extravagancia. Las faldas femeninas subieron a puntos inimaginables, y en 1969 las muchachas tenían que usar ropa interior de la misma tela de la ultra minifalda. Con ésta se consolidó la pantimedia. Las mujeres bajaron un tanto el volumen del maquillaje y se estiló el cabello lacio, con raya en medio. Los hombres execraban la brillantina y se pusieron trajes de tres o cuatro botones, pero luego llegaron los sacos sin solapa, al estilo ''early Beatles'', o el cuello mao, de tipo chino, generalmente acompañado de algún medallón o colgandijo en el pecho. Los pantalones eran ''con campana'', algunas de ellas tan grandes que parecían banderas. El pelo de los hombres, siguiendo el impulso jipi, crecía y crecía, a pesar de las protestas de los conservadores; ''Cristo usaba el pelo largo'', era una respuesta común de los greñudos-pero-no-jipis, que circulaban por la zona rosa, o ''zonaja'', y leían *Zona Rosa*, donde colaboraban los estrellas del momento, como Carlos Monsiváis y José Luis Cuevas.

En las reseñas cinematográficas de Acapulco se podía ver de cerca a Sharon Tate con Roman Polanski (por hablar con ellos confianzudamente, Parménides García Saldaña fue despedido de *El Heraldo de México*), Gina Lollobrigida, Sue Lyon y otras actrices internacionales que alternaban con las nacionales Silvia Pinal, Claudia Islas, Isela Vega o Mauricio Garcés, quien descubrió su prototipo de donjuan a la mexicana en la película *Don Juan 67*, de Carlos Velo. Alexandro Jodorowsky presentó su película *Fando y Lis* en el Fuerte de San Diego y ofendió a los produc-

Alexandro Jodorowsky

arlos Ancira en su celebérrima
ersión de *El diario de un loco*,
e Gogol

tores mexicanos (o mexinacos) que incluso pidieron se le aplicara el artículo 33 constitucional. Jodorowsky ya nos había ilustrado con las obras de Ionesco y de Arrabal, y como se le acabaron los ídolos, procedió a escribir sus propios textos, como su versión ad hoc de *Así hablaba Zaratustra*, en la que Isela Vega aparecía desnuda y hierática mientras decía sesudos parlamentos con su galán en turno, Jorge Luke. El "destape" se iniciaba. Jodorowsky también causó sensación cuando, ante las cámaras de la televisión, destruyó un piano a hachazos. Con Fernando Ge y Alfonso Arau realizó un espléndido programa de rock: *1,2,3,4,5 a gogó* (todo era "a gogó" para entonces). En la televisión, por cierto, Jacobo Zabludovsky escalaba posiciones.

En 1968, Joaquín Mortiz era ya la editorial de la nueva literatura, y se comentaba que el presidente Díaz Ordaz tenía problemas familiares, no tanto por su aguerrido romance con Irma Serrano, la Tigresa, sino porque su hijo menor, Alfredito, le salió rocanrolero. La tragedia del pobre-padre-que-no-podía-evitar-el-escarnio-de-que-uno-de-sus-vástagos-cayera-tan-bajo mereció la conmiseración discreta de los hombres del sistema, que no se preocupaban tanto porque el PAN ganara elecciones municipales (como ocurrió en Tijuana y Mexicali), pues a fin de cuentas el régimen contaba con formidables maquillistas y podía declarar nulas las elecciones molestas, o de plano los alquimistas transformaban derrotas en victorias para "que no se alterara el equilibrio del sistema". Los políticos tampoco se preocupaban por la guerrilla de Genaro y de Lucio en Guerrero, ni por los conflictos estudiantiles como los de Michoacán, Sonora o Chihuahua, pues se sabía que el primer mandatario "era muy macho" y sabía dar a los revoltosos lo que merecían: golpizas y cárcel. Más bien, los políticos se preocupaban porque no les faltaran entradas para los juegos olímpicos y porque ya se sentía cerca la sucesión presidencial. Los "tapados" más fuertes eran Emilio Martínez Manautou, secretario de la Presidencia; Antonio Ortiz Mena, de Hacienda, que volvía a figurar en las listas de los "conocedores", Alfonso Corona del Rosal, quien, en su calidad de regente de la ciudad, aprovechó en su favor las obras de construcción del metro; y el secretario de Gobernación, Luis Echeverría, célebre porque tomaba muy en serio el dictum de Fidel Velázquez: "El que se mueve, no sale en la foto." Echeverría se desvivía por adivinar los deseos del presidente Díaz Ordaz, y éste, según Julio Scherer García, comentaba de él: "Está muy verde. Conserva la mentalidad de un subsecretario encargado del despacho. . . Si no tiene qué hacer, lo inventa. Le obsesiona el trabajo por el trabajo mismo. . . Cada noche se hace leer por teléfono los editoriales de *El Nacional*, como si a alguien le importaran esos papasales. . . Lo invité a jugar golf temprano, y llegó al amanecer." A pesar de todo esto, Echeverría, calladito, movía todos sus recursos para ganar adeptos. Muchos creían que resultaría el elegido porque ocupaba la cartera clave: Gobernación, y porque en 1967 había pronunciado el discurso de aniversario de la Constitución, por supuesto en Querétaro.

Todo parecía hallarse en orden: el "milagro mexicano" de la estabilidad y el crecimiento económico llegaban a su techo y para muchos candorosos resultaba una verdad indiscutible el eslogan díazordacista "Todo es posible en la paz". Las construcciones y preparativos de la olimpiada proseguían con prisa. En mayo, además de que se publicaron libros como *El hipogeo secreto*, de Salvador Elizondo; *Los peces*, de Sergio Fernández; *Pueblo en vilo*, de Luis González; o *Espejo humeante*, de Juan Bañuelos; *Pasto verde*, de Parménides García Saldaña; de que Julio Castillo se revelara como un extraordinario talento teatral con *El cementerio de los automóviles*; y de la aparición del cuadro *La muerte del Che*, de Augusto Ramírez, tuvo lugar la primavera de Praga y el movimiento estudiantil de París, en las universidades de Estados Unidos el ejército o la policía intervenía para frenar el escándalo de los jipis y el repudio juvenil a la guerra de Vietnam, y cada vez más estudiantes preferían quemar sus tarjetas de reclutamiento e ir a la cárcel o huir del país. Nadie imaginaba que algo semejante podía ocurrir aquí. Sin embargo, desde diez años antes los jóvenes mexicanos también manifestaban su rechazo al sistema, con todo y milagro mecsicanou, como dejaban ver las razzias y arrestros a chavos jipis, para entonces conocidos ya como "chavos de la onda", y rocanroleros en toda la república.

En julio de 1968 se inició el verano caliente: los granaderos, siguiendo sus costumbres, oprimieron brutal y desproporcionadamente un pleito estudiantil que jóvenes preparatorianos sostuvieron en la Ciudadela de la capital, precisamente la zona terrible de la decena trágica de 1913. Indignados, los estudiantes declararon huelga y organizaron una manifestación de protesta el 26 de julio, y ésta coincidió con el desangelado mitin que el Partido Comunista Mexicano (PCM) llevaba a cabo cada año para conmemorar la revolución en Cuba. La nueva manifestación estudiantil fue reprimida con mayor violencia, además de que era notorio que "alguien" había dejado proyectiles estratégicamente distribuidos para que jóvenes disfrazados de estudiantes, pre-halcones, pudieran hacer destrozos que se atribuirían a los manifestantes; por otra parte, la coincidencia de estudiantes y PCM llevó al gobierno a argüir al instante que "fuerzas subversivas del extranjero orquestaban una conjura para desacreditar a México en proximidad de las olimpiadas". En vista de eso, se procedió a arrestar a numerosos militantes del PCM que, en esa ocasión, nada, o casi, tenían que ver con los hechos, pues era bien cierta su inexistencia histórica. Los muchachos de las preparatorias enfurecieron más aún, y durante los últimos días de julio resistieron a los granaderos y el ejército con piedras, bombas molotov y barricadas a base de vehículos volteados. Las escaramuzas duraron hasta que el ejército en plena madrugada sitió la Escuela Nacional Preparatoria e inició la moda de los bazukazos para hacer ver que el gobierno "va en serio". El bazukazo esa vez destruyó el bello portón barroco del edificio, lo que generó críticas por la barbarie de los agresores. Los estudiantes cons-

1968, de Héctor García

tituyeron un Comité Nacional de Huelga (CNH), con el apoyo de los sectores izquierdistas del país y de escritores y artistas. El CNH organizó pequeñas brigadas para informar al pueblo de su versión de los hechos, pues desde el 26 de julio la televisión, la radio y la prensa atacaron con saña a "esos pobres estudiantes manipulados por comunistas". El gobierno trataba de acabar lo más pronto posible con los disturbios y para ello recurrió a la mano durísima, bien aceitada desde 1959. Sin embargo, la dureza del régimen no pudo contener la resistencia juvenil, que ganaba simpatías a través de los mítines-relámpago en mercados, fábricas, esquinas, autobuses, etcétera.

En agosto, Díaz Ordaz cambió de táctica al ver que el autoritarismo obcecado no lograba nada, además de que se veía muy mal. Desde Guadalajara dijo entonces a los estudiantes que allí estaba su mano tendida; "chóquenla", agregó, para que vieran que él también podía ser "muy cuate". "Primero habría que hacerle la prueba de la parafina", respondieron los jóvenes. En realidad, el gobierno estaba desconcertado. "El movimiento se organizaba rápidamente para desconcierto de los controles tradicionales que habían ejercido la secretaría de Gobernación, el DDF y sus policías y agentes investigadores", escribe José López Portillo. "La organización de reuniones y manifestaciones era *sui generis* y no obedecía a patrones concebidos y controlables. . . Nuevas gentes y distintos procedimientos para desconcierto de los controladores oficiales." Los estudiantes en huelga para entonces eran de casi todas las escuelas preparatorias y superiores, y el CNH propuso un plan de seis puntos para solucionar todo: destitución de altos jefes de la policía, supresión del cuerpo de granaderos y del delito de disolución social, liberación de presos y arrestados e indemnización a familiares de estudiantes muertos o heridos. También se pedía un diálogo entre el gobierno y el CNH, público y televisado a todo el país. Una nueva manifestación tuvo lugar y más de 100 mil gentes gritaron insultos a la embajada estadunidense, que con humor negro se levantó junto a la columna de la Independencia; también se oyeron gritos de "¡prensa vendida!" cuando los muchachos pasaron frente al periódico *Excelsior*. La marcha culminó en un zócalo repleto, lo cual fue considerado como una genuina victoria popular.

Poco después tuvo lugar una nueva manifestación de apoyo a los estudiantes y esa vez acudieron más de 200 mil participantes que, alegres, desenfadados, mostraban una nula credibilidad en el sistema. Las fuerzas vivas del país para entonces se hallaban indignadas y pedían la represión de los estudiantes, a quienes se les criticaba por apátridas (pues sus héroes eran el Che Guevara y Ho Chi-Minh, dos flagrantes comunistas) y porque injuriaban "con obscenidades" a las autoridades. La extrema irritación de los conservadores se debía a la proximidad de los juegos olímpicos y al ruido que hacíamos en el extranjero; también al ver que se alargaba y se expandía lo que debió ser cosa de "unas nalgadas". La nueva manifestación otra vez llegó al zócalo, donde, por más que se gritó "sal al balcón, hocicón", el presidente Díaz Ordaz no quiso mostrar sus dulces facciones a la multitud. De hecho, se había encomendado a José López Portillo que, desde el interior de Palacio, atendiera a los manifestantes si pedían una entrevista. Pero los estudiantes querían un diálogo público, y López Portillo sólo veía, primero, la llegada de las fuerzas "de control" al zócalo, disfrazados de "barrenderos, vendedores, obreros en solicitud de empleos, curiosos, ociosos"; en la tarde llegaban las multitudes rugientes. López Portillo cuenta que a veces se asomaba por el balcón del tercer piso y le tiraban monedas de 20 centavos. Los estudiantes decidieron hacer un campamento allí mismo hasta obtener respuesta de las autoridades, se izó una bandera rojinegra huelguística en pleno zócalo y las campanas de la catedral repicaron en apoyo al movimiento estudiantil. A media noche, el ejército corrió del zócalo al campamento allí instalado y al día siguiente los medios de comunicación, el sector privado y los editoriales se rasgaron las vestiduras por la Terrible Ofensa que se Sometió al Lábaro Patrio cuando una bandera de huelga reemplazó a la nacional. El gobierno organizó un inmenso acto de desagravio con miles de acarreados de las centrales obreras y de la burocracia. Los ataques contra los estudiantes se recrudecieron, pues era evidente que el movimiento estudiantil se había vuelto popular y que representaba una válvula de escape para mucha gente inconforme con el sistema. No obstante, el gobierno se aferró a la tesis de la conjura internacional y continuó los arrestos de brigadistas, el espionaje político y la intimidación mediante el despliegue de fuerzas políticas y militares en la Ciudad de México. En verdad helaba la sangre ver los tanques y los camiones militares llenos de soldados por las avenidas de la capital.

Ciudad Universitaria se había convertido en el centro del movimiento estudiantil y el campus era territorio de mítines permanentes y de actos culturales en una franca atmósfera jubilosa y esperanzadora. Los estudiantes acampados allí echaban un relajo sensacional, esto es, cuando no había intensas reuniones en las que se hablaba y se hablaba. El primero de septiembre el presidente Gustavito (como le decía López Paseos) declamó: "La injuria no me ofende, la calumnia no me llega; el odio no ha nacido en mí." Por supuesto, dio su versión de lo que acontecía: "Recibimos informaciones de que se pretendía estorbar los juegos olímpicos." Se trataba de una conjura internacional y la patria estaba en peligro. El incidente origen del problema había sido "culminación de una muy larga serie de atentados a la libertad y a los derechos". Se había llegado al libertinaje en todos los medios de expresión y difusión; "hemos sido tolerantes hasta extremos criticados". Por supuesto, no admitía la existencia de presos políticos en México. "Dispondré de las fuerzas armadas", avisó también. "No quisiéramos tomar medidas que no deseamos, pero que tomaremos si es necesario. . . El diálogo es imposible cuando una parte se obstina en permanecer sorda y se encierra en la sinrazón de aceptarlo sólo para cuando ya no haya nada que dialogar." Y concluía, lastimado: "¡Qué grave daño hacen los modernos filósofos de la destrucción que están contra todo y en

258

El movimiento estudiantil de 1968 se manifestó a través de multitudes nunca antes vistas

El movimiento estudiantil pronto se volvió popular

favor de nada!'' Lo del "diálogo" era una obvia proyección, pues Díaz Ordaz había consentido a nombrar dos negociadores (Andrés Caso y Jorge de la Vega), pero éstos en realidad poco pudieron acordar con el CNH pues llevaban la línea de no ceder y simular tan sólo la comunicación, y porque para principios de septiembre es muy probable que la solución final ya se estuviera cocinando al máximo fuego, especialmente después de que el 13 de septiembre vino la tercera manifestación, esa vez de más de 300 mil gentes. Como respuesta a la crítica de que el movimiento no se interesaba por México, los estudiantes portaron imágenes de Emiliano Zapata y del buen Pancho Villa; y, para evitar que los acusaran de injuriosos, los participantes se comprometieron a marchar en absoluto silencio y muchos prefirieron vendarse la boca para no gritar hasta desahogarse. Por tanto, esa manifestación fue conocida como "la silenciosa" y resultó la más impresionante de todas por la tensa atmósfera que crearon cientos de miles que marchaban sin decir nada.

Hasta allí llegó la etapa de la "tolerancia hasta el exceso criticada". El diálogo nunca llegó a efectuarse, y mucho menos en "esas condiciones ridículas de querer salir en televisión y en cadena nacional". La satanización de los estudiantes por parte del gobierno (apoyada enérgicamente por la iniciativa privada, la alta dirigencia obrera, la iglesia y muchas asociaciones profesionales verdaderas o espurias) llegaba a su cúspide, y todo estaba listo para la reaparición de la violencia represiva.

Después de las fiestas patrias, el ejército invadió la hasta entonces inviolable Ciudad Universitaria, e hirió y arrestó a muchos. Poco después las tropas sitiaron el Casco de Santo Tomás tras un asedio sangriento, y el 2 de octubre, a escasos 10 días de la inauguración de los juegos olímpicos, el gobierno prohibió ominosamente una nueva manifestación y el CNH se conformó con un mitin en la plaza de las Tres Culturas, en Tlatelolco. Allí tuvo lugar la acción (concertada o no) del ejército y del grupo militar Batallón Olimpia, que simuló una "provocación" de supuestos francotiradores para que el ejército interviniera "al ver que se les disparaba a ellos y a los asistentes al mitin". Dos inmensas luces de bengala dieron la señal del ataque y pronto el ejército, los policías de civil y el Batallón Olimpia se entretuvieron disparando a la gente que corría por todas partes y descubría que las salidas estaban copadas. En la balacera cayeron muchos, entre ellos la periodista italiana Oriana Falacci, quien después se volvió una tenaz crítica del gobierno mexicano. Los que no sucumbieron buscaron refugio en los departamentos del complejo habitacional y aunque la gente de Tlatelolco les dio albergue, la tropa y la policía judicial hasta allí llegaron para llevarse a la mayoría al campo militar número 1, donde, según reveló después el general Félix Galván (secretario de la Defensa durante el sexenio de López Portillo), cuando menos la policía judicial tuvo instalaciones propias y mano libre para torturar, lesionar, asesinar y "desaparecer". En el mitin de Tlatelolco se arrestó a los líderes del CNH (Gilberto Guevara Niebla, Heberto Castillo, Raúl Álvarez Garín, Roberto Escudero, Tomás

Nada es perfecto

Por Abel Quezada

Como consecuencia inmediata de 1968, Díaz Ordaz concedió la ciudadanía a los jóvenes de 18 años de edad

Cabeza de Vaca y Luis González de Alba, entre otros). Todos ellos acabaron en la cárcel de Lecumberri, donde ocuparon las crujías C, M y N. Allá fue a dar también, al poco rato, el escritor José Revueltas, quien dijo "sí lo soy", cuando lo acusaron de ser el autor intelectual de los disturbios.

En las listas oficiales se contaron 30 muertos y 87 heridos, y se calculaba que en el campo militar número 1 cuando menos había mil 500 detenidos. La prensa recibió "línea" para justificar la acción del gobierno y condenar a los estudiantes "que habían disparado contra los soldados". "Aquella noche", cuenta Julio Scherer, "en un telefonema urgente me había advertido el secretario de Gobernación que en Tlatelolco caían sobre todo soldados y a punto de colgar el teléfono había dejado en el aire la frase amenazadora: '¿Queda claro, no?'" No es de extrañar entonces que la casi totalidad de los medios de comunicación haya apoyado sin reservas la matanza ordenada por Díaz Ordaz y orquestada por el Batallón Olimpia de Manuel Díaz Escobar. La iniciativa privada tampoco escatimó elogios al presidente, al igual que los líderes obreros. "El movimiento estudiantil", diagnosticó Fidel Velázquez, "tenía finalidades esencialmente políticas, que emanan de consignas internacionales y que está manejado", sic, "por gentes ajenas al estudiantado. . . El llamado movimiento estudiantil no tuvo en ninguna ocasión ni en ningún tiempo justificación". Por supuesto, los políticos del PRI aplaudieron a su presidente, "que había salvado a la patria". Pero el mismo Luis Echeverría años después declaró que la patria nunca estuvo en peligro, "En realidad, la vida es manejada por factores de producción", doctoró Echeverría. "El movimiento estudiantil no llegó a un estallido social porque obreros y campesinos se adhirieron al sistema, y porque la mayoría de la gente no estaba interesada." En efecto, en 1968 mucha gente no sólo de la capital sino de todo el país no se interesó gran cosa por el movimiento, o estuvo en contra de los estudiantes, pero, a pesar de ello, el sector que se rebeló acabó siendo decisivo para el futuro inmediato de México.

El movimiento estudiantil y la contracultura de los años sesenta en realidad formaron caras de la misma moneda, que se conoció como "1968", o "el 68". En todo caso, para una porción cada vez mayor de gente quedaba claro que México cerraba una etapa, despertaba del sueño que se inició en 1940 y que se caracterizó por el desarrollismo y la modernización capitalista del país. Aunque las instituciones se hallaban bien sólidas, evidentemente eran impostergables cambios profundos en la sociedad. Con el tiempo ganó la idea de que 1968 (movimiento estudiantil y contracultura) resultó, como lo dijeron hasta los presidentes de la república, "un parteaguas" en la vida nacional, el hecho más importante de nuestra historia después de la revolución de 1910. Lo fue porque implicó un proceso paulatino de tomas de conciencia para el país: se había crecido en estabilidad y relativa paz social a expensas del abuso y la explotación del pueblo; a cambio de la abundancia de unos pocos se atajó y obstaculizó el desarrollo natural de las grandes mayorías. Los cambios empezaron a surgir casi desde el

Al fin llegaron las anticlimáticas Olimpiadas de 1968

Felipe Muñoz, el Tibio, ganó la medalla de oro en los 200 metros de nado de pecho

primer momento. El nuevo presidente se vio obligado a atender, verbalmente las más de las veces, algunas demandas populares y la economía también cambió pues los empresarios dejaron de respaldar a un presidente que se engolosinaba con la retórica "izquierdista"; así se inició una crisis que vino a ser devastadora. El desarrollismo, que hasta allí llegó, había causado graves disturbios ecológicos: contaminación de las ciudades y devastación de escenarios naturales: ríos y mares envenenados, desforestación, migración del campo a las ciudades a causa del enriquecimiento de los agricultores privados; sobrepoblación alarmante con su secuela de miseria, marginalidad, drogadicción, delincuencia. Además, el desarrollismo generó que las clases altas y medias tendieran a someterse a los modelos estadunidenses más discutibles y vacuos, lo que llevó a un desligamiento de las bases tradicionales del país. El culto católico, tan importante en la historia de México, para entonces perdía eficacia y cada vez más se vaciaba de contenido. El sistema político seguía herméticamente cohesionado, pero ya se veía la urgencia de una verdadera democracia, de que el poder no se concentrara tanto en la persona del presidente ("monarca sexenal", le llamó Cosío Villegas), de que la libertad de expresión fuera auténtica, sin censuras ni manipulaciones; de que la corrupción omnipresente y todos los vicios que el régimen había generado se enfrentaran antes de que acabasen de arruinar el paisaje moral de la nación. Surgió una impostergable necesidad de llevar a cabo investigaciones objetivas, sin falsas ilusiones ni distorsiones eufemísticas, de todos los grandes problemas del país. También se detonó la sensibilidad popular, que a través de las artes, las ciencias y las demás manifestaciones culturales crecería al punto de poder considerarse como una revolución cultural que propiciaba tomas de conciencia en otras áreas.

Pero a principios de octubre de 1968, después de la matanza de Tlatelolco, nadie podía imaginar algo semejante porque ya estaban allí los esperados y a la vez calamitosos juegos olímpicos. Mientras Oriana Falacci despotricaba desde su cama de herida, y la prensa internacional recogía sus declaraciones, Díaz Ordaz inauguró las XIX olimpiadas y segundas que se retransmitían a todo el mundo vía satélites. En ellas, los atletas negros de Estados Unidos también hicieron un numerito político al blandir el puño del "black power". La prensa mexicana demostró cuán atrasada y oligofrénica podía ser al exprimir al máximo los triunfos nacionales del Tibio Muñoz y del Sargento Pedraza. Los juegos olímpicos, con todo y su espectacularidad, que por supuesto abundó en México, en verdad estuvieron ensombrecidos por la sangre de los muertos de Tlatelolco, y resultaron el inicio de la decadencia de las olimpiadas, sujetas desde entonces a terroristas, boicots gringos o socialistas, climas represivos y cubetazos de agua helada como el *affaire* Ben Johnson en 1988.

El gobierno mexicano resintió el golpe de 1968 desde un principio, pero trató de minimizarlo y pudo hacerlo porque ya se hallaba encima la sucesión presidencial y los medios de comunicación tenían otros temas para entretenerse. La contienda política por la presidencia se desarrollaba en aparente civilidad de los suspirantes Echeverría, Martínez Manautou, Ortiz Mena y Corona del Rosal, que, incluso, habían acordado un pacto "para no darse patadas por debajo de la mesa". Díaz Ordaz no anduvo contando después, o no se ha revelado, por qué desechó a unos y por qué dio el dedazo a favor de quien, después, para sus criterios, lo "traicionaría" y lo obligaría a decir: "A mí me hicieron chistes por feo, pero a él por pendejo." ¿Cómo pudo elegir, entonces, a alguien así? Sin duda contó la cortesanía y el servilismo del secretario, a quien, si lo invitaba a jugar golf, "llegaba en la madrugada". También, el apoyo irrestricto al jefe, la talacha de 15 horas al día, y por supuesto, el comportamiento de Echeverría durante el movimiento estudiantil: lealtad, y uso de los controles represivos con fachada de "política del diálogo" que, aunque nunca se practicó, sirvió para salvar el formalismo de la "tolerancia", como había hecho López Mateos antes de aplastar a los ferrocarrileros.

En todo caso, Díaz Ordaz se inclinó por su secretario de Gobernación, y, por lo que se trasluce, quedó muy satisfecho, además. Sin duda creía que había escogido "al mejor hombre". Díaz Ordaz se mostró sonriente, "afectuoso", contó después Augusto Gómez Villanueva, entonces líder de la Confederación Nacional Campesina (CNC). Él, más Alfonso Martínez Domínguez, para entonces presidente del PRI, Fidel Velázquez, del sector obrero, y Reynaldo Guzmán Orozco, de la CNOP, fueron convocados por Díaz Ordaz a Los Pinos, donde les dijo: "Yo sé que ustedes son amigos de Luis Echeverría, y me da mucha satisfacción que él sea nuestro candidato a la presidencia. . . Quiero agregar una cosa", les dijo después (o eso contó Gómez Villanueva), "a partir de esta fecha procuren entenderse directamente con Luis Echeverría". Éste, por su parte, calladamente había preparado su "infraestructura". Según Gómez Villanueva, ese mismo día ya tenían listas a varias decenas de campesinos acarreados para que la CNC fuera la primera en "lanzar la candidatura" de Echeverría, lo cual iniciaría la estampida furiosa, desesperada, de los búfalos, que tratarían de treparse en el vehículo del candidato a como diera lugar.

A partir de ese momento, Echeverría empezó a "quitarse la máscara" (o a ponerse otra, vaya uno a saber), y el hombre introvertido, tieso, reservado y calculador, a partir de su nominación empezó a aparecer locuaz, vivaz, hiperactivo y propenso a hablar sin parar. Tenía su plan bien guardadito y lo fue desenvolviendo tan pronto adquirió el poder.

Díaz Ordaz, por su parte, según Scherer García, resultó afectado por los acontecimientos de 1968 mucho más de lo que parecía. "Cambiaba el país", escribe Scherer en *Los presidentes*. "Era voz pública que el presidente sufría alteraciones en su personalidad, confundía la introversión con la soledad. Su esposa, doña Guadalupe Borja, desaparecía de la escena pública. Corría el rumor: no resistió la tensión nerviosa." De cualquier manera, a fines de 1969 Díaz Ordaz hizo una enésima modificación a la

El escritor José Revueltas fue acusado de ser ''autor intelectual'' del movimiento estudiantil de 1968

pobre Ley Federal Electoral, esa vez para que los jóvenes de 18 años tuvieran derecho al voto. "Una obvia respuesta al 68", concluyen los investigadores Samuel León y Germán Pérez.

Tanto el PPS como el PARM se adhirieron a la candidatura de Luis Echeverría, quien sólo tuvo como competencia al candidato del PAN, Efraín González Morfín, pues el PCM, no registrado por otra parte, propuso la "abstención activa".

En 1969, Daniel Cosío Villegas causó un escandalazo cuando, en 6 artículos publicados en *Excelsior* pidió que se revisara la Constitución Política de los Estados Unidos Mexicanos, ya que su lenguaje era pobre e incorrecto, además de que fue ideada para una sociedad agraria y rural. El tema resultó ser tabú pues llovieron críticas y respuestas a Cosío Villegas, entre ellas un número entero de la revista *Estudios Políticos*, una serie de entrevistas televisadas a los constituyentes que aún vivían, y hasta una telenovela con María Félix que se llamó *La Constitución*; por otra parte, se publicaron libros importantes: Octavio Paz, que se ganó la estima popular al renunciar a su puesto como embajador en la India a causa de Tlatelolco, publicó la "continuación" de *El laberinto de la soledad* con el título *Posdata*, en la cual abordó los sucesos de 1968 y trató de hallar su rizoma mítico. Elena Poniatowska, mientras preparaba *La noche de Tlatelolco*, publicó otro libro de excepción, *Hasta no verte Jesús mío*. Gustavo Sainz, publicó su compleja pero divertida novela *Obsesivos días circulares*; Augusto Monterroso ofreció su espléndido volumen de textos breves (o "moscas") *La oveja negra y otras fábulas*. Por último, desde Lecumberri, José Revueltas publicó su compacta, densísima, obra maestra *El apando*, que dice: presos y policías son lo mismo, la cárcel sólo es un reflejo de la sociedad entera, de allí el título *El apando*, que son las celdas de castigo, la cárcel dentro de la cárcel. En poesía, Alejandro Aura publicó *Alianza para vivir*, y Sergio Mondragón, *El aprendiz de brujo*.

Por otra parte, en Caracas, Venezuela, se constituyó el premio Rómulo Gallegos para la mejor novela en español publicada en los últimos cinco años; en México se creó una comisión compuesta por Emmanuel Carballo y María del Carmen Millán que elegiría la o las obras nacionales para el premio. Pero la comisión determinó que ninguna novela mexicana podía competir con Lezama Lima, Carpentier, Onetti, Vargas Llosa, Cortázar. Esto indignó a Fernando del Paso. Y Margo Glantz salió con *Narrativa joven de México*, que al reeditarse se convirtió en *Onda y escritura en México*. Con este libro Margo Glantz impunemente dio origen al confuso y vilipendiado concepto "Literatura de la onda", que se usó como ariete para contener lo que después se consideró "vulgarización de la cultura".

Carlos Monsiváis, por su parte, se unió con Alfonso Arau y los dos escribieron letras de canciones, irónicas y divertidas, para el grupo de rock los Tepetatles, ancestro directo del Botellita de Jerez de los años ochenta, que se presentó con mucho éxito en el cabaret El Quid. En tanto, el rector de la UNAM, Javier Barros Sierra, a causa de su enemistad con el presidente

Díaz Ordaz, perdió toda oportunidad de que la Universidad tuviera su propio canal de televisión. Para entonces la Suprema Corte había resuelto el litigio en torno al canal 13, que fue otorgado a Francisco Aguirre, dueño de estaciones de radio y de revistas. También se otorgó la concesión del nuevo canal 8, sobre 63 solicitudes, al grupo Monterrey. Ambos canales empezaron sus trabajos para iniciar transmisiones lo antes posible. El 13 improvisó unos estudios en la calle de Mina y el 8 ocupó lo que antes fueron los estudios de cine San Ángel Inn.

Para 1970 la gran noticia en la capital, además de la inauguración de las primeras líneas del metro, era la inminencia del IX Campeonato Mundial de Futbol, cuya sede también había sido otorgada a México. Debido a que el fut es el deporte más popular, y de que no había Tlatelolcos que lo ensombrecieran, el campeonato de futbol generó un entusiasmo insólito en nuestro país. La selección mexicana, dirigida por Raúl Cárdenas, ganó dos juegos, perdió uno y empató uno; anotó 6 goles y recibió 4, llegó a cuartos de final y obtuvo el sexto lugar entre 16 equipos, y el público se lanzó a las calles en muestras de delirio, auténtica irrupción del principio del placer, que aterrorizaba a los pobres transeúntes que no se prendían tanto con el deporte de las patadas. Allí surgió la porra "¡Mé-xi-có, Mé-xi-có!" que años después metería sus goles en la política. México no pasó de los cuartos de final (pero llegar a ellos fue considerado como "un mila-gro" tan portentoso como el "estabilizador"), sin embargo, Brasil, con Pelé al frente, ganó el campeonato y el pueblo siguió la fiesta en las calles, que vino a ser un inmenso desahogo colectivo después de las tensiones de los últimos años.

En tanto, los "conocedores" se asombraban de los cambios en el candidato priísta Luis Echeverría, quien alarmó a Díaz Ordaz y al secretario de la Defensa, el ex henriquista Marcelino García Barragán, cuando, en Guadalajara, pidió un minuto de silencio en honor "de los caídos" el 2 de octubre de 1968. El ejército se indignó a tal punto que incluso se consideró la posibilidad de cambiar de candidato, pero a fin de cuentas imperó la inercia y Echeverría siguió su campaña, en la que trataba de distanciarse lo más posible del gobierno de Díaz Ordaz. Echeverría no paraba de hablar de todos los temas posibles y llevó sus andanzas hasta los últimos pueblos y rancherías del país. Por todas partes el candidato hacía ver que durante su gobierno habría "cambios", lo cual era observado con extremo desconcierto por el sector privado.

En tanto, Díaz Ordaz ocupó el tiempo que le quedaba para modificar la Ley Federal del Trabajo. La cúpula obrera se había portado extraordinariamente bien con el sistema durante 1968 y el aún presidente decidió premiarla ampliando derechos, garantías y prestaciones. "Irónicamente", escribe Manuel Camacho Solís en *El futuro inmediato*, "el presidente Díaz Ordaz logró lo que nadie desde Cárdenas había conseguido: la unidad del movimiento obrero". Por esas fechas también salieron a la luz los problemas del río Colorado. En 1961 Estados Unidos llevó a cabo obras de drenaje en el río Gila, afluente del Colorado, y la salinidad que se produjo arruinó una zona algodonera muy fértil en Baja California. Ya presidente, Luis Echeverría se encargaría de arreglar el conflicto.

En su último informe de gobierno, Gustavo Díaz Ordaz se responsabilizó por completo de los hechos de 1968 y en concreto de la matanza de Tlatelolco. Una vez más adujo que la patria estaba en peligro y él había tenido que "salvarla". "Con los naturales, transitorios, desajustes", dijo, "a veces dolorosos y cruentos, hemos vivido una etapa más de nuestra historia, en plena paz social para que sean posibles las libertades y manteniendo las libertades para que el orden sea un bien y no un mal". A cambio de esos "dolorosos desajustes" que incluían los de la gramática, Díaz Ordaz se ufanó de que, durante su mandato, el crecimiento del producto interno bruto (PIB) había sido del 46 por ciento.

En tanto, la situación en Petróleos Mexicanos era precaria. Aunque se extraían (428.8 millones de barriles de crudo y 665 mil millones de pies cúbicos de gas diarios), esto no bastaba y el gobierno tenía que importar para satisfacer las necesidades internas. Se trataba tan sólo de un botón de muestra de los problemas de México durante el cambio de década y de administración. Las condiciones no eran promisorias. Pablo González Casanova, en *México hoy*, dice que se había logrado la dinamización de los sectores productivos mediante la estatización de la industria eléctrica y petroquímica, el flujo del capital extranjero, el fomento al turismo y el control de los trabajadores, pero, ya había una estructura oligopólica debida a la mayor concentración del ingreso y de la propiedad de los medios de producción. La economía era absorbida por muy pocos y éstos obtenían superganancias mediante salarios siempre bajos e insuficientes. El sector agrícola había generado divisas, materias primas y mano de obra barata, pero la injusticia en el campo era dolorosa. Todo el beneficio había sido para unos cuantos particulares que extendían sus latifundios simulados. Por otra parte, la política proteccionista y la fiscal también habían favorecido a las empresas oligopólicas, que lograban mayor productividad mediante la tecnología más moderna, que no todos podían adquirir.

El consumo de las clases altas había crecido, naturalmente, así como la clase media, que fue absorbida por la empresa y la burocracia. Ricos y clase media eran feroces entusiastas de la mentalidad consumista, que se inyectaba en dosis demenciales al resto del pueblo a través de los medios de comunicación, especialmente la televisión. El consumismo desatado llevó a "la brutal distorsión del gasto familiar proletario", que permitía el paisaje de chozas y barracas miserables con su antena de televisión. Esto, a su vez, generaba más ganancias para las grandes empresas. Había una fuerte demanda de productos importados, pero, por el contrario, nunca se logró una mayor capacidad para exportar. Por tanto, el país siguió dependiendo de los préstamos del extranjero, y la deuda crecía, crecía, y llevaba hacia "un callejón sin salida", dice González Casanova.

El capital extranjero, incluido el "directo", seguía penetrando, lo cual consolidaba el esquema transnacional de explotación y agravaba la dependencia de México hacia Estados Unidos. La industria se había diversificado y logró una ampliación del mercado pero las empresas nacionales tenían que hacer compras a los grandes monopolios, que así recogían ganancias por todas partes.

El régimen había descuidado sectores estratégicos, indispensables para un desarrollo sano del país: en el campo el rezago era dramático. Los energéticos también se hallaban sumamente descuidados. El gasto del estado acabó subordinándose a los planes de corto plazo de la iniciativa privada; además, apoyó de tal forma "la expansión acelerada del sistema financiero", sigue diciendo Pablo González Casanova, "que acabó haciéndose dependiente de él". Igualmente, el criterio de "estabilidad financiera a toda costa" vulneró al estado y robusteció a los financieros y a los grandes empresarios.

De tal manera, al iniciarse la década de los setenta, el sector privado no sólo era poderoso sino también consciente de su fuerza; observaba cuidadosa y críticamente las declaraciones "incompletas, vagas y aún contradictorias" del próximo presidente de la república, y tomaba nota. Cosío Villegas cuenta en *El estilo personal de gobernar* que un gran banco memorizó todo lo que decía Echeverría en su campaña; el banco a fin de cuentas se negó a dar los resultados del trabajo; "el final fue un lienzo desdibujado y confuso", concluye Cosío. No son de extrañar, entonces, las reacciones que tuvieron los poderosos dueños del dinero ante el gobierno de Luis Echeverría, como tampoco lo es la crisis, que todo esto propició, a partir de 1971.

En octubre de 1970 falleció el general Lázaro Cárdenas

Nota final

Este libro es una crónica de los principales acontecimientos que han tenido lugar en México de 1940 a 1988. Aquí aparecen los hechos políticos, económicos y culturales de ese periodo en una visión amplia y panorámica pero que también concentra la atención para presentar mayores matices de momentos determinados.

De principio a fin hay una profunda seriedad ante la responsabilidad que implica un trabajo de esta naturaleza y no hay nada escrito aquí cuya procedencia no se pueda ubicar. Me basé en libros, en revistas y periódicos, y en conversaciones con numerosas personas que me dieron su versión de diversos hechos. Yo mismo he sido testigo de buena parte de la época y no dudé en utilizar mis propias observaciones, aunque siempre con el apoyo de materiales publicados que moderaran mi subjetividad.

El sentido de la responsabilidad y la seriedad del tema no excluyen, en lo más mínimo, la posibilidad de una lectura ágil, fluida e incluso placentera. Con ese fin no desdeñé el humor, la ironía, ni chistes, chismes y rumores en boga. La realidad a veces es francamente hilarante, pero otras veces es bueno sonreír ante ella para no sucumbir en las dificultades.

También procuré eludir tablas, cifras excesivas, terminologías muy técnicas y notas al pie de página. En realidad, buena parte de este libro se ha hilvanado a través del uso estratégico de numerosas y diversas fuentes, cuya lista aparece en la bibliografía general; cuando el saqueo resultó franco y abundante, o la cita es directa, las obras se mencionan en el cuerpo del texto. Es, claro, por tanto, que este libro no añade gran cosa a los especialistas, aunque puede interesarles, pero un público amplio lo hallará útil y entretenido.

El libro está dividido en sexenios y en cada uno de ellos procuré anotar lo más relevante de los distintos planos de la vida en México. Por supuesto, la naturaleza de la obra impidió tratar de abarcar demasiado y limitó los materiales. Por tanto, las omisiones pueden ser incontables, y por desgracia muchos sucesos importantes o interesantes apenas si están delineados. Por otra parte, el periodo en cuestión es muy reciente; muchas cosas siguen en la oscuridad y en otras las versiones suelen ser distintas; la información no se ha asentado aún en ciertos casos y por esa razón es posible también la existencia de algunas inexactitudes menores; éstas, por supuesto, son involuntarias y están abiertas a la rectificación.

El libro se presenta en dos volúmenes; el primero abarca de 1940 a 1970, y el segundo de 1970 a 1988.

Sinceramente creo que *Tragicomedia mexicana* puede ser de interés, y por eso, en esta nota inevitable, expreso mi gratitud a todas las personas que me ayudaron, y en especial a Carlos Barreto, que me proporcionó libros y su colección de revistas; al Grupo Editorial Planeta, que me facilitó otros libros imprescindibles; a mis hijos Jesús y Andrés, que me ayudaron en la elaboración de fichas; por último, a mi hermano Augusto y a mi esposa Margarita, que leyeron el manuscrito y me hicieron muy buenas observaciones.

ÍNDICE